Georg Satirev

SEEBERGER KINDERTAGE

novum ◢ pro

Dieses Buch ist auch als
e-book
erhältlich.

www.novumverlag.com

Bibliografische Information
der Deutschen Nationalbibliothek:

Die Deutsche Nationalbibliothek
verzeichnet diese Publikation in
der Deutschen Nationalbibliografie.
Detaillierte bibliografische Daten
sind im Internet über
http://www.d-nb.de abrufbar.

Gedruckt in der Europäischen Union
auf umweltfreundlichem, chlor- und
säurefrei gebleichtem Papier.

© 2024 novum Verlag

ISBN 978-3-99146-721-2
Lektorat: Ute Leber
Umschlagfoto:
Winzworks | Dreamstime.com
Umschlaggestaltung, Layout & Satz:
novum Verlag

www.novumverlag.com

Für A.

Inhaltsverzeichnis

I

„Lerne im Leben die Kunst,
im Kunstwerk lerne das Leben."

Friedrich Hölderlin

1

Wie beginnen?

Sollten wir unsere Erzählung über, sagen wir Paul Poth, wir könnten ihn aber auch, da Namen in Romanen oft ablenken oder zu falschen Assoziationen verleiten, abkürzen: P. P. – was doch mehr ist als das Niemand Homers – oder wohlklingend, aber etwas altertümlich und gekünstelt, Adrian oder, gut Deutsch, Ulrich oder Waldemar – das bayerische Woldemar – Starnberg, da unsere Geschichte auch an dem gleichnamigen See spielt, oder aristokratisch bayerisch Leopold oder francophon Frederic oder gar jüdisch, Gott hat gegeben, Nathan benennen, unseren Helden, der doch ein ziemlich gelungenes und erfreuliches, wenn auch nicht immer geradliniges, von manchen Brüchen, wie einer Ehescheidung, bestimmtes, aber ansonsten ein Leben führte, verschont von größeren Katastrophen – bis auf die eine, die Anlass dieses Berichtes wurde, die Diagnose einer im Regelfall tödlich verlaufenden Krankheit im Alter von Ende fünfzig kann man heutzutage schon als solche für den Betroffenen bezeichnen, ein Leben, welches dem gesellschaftlichen und politischen Umfeld, das sich friedvoll und geduldig entwickelte, entsprach, damit beginnen, uns selbst vorzustellen? Wohl wissend, dass das Erzählte durch die Sichtweise des Erzählenden, durch dessen Aus- und Wortwahl eben auch von diesem handelt, dass das Wissen, das Wer und Was des Schreibenden das Geschriebene verständlicher werden lässt, jedenfalls relativiert.

Wenn wir das täten, so wäre zu berichten, dass Paul Poth, für diesen Namen haben wir uns nun offensichtlich entschieden, dem Verfasser schon als Kind bekannt war, und dass der Erzähler die Ehre hat, sich bis zum heutigen Tag zu dessen Freunden zählen zu dürfen. Gemeinsam verbrachte Zeiten in der Kindheit, Jugend und als Studenten, gemeinsames Auslandsstudium, wechselseitige Trauzeugen- und Patenschaften haben diese Freundschaft bestätigt und erlauben es, die folgenden Zeilen zu verantworten.

2

Sollten wir so beginnen: Von Süden wehte ein warmer, trockener Wind – der Föhn, den die Römer wohlklingend *favonius* nannten. Der Himmel war klar und die geringe Luftfeuchtigkeit des Föhns offenbarte einen herrlichen Blick vom parkähnlichen Garten des Herrn Konsul Dr. Poth auf die Alpenkette, aus der die Zugspitze herausragte. Es war ein schöner Julitag des Jahres 1959.

Der Starnberger See war, auch sonntags, noch nicht bedeckt von einem Meer weißer Segel, das Gefühl von Wind, Wasser und Bewegung auf ständige Ausweichmanöver reduzierend. Der See war ein hellblauer Farbfleck in weitem grünen Rund, mit einzelnen weißen Tupfern. Von dem Dorf Seeberg gab der Blick aus dem Wohnzimmer der Villa Poths in erster Linie die neubarocken Kirchtürme frei. Anders als vielleicht manche Städte war Seeberg nicht an dessen Gang zu erkennen, da zu dieser Mittagszeit so gut wie nichts in Bewegung war.

Der Möbelfabrikant und Kunsthändler Poth hatte, seiner Gewohnheit folgend, den Sonntagmorgen mit einem Bad im Starnberger See begonnen. Er benutzte dazu seine Badehütte, die vom Ufer aus in den See gebaut war und ihm einen exklusiven Seezugang ermöglichte. Er tauchte in die glatte Wasserfläche. Das Wasser war angenehm, um die dreiundzwanzig Grad und dennoch am Morgen erfrischend. Sein Blick war frei auf das andere Seeufer, noch nicht wie heutzutage durch zahlreiche Bojen und daran hängende abgetakelte Segelboote verstellt. Die gegenüberliegenden Türme des Ammerlander Schlosses, das einst dem Grafen Pocci gehörte, waren gegen die tiefstehende, aber schon warme Sonne nur schemenhaft wahrzunehmen. In der südlichen Ferne erkannte er düster Heimgarten, Herzogstand, Jochberg und Benediktenwand, dahinter schon sonnenbestrahlt das helle Grau des Karwendelgebirges mit einzelnen weiß leuchtenden Schneetupfern. Ein einsames Segelboot ruhte im See, sich kaum bewegend, zwischen Entenpaaren. Winzige Fische bewegten sich zitternd und hysterisch im Wasser neben einigen größeren, elegant die Weite des Sees auskostend. An Poths Ohren drang Vogelgezwitscher, unterbrochen von fernem Glockenläuten, am Sonntag die Gläubigen rufend. Vom Uferweg her hörte man das Knarzen der Schritte früh munterer Spaziergänger oder das gleichmäßige Geräusch vereinzelter Radfahrer, die, geschützt von Thujahecken, Herrn Poth nicht zu Gesicht bekamen.

Über der Einnahme des Frühstücks, der Absolvierung des Kirchganges und der Fernsehsendung „Internationaler Frühschoppen" mit sechs Journalisten aus fünf Ländern unter der Moderation von Werner Höfer, war es Mittag geworden.

Konsul Poth hatte, bevor er sich an den unter einer Markise stehenden Glastisch, der für das Mittagessen mit Zinntellern gedeckt war, niederließ, die Rosen in seinem Garten inspiziert. Die Rosen waren von Poth eigenhändig ausgesucht worden. Nur alte Sorten mit einer gewissen Geschichte waren erwählt, wie die „Rose des Resht", die aus Persien stammt, deren üppige Rosetten in tiefem Karminrot leuchten. Aber auch Sorten, deren Namen verführerisch klangen, etwa die schneeweiße „Boule de Neige", bekamen ihre Chance. Konsul Poth bestellte bei einem bekannten Rosenzüchter jedes Jahr eine neue Sorte und wartete, ob sie sich in seinem Garten entwickelte. Erfolgreich war etwa die zartrosafarbene feine Schönheit mit Namen „La France" vom Züchter Jean Baptiste Guillot mit der gefüllten kugeligen Blüte, ebenso wie die tiefbrombeerrote Strauchrose „Tuscany", die schon 1596 erwähnt wurde, wie Konsul Poth Besuchern gerne erläuterte. Poth genoss vor-

11

nehmlich das wahrhaft klerikale Violett der Rose „Cardinal de Richelieu" und den verschwenderischen Duft der Kletterrosa „Gloier de Dijon", deren goldgelbe dichte Blüten gefaltet sind wie ein Modell des Modeschöpfers Fortuny, den schon Proust zitierte. Poth ließ Besuchern gerne ihren, für alte Rosen so typisch intensiven Duft, mit dem der Damaszner Rose vergleichen, einer Rosenart seit der Antike als Sonnenanbeterin bekannt, mit noblem Wuchs und langen Blättern.

Der Garten war von einem renommierten Gartenarchitekten nach englischer Art angelegt. Der in einem eigenen kleinen Haus auf dem Grundstück wohnende Gärtner Pelz musste dafür sorgen, dass die Anlage, wie geplant, erhalten blieb.

Nach solchem sinnlichen Genuss des Auges und der Nase sollte der Gaumen verwöhnt werden. Am Mittagstisch der Familie des Konsul Dr. Poth, bestehend aus dem Konsul, dessen Gemahlin, deren älterer Schwester, im Familienkreis Tatte oder ansonsten auch Frau Majorin genannt, des Jesuitenpaters Herrn Dr. Müller und heute – es war eine Ausnahme, da sonst sonntags zumindest eine der drei Familien der Kinder der Poths eingeladen waren – lediglich des Enkels Paul, der mich, seinen Kameraden – auch dies für sonntags ungewöhnlich – zu Gast hatte, wurde von der seit Jahren im Hause wohnenden und „dienenden" Köchin Anni gerade selbst das von ihr angefertigte Zitroneneis dargereicht. Normalerweise ließ sie die Hausmädchen Rosa oder Rosi servieren, aber das Eis brachte sie doch eigenhändig, wohl wissend, dass sie sich das Lob für das vorangegangene Essen – es gab nach der aus selbst gerupftem Sauerampfer hergestellten Suppe einen Ochsenschwanz – von Herrn Konsul abholen konnte und der Pater ihr, wie schon so oft, versichern würde, dass er allein des Eises wegen seinen Aufenthalt in Seeberg – dabei verdrehte Frau Poth unmerklich die Augen – ins, allerdings nicht theologisch gemeinte, Ewige ausdehnen könnte.

Herr Poth, als Unternehmer immer darauf bedacht, das Lob, das er bei seinen Mitarbeitern als Motivation regelmäßig verteilte, ohne dass ihm solches in Managementschulungen als günstige Art der Produktivitätssteigerung beigebracht worden wäre, nicht so ausgiebig einzusetzen, dass diese noch auf den Gedanken kämen, sie seien unersetzlich oder sollten daraus den Vorteil einer Gehaltserhöhung ziehen, lenkte doch bald die Aufmerksamkeit auf den dem Föhn geschuldeten Blick von der Terrasse auf den See und die Berge, mit allerdings mitfühlendem Seitenblick auf seine Gattin: „Ich weiß, der Föhn bereitet dir Kopfschmerzen, während er meine ästhetischen Genüsse befriedigt. Unser Pater würde sagen, das ist die Dialektik des Lebens, was den einen erfreut, ist der Schaden des anderen. Sollten wir uns wünschen, es gäbe keinen Föhn und wir müssten auf diese Blicke – wahre Naturschönheit – verzichten, aber andere kämen um körperliche Beschwerden herum? Was meinen Sie, mein lieber Jakob?" Jakob Müller, der Jesuitenpater, griff das Thema auf, das wir nicht weiter verfolgen wollen, während Frau Poth sich der Köchin Anni annahm und sie aufforderte, sich an den Tisch zu setzen. Sie wollten die Speisefolge der nächsten Woche besprechen.

Paul und ich lauschten, wie so oft, dem Gespräch der Herren und, obwohl erst achtjährig, prägte sich uns doch vieles ein und wir diskutierten Jahre später manchmal über das Gesagte als doch typisch für Auffassungen, die kritisch zu hinterfragen wir uns angelegen sein ließen.

Auch jetzt. als ich Paul fast fünfzig Jahre später gegenübersaß und wir begannen, wenn auch aus traurigem Anlass, sein Leben zu resümieren, war sein erster Gedanke: „Wenn ich zurückdenke in die Fünfziger Jahre …"

3

Wäre dies der richtige Beginn?

Im Frühjahr 2007 gestand mir mein Freund Paul Poth, mit dem ich als Kind Räuber und Gendarm gespielt, mit dem ich als Schüler und Student gemeinsam „Ho Ho Ho Tschi Minh" auf Demonstrationen, die für uns doch eher „Happenings" waren, skandiert, mit dem ich zusammen in Harvard einen amerikanischen akademischen Abschluss erlangt hatte, für dessen erstes Kind ich Pate gestanden, dessen gesellschaftsrechtliche Auseinandersetzungen ich juristisch begleitet habe, und dessen Firmenverkauf und damit die Möglichkeit, für sich, seine Frau und künftige Generationen, sofern diese die Vermögensverwaltung maßvoll und klug vornehmen ließen, ein wirtschaftlich sorgenfreies Leben zu führen, ich durchgeführt hatte, dass dank eines Gehirntumors sein Leben sich mit nun 57 Jahren demnächst beschließen werde. Da es ungewiss sei, wie lange seine geistigen Fähigkeiten noch vorhanden wären oder wie bald körperliche Unzulänglichkeiten alle auch geistige Aufmerksamkeiten benötigten, bat er mich, ihm so bald als möglich, wenn nicht täglich, so doch des Öfteren in der Woche für bis zu drei Stunden, zur Verfügung zu stehen. Er wolle sein Leben resümieren. Ich sei sein ältester und einer seiner wenigen wahren Freunde. Unser Vertrauensverhältnis gewährleiste, dass Mitteilungen, Gedanken, geäußerte Gefühle nicht dem Markt der Eitelkeiten und Geschwätzigkeit dargebracht werden. Es ginge nicht um eine Biographie und eine Darstellung für Nachgeborene. Er wolle nur mit sich selbst ins Reine kommen. Dazu sei das Gespräch – wie ja die Therapie wisse – ein geeignetes Mittel und besser als das Selbstgespräch, zumal wir selbst gemeinsam zahlreiche Diskussionen und Gespräche in allen Lebenszeiten und Lebenslagen hinter uns hätten.

Ich sagte selbstverständlich zu. Wir verabredeten uns für die zu vereinbarenden Tage von 17.00 bis 20.00 Uhr abends in meinen Kanzleiräumen in der Brienner Straße. Ich könnte für den völlig störungsfreien Ablauf garantieren. Ich ließ meine Termine umlegen oder sorgte für

Vertretung und wir begannen unsere Treffen drei Tage nach der Mitteilung der tödlichen Krankheit.

4

Denkbar wäre auch folgender Beginn:

Am 6. April 2008 gegen 14.00 Uhr war es in München so warm, wie in früheren Jahren gelegentlich im Juni oder September. Die Menschen, die an den im Freien aufgestellten Tischen des Cafés „Münchener Freiheit" an dem gleichnamigen Platz in Schwabing saßen oder daran vorbeigingen, hatten sich der dem angeblich schon eingetretenen, obwohl bislang ständig verleugneten, Klimawandel geschuldeten Witterung in ihrer Kleidung angepasst. Diese war im Durchschnitt schicker und stilvoller – ein Urteil, das gewiss anmaßend ist, denn wer gibt vor, was schick und stilvoll ist? – als diejenige der Menschen in anderen deutschen Städten. Lag das daran, dass München näher an Italien liegt? Dort, wo die Menschen mehr von Geschmack und Stil verstehen. Lag es daran, dass die wiedererstellte Architektur vergangener Jahrhunderte Münchens, die, und das ist wohl fast Konsens, den schnell errichteten und lieblos zusammengestellten Gebäuden in den meisten Städten Deutschlands der Nachkriegszeit vorzuziehen ist, auf Stil und Geschmack der Bewohner abfärbte oder war es einfach eine Frage des Preises, des doch größeren und breiteren Wohlstandes in München als, sagen wir, Essen, Dortmund oder Mönchengladbach.

Ich war etwas zu früh, hatte Platz genommen und einen Milchkaffe mit viel Milch – in Wien „Verlängerter" genannt – bei einer schwarzhaarigen Kellnerin mit eher ostischem Akzent – in Wien wäre es ein Kellner gewesen – als Latte macciato bestellt. Immerhin gab es, anders als in Wien mit seinem umfangreichen internationalen Zeitungsangebot, einige Lokalzeitungen zu lesen. Ich entschied mich, da ich die „Süddeutsche" ohnehin abonniert hatte, für die „Abendzeitung" und wurde im meinem schon bestehenden Urteil, das also ein Vorurteil war, erneut bestätigt, dass diese Zeitung in fünf Minuten zu lesen sei, dass, sei es dem Fernsehen, der aufgetretenen Konkurrenz oder der allgemeinen Nivellierung geschuldet, die Zeiten längst vorbei waren, als, dank Sigi Sommers originellen Geistesblitzen, dank „Hunters" oder später Michael Gräters lokalen Ratschereien, dank witziger Karikaturen und Comics, die „Abendzeitung" einem das Gefühl vermittelte, man könnte stolz darauf sein, als Münchener dazuzugehören. Heute dokumentiert die „Abendzeitung" Münchener „Möchte gern"- Provinzialität, die, wie die schon lang nicht mehr authentischen Statements eines Herrn Hirnbeiss, allenfalls die Erinnerung an bessere Zeiten wahrt, während die „Bild" immerhin vorgeben kann, dem Volk national aufs Maul geschaut zu haben.

Die notwendigen fünf Minuten waren noch nicht abgelaufen, als ich schon meinen Freund Paul, offenbar mich suchend, sah. Er ist circa ein Meter fünfundachtzig groß, hat beginnendes weißes, aber volles, noch blondes, links gescheiteltes kurzgeschnittenes Haar, ein ebenmäßiges, schönes Gesicht mit großen, blauen Augen, einer geraden Nase und breiten, sinnlichen Lippen. Er ist schlank und trägt eine randlose Brille, die sich dank des Sonnenscheines dunkel eingefärbt hatte.

Ich winkte, er bemerkte mich und setzte sich. „Ich freue mich. Wie geht's?"

„Beschissen. Ich bin Opfer eines Gehirntumors und habe vielleicht noch drei Monate zu leben. Eine Operation ist nicht möglich. Noch kann ich denken, reden, mich bewegen. Das wird sich jedoch bald ändern. Ich weiß es seit gestern. Doch wollte ich unser Treffen dennoch wahrnehmen."

5

Eine mögliche Variante zu beginnen, könnte so formuliert werden:

Als Realist war sich Paul Poth klar, dass er gelebt hatte, dass vor ihm eine dem reinen Überlebenswillen geschuldete, an sich sinnlose medizinisch indizierte Prozedur des Hinauszögerns des Todes durch Maßnahmen wie Bestrahlung, Chemotherapie und Medikation lag. Der verzögerte Exitus sollte sich auch möglichst schmerzfrei einstellen.

Dies war unvermeidlich und letztlich in den jeweiligen Schritten zwar nicht im Detail, aber doch im großen Ganzen vordefiniert. Was Paul Poth aber noch wollte und dies war der Akt der Freiheit, dies konnte er noch entscheiden und sich bewusst machen: Er wollte für sich klären, wie er gelebt hatte. Was hatte er richtig gemacht, was hatte er recht gemacht, was war unvermeidlich, was wäre, bei anderer Entscheidung seinerseits, vielleicht anders gegangen.

Er wollte sterben in dem Bewusstsein, nicht nur äußerlich testamentarisch seine Angelegenheiten geregelt zu haben, sondern sich selbst über sein Leben Rechenschaft abgelegt, sozusagen das Jüngste Gericht für sich vorgezogen zu haben.

Um dies zu realisieren, wandte er sich an mich, seinen ältesten Freund, um ihm als Sparringspartner oder als Therapeut gegenüberzustehen. Lange Zeit hatten wir als

Abiturienten und beginnende Studenten, anstatt früh schlafen zu gehen, darüber diskutiert, ob es das richtige Leben im falschen gäbe und wenn, wie ein solches zu formulieren wäre.

Wir verabredeten uns in meiner Kanzlei. Wir setzten unsere Gespräche auf mindestens dreimal wöchentlich, außer samstags und sonntags, um jeweils 17.00 Uhr fest und gaben uns maximal drei Stunden pro Tag.

6

Allen Potentialitäten zum Trotz muss doch eine Entscheidung, und die ist frei, zur Realität führen, in diesem Fall zum konkreten Beginn:

Südlich von München liegt, eingebettet in eine sanfte Hügellandschaft und vor sich in einigem Abstand, daher keineswegs erdrückend und einengend, die Nordalpenkette, der Starnberger See, im Gegensatz zum Ammersee, dem Bauernsee, auch Fürstensee genannt.

Offiziell ist der Name erst seit 1962 gültig, so dass zu der Zeit, in welcher ein Teil unserer Geschichte spielt, Würmsee die amtliche Bezeichnung wäre.

Am Starnberger See liegt auch das gleichnamige Städtchen, jedoch kein Wald oder gar ein Schloss mit diesem Namen. Dagegen gibt es viele Villen und Landhäuser, die wohlhabende Bürger sich in unterschiedlichsten Stilformen seit Mitte des

19. Jahrhunderts überwiegend – damit der Bahnlinie folgend – auf dem Westufer des Sees errichtet haben.

Auf dieser Seite des Sees, am nördlichen Ende einer Einbuchtung findet sich der Ort Seeberg und eine dieser Villen, in denen die Großeltern Paul Poths in zweiter Generation, man kann zu Recht sagen, residierten.

Denn die Villa „Seeblick" lag inmitten eines Parks, der doch, wie der Name schon sagt, den Blick sowohl auf den See wie auf die Alpen und zuvörderst die Zugspitze freigab. Sie war von einem Münchener Architekten neuklassizistisch gebaut, was heißt, dass Stilelemente vergangener Epochen eklektisch zusammengesetzt wurden. In diesem Falle aber durchaus nicht protzig, neureich, sondern zurückgenommen mit Gefühl für Stil und Geschmack.

Der Vater von Konsul Dr. Poth war Kunsthändler und hatte einen angesehenen Architekten der Münchener Szene beauftragt, ihm ein angemessenes Landhaus zu planen und zu realisieren – zwölf Jahre nach der Fertigstellung seines Stadthauses in der Brienner Straße, in dessen zweitem Stock nun mein Anwaltsbüro eingerichtet war, das als Treffpunkt des Sich Bewusstmachens des gelebten Lebens meines Freundes Paul Poth diente.

7

Ich sage Freund. Ja, Paul Poth war und ist mein Freund.

Freundschaft speist sich aus gemeinsamen Erfahrungen, wie der Schulzeit oder Studentenzeit.

Wir hatten schon als Kleinkinder zusammen gespielt, als Schüler in der Oberstufe, obwohl an verschiedenen Gymnasien und verschiedenen Orten uns von einem Studenten der Germanistik, Mitglied der Rotzeg, der sogenannten Roten Zelle Germanistik, gemeinsam in Dialektik – derjenigen von Hegel als notwendiger Vorläufer von Karl Marx – schulen lassen. Wir hatten verschiedene Fächer an verschiedenen Unis studiert, ich in München Jura und nebenbei bei den Je-

suiten Philosophie, Paul in Frankfurt Philosophie und Volks-
wirtschaft, aber gemeinsam dieselben enttäuschenden Erfahrungen mit den Ausläufern der Studentenbewegung gemacht,
um uns im amerikanischen Cambridge an der Harvard Universität wiederzusehen: Paul machte den Master of Business
Administration, ich den Master of Laws, den Legum Magis-
ter, den LL.M.

Wir arbeiteten auch später beruflich zusammen, als Paul
als operativer Manager bei einem LBO, also einem „Leveraged
Buyout" oder heute populärer, einer Heuschreckenübernahme,
agierte und ich die notwendigen Verträge ausfertigte. Wir sind
gegenseitig Paten unserer Kinder, ich habe Pauls Ehe geschieden und war ihm in dieser für ihn sehr schweren Zeit mit vielen ausführlichen Gesprächen gewiss eine Stütze.

Wir haben eine gemeinsame Lebensauffassung, oder genauer, Haltung. Wir verabscheuen jegliche aufgesetzte Attitüde,
sei sie intellektueller, geschäftlicher oder privater Art. Insofern
haben wir ein durchaus so zu bezeichnendes elitäres Selbstver-
ständnis, dessen Charakteristikum es aber gerade ist, es nicht
nach außen zu tragen. Gemeinsam können wir uns dann bestens amüsieren über die Eitelkeiten und aufgeblasenen Sprüche sogenannter Leistungsträger, deren Erfolg immer wieder
verwunderlich erscheint.

All das genügt aber nicht für eine Freundschaft. Hinzu
müssen intellektuelle Gemeinsamkeiten kommen, die wiederum aus den Studieninhalten stammen können, aber auch
aus gemeinsamen Vorlieben für bestimmte Literatur, Kunst
oder sonstiges.

In unserem Fall war es die Vorliebe für gewisse Romane.
Paul und ich liebten Proust, Thomas Mann, Fontane, Flaubert,
aber auch Musil, Joyce und nicht zuletzt die Lebensweisheiten
eines Shakespeares.

Wir waren uns einig, dass von den aktuellen Autoren allenfalls Philipp Roth, trotz seiner uns beide störende „Sexsucht",
an diese heranreichte. Dass er noch keinen Nobelpreis erhalten hatte und ihm etwa die Österreicherin Jelinek vorgezogen
wurde, hielten wir für einen Skandal.

Da wir beide ständig Bücher der genannten Autoren lasen, teilten wir uns bei regelmäßigen gemeinsamen Treffen immer wieder kleine Details mit, wie „Ich habe neulich in der ‚Gefangenen‘, dem 5. Band der ‚Recherche‘, einen Hinweis auf den möglichen Namen des Erzählers gefunden, indem Albertine unter der Prämisse dem Erzähler denselben Namen wie dem Verfasser zu geben, welch ironische Distanzierung, diesen ‚Mein Marcel‘ oder ‚Marcel Liebling‘ nannte", oder „Was Fontane den alten Stechlin über das Telegraphieren sagen lässt, könnte man heutzutage auf die E-Mail Sucht anwenden:‚Die feinere Sitte leidet ganz gewiss‘." Solche Hinweise gingen über in Diskussionen zu Fragen, wie generell geltende Wahrheiten von Romanen oder inwieweit der Roman oder die Kunst allgemein und nur diese gelebtes Leben verewige.

Wahre Freundschaft wird erst in fortgeschrittenem Alter bewusst. Mit dem Freunde konnte man Dinge besprechen intimster Art und war doch gesichert, dass die Kenntnisse weder im unmittelbaren Gespräch als Waffe, wie allzu oft in Liebesbeziehungen, noch im Bekanntenkreis als Geschwätz verwendet wurden. Durch gemeinsame Erfahrung und intellektuelle Übereinstimmung war man sich des Verständnisses gewiss. Schwach sich zu zeigen, ohne Stärke zu provozieren, ist Zeichen der Freundschaft, nicht der Liebe. Die Liebe ist, und das wusste Proust so viel besser als Adorno, besitzergreifend und als solche immer in Machtkämpfe verstrickt. Dem entgeht die wahre Freundschaft.

In unserem Fall waren wir uns auch einig in Grundansichten zur Philosophie. Ich teilte die Auffassung von Paul, der Philosophie akademisch mit dem Doktortitel abgeschlossen hatte, dass das alte Diktum von Seneca, die Philosophie verheiße dem Menschengeschlecht „Guten Rat" nicht mehr gelte. Die Philosophie wolle Erkenntnis. Aber diese war für den Normalbürger heute nicht mehr philosophisch vermittelbar, was die Philosophen schon immer wussten, angefangen von Sokrates Wissen darum, dass er nichts wisse, bis zu Max Horkheimers Eingeständnis, dass derjenige, der zu Philosophieren beginne vor der Erfahrung nicht sicher sei, dass seine Unternehmung widersinnig sei.

Was ist das aber für ein Rat an die Menschheit: Wir wissen nichts und unsere Aussagen sind widersinnig. Daher käme es nach unserer Überzeugung heute den großen Romanschriftstellern zu, in ihren Romanen Handlungsmodelle und damit auch Rat darzutun, ohne mit gehobenem Zeigefinger abstrakte Vorstellungen zu vermitteln und ohne auf die Schwierigkeiten und Widersprüche, die nun einmal menschliches Dasein impliziere, zu verzichten. In der Auseinandersetzung mit gelebtem und in Romanform dargestelltem Leben könne das moderne Individuum für seine individuelle Lebensform Anschauung und damit Rat erfahren.

II

8

„Wenn ich an meine Kindheit denke, dann denke ich an Seeberg", begann Paul, „obwohl meine Eltern ja in Schwabing wohn-
ten und ich dort viel mehr Zeit als in Seeberg bei meinen Großeltern verbrachte. Woran mag dies liegen?"

Wir saßen uns in bequemen Ledersesseln gegenüber, jeder
ein Glas Mineralwasser vor sich.

Ich blickte auf Paul und vergegenwärtigte mir, wie ich ihn,
beide waren wir vielleicht vier- oder fünfjährig, das erste Mal
sah. Meine Eltern und seine Großeltern waren Nachbarn.

Es war im Frühling, ich glaube, es war April. Wir hatten
Föhn. Auf den Bergen, deren Spitzen sich gelegentlich in fla-
che, sich weit in den Horizont hinziehende Wolken auflösten,
war der Schnee im Rückzug, was trotz der Klarsicht im Einzelnen nur deutbar, nicht ausdrücklich ersichtlich war. Das
Singen der Frühlingsvögel, das, Wunder der Natur, völlig un-
abgestimmt ein melodisches Konzert ergibt, wurde immer wieder kontrastiert durch fernes Flugzeugmotorengeräusch, ge-
legentliches Läuten der tiefen Glocke der Kirche von Seeberg
und manchem, eher fernen Motorenlärm, der daran erinnerte,
dass Arbeitstag war. Die Magnolien des Baumes vor dem Haus
waren im Aufspringen für die Jahreszeit Mitte April eher spät
und damit dokumentierend, dass der Winter sich nur zäh verabschiedet hatte. Die Tulpen in rot, gelb, lila blühten wild aus
der schon grünen, dank der Gänseblümchen weiß eingespren-
kelten, gelegentlich durch Anemonen blau dekorierten Wiese
und gezähmt und geordnet im Beet. Auch die goldgelben Nar-
zissen präsentierten ihre trompetenförmigen Blüten inmitten
ihrer straffen, linealen Blätter. Den Apfelbäumen sah man an,
dass sie es alsbald den roséfarbenen wilden Kirschblüten nach-
tun wollten. Manch fliegendes Getier wurde von dem nach den
vergangenen kalten jetzt überraschend warmen Tag erweckt.

Wir begegneten uns am Gartenzaun.

Das Flirtverhalten von Erwachsenen lässt sich schon bei Kindern beobachten: Ein flüchtiger Blick, die Feststellung, dass auch das Gegenüber einen Blick riskiert hat, ein aufmunterndes Kopfnicken, dann ein Hallo, ein paar unverbindliche Worte, der Abschied. Das nächste Mal: Ein schon verbindlicheres Hallo, man kennt sich ja schon, dann die ersten Markierungen, man signalisiert Interesse, aber das Gegenüber solle ja nicht meinen, dass dies bedeute, man folge ihm nun bedingungslos, im Gegenteil man zeigt bald, dass man auch ohne ihn gut weiterleben könne, aber man kann es ja mal versuchen.

Wir trafen uns wiederholt am Zaun, nannten uns unsere Namen. Es wurde bald klar, dass Paul den riesigen Besitz seiner Großeltern eher herunterspielte, es war ihm peinlich, während ich – im Gegenteil – das durchaus nicht bescheidene, aber gewiss nicht so in sich schlüssige und stilsichere Haus meiner Eltern, deren Garten zudem deutlich kleiner war, herausstreichen wollte. Beide Besitztümer signalisierten doch einen Klassenunterschied etwa zwischen Adel, im Falle von Paul Geld- und Stil-Adel, und Bürgertum, in meinem Falle inkarniert in ein Anfang des Jahrhunderts erbautes Landhaus, das meine Eltern, bevor sie Anfang der fünfziger Jahre einzogen, von einem durchaus fundierten Architekten im damaligen zeitgemäßen Stil, gewiss schlüssig, aber eben eigentlich nicht zum äußeren Gesicht des Landhauses passend, innen neugestalten hatten lassen.

Stil und Geschmack, ein historisch gewordener Begriff, der, wie ein bedeutender Publizist meinte, erst sinnvoll mit der frühen Mitte des 19. Jahrhunderts zu verwenden ist, lassen sich nicht erlernen, aber auch nicht vererben. Sie müssen sich bilden, aktiv und passiv. Aktiv durch die intellektuelle Beschäftigung mit den stilbildenden Elementen, also dem Design, der Architektur, der Kunst. Passiv dadurch, dass man in einem entsprechenden Umfeld aufgewachsen ist, also in einer Atmosphäre, in denen die Einrichtung, die Essgewohnheiten, der Umgang, die Kleidung, kurz die sogenannten Äußerlichkeiten, das Umfeld, das Ambiente stilvoll ist, in der die Frage des Stils und des Geschmacks Wichtigkeit haben und auch diskutiert werden. Wer nicht so aufgewachsen ist und später, aus welchen Gründen auch immer, danach strebt, Stil und Geschmack zu demonstrieren, dessen Stil und Geschmack erscheint nur allzu oft aufgesetzt, von Dritten, manchmal auch durchaus guten Beratern, geprägt. Er hat es eben nicht im Blut. Umgekehrt ist derjenige, der stilvoll aufgewachsen ist und dies später vernachlässigt, sei es, dass er schlechte Erinnerungen an den Geschmack der Eltern hat, der häufig mit offenbaren menschlichen Stillosigkeiten korrespondiert, oder sei es einfach aus Bequemlichkeit oder wegen anderer Lebensprioritäten, wenn er dann gefordert wird, oftmals nicht in der Lage ist, sich mit Stil und Geschmack einzurichten oder zu kleiden.

Der Klassenunterschied unserer Eltern wurde uns Kindern jedoch eher bewusst durch Bemerkungen unserer Eltern über die jeweiligen Nachbarn und durch eigene Beobachtungen über deren Verhalten auf Einladungen.

9

Pauls Großvater war Kunsthändler in dritter Generation, er hatte nebenbei eine Möbelfabrik aufgebaut, entsprechend dem Wunsche seines Vaters Kunstgeschichte studiert und mit einer Arbeit über Bronzino promoviert. Er war in dem Stadthaus in der Brienner Straße und nach der Scheidung seiner Eltern in der Landvilla in Seeberg, bald im Internat in Ettal aufgewachsen. Seine Mutter war schon Ende dreißig, als er geboren wurde. Beide Eltern starben, als er kaum zwanzig war und seine siebzehn Jahre ältere Schwester, die unverheiratet geblieben war, bemühte sich, ihn auf den, ihrer erzkatholischen Ansichten nach, rechten Weg zu bringen. Dank seiner Herkunft, seiner Ausbildung, seines Berufes, aber auch persönlicher Interessen und seines Intellektes war Pauls Großvater prädestiniert über Stil und Geschmack Werturteile abzugeben und tat es auch. Er hatte ererbtes Vermögen, beruflichen Erfolg und sah gut aus. Er nutzte diese Eigenschaften auch aus, um sich die erotischen Genüsse zu verschaffen, die er meinte, sich zubilligen zu sollen, gleichwohl eine stets wiederholte Erkenntnis seinerseits war, dass das Leben mehr sei als uns Artur Schnitzler in seinem „Reigen" suggerieren wolle, mehr als das immerwährende Streben nach sexueller Befriedigung, die dann doch nur kurzfristig eine wäre und sich in der immerwährenden Wiederholung des Ewiggleichen am scheinbar nur unterschiedlichen Objekt erfülle. Konsul Poth bekundete damit die Kenntnis von Schnitzlers Theaterstück, obwohl er ansonsten der Theaterkunst nichts abgewinnen konnte. Von den Künsten liebte Poth einzig die darstellende Kunst wirklich, Musik lediglich eingeschränkt, mehr die intelligenten Libretti wie „Cosi fan tutte", vielleicht auch weil das Libretto von da Ponte dem Rationalismus, der Aufklärung zumindest äußerlich, verpflichtet ist: Eine Hypothese soll durch ein Experiment verifiziert werden, obwohl diese dann radikal in Frage gestellt, da das Ende allgemeine Ratlosigkeit ist und Mozart keinen Kommentar gibt, vielmehr höhnisch dem Publikum abschließend empfiehlt, sich vernünftig zu verhalten – ganz dialektisch das achtzehnte Jahrhundert zusammengefasst und aufgehoben.

Literarisch bevorzugte er Fontane und in der Philosophie Seneca und Montaigne, also Philosophen, die die Schulphilosophie als solche nicht anerkennt. Er begründete seine Vorliebe für Seneca und Montaigne damit, dass deren Philosophie Anweisungen zum richtigen Leben gäben. Die Philosophie müsse einen praktischen Bezug haben, sonst wäre sie L'art pour l'art, was allenfalls in der Kunst akzeptabel sei. Seneca wie Montaigne genügten diesem Anspruch, so dass normal gebildete Akademiker sie auch verstünden.

Er hatte eine ausführliche humanistisch klassische Bildung in der Klosterschule Ettal gemeinsam mit seinem Schulkamerad Dr. Müller genossen, die ihm zeit seines Lebens präsent geblieben ist. Ihm waren somit nicht nur die Götter und Dramen der Griechen bekannt, sondern auch die wesentlichen Aussagen der klassischen deutschen Philosophen wie der Dichter und Romanciers, deren Kenntnis ein bürgerlicher Bildungskanon im besten Sinne des Wortes verlangte. Durch den regelmäßigen Umgang mit seinem Freunde Dr. Müller erweiterte er auch sein Wissen um Autoren, die zu seiner Schulzeit noch keine Klassiker waren, wie Thomas Mann.

Für mich als Kind, noch vor meiner Bekanntschaft und späteren Freundschaft mit Paul, galten die Poths als eine sowohl mit Ehrfurcht als auch mit Vorsicht, zu behandelnde Familie. Gefürchtet war Konsul Poth wegen seiner offen zur Schau getragenen Arroganz.

10

Für Paul war die Arroganz seines Großvaters, die sich sowohl auf die intellektuellen Defizite anderer, aber auch deren lächerliche Bemühungen durch gekaufte Architekturleistungen oder angelesene Bemerkungen Eindruck zu machen, bezog, eher unangenehm.

Konsul Poth hatte wenig Hemmung sein Wissen, das eigentlich nur ein Halbwissen war, was den gänzlich Nichtwissenden seiner Umgebung jedoch verborgen blieb, im Gespräch herauszukehren. So benutzte er gewisse Lebensweisheiten durchaus der jeweiligen Situation angepasst, meist in Latein wie *longa est vita, si plena est*, wenn sich seine Frau wieder einmal ein möglichst langes Leben wünschte oder wies einen allzu forschen Neureichen sanft zurecht mit dem Spruch: *Maiore tormento pecunia possidetur quam quaeritur*. War Dr. Müller bei einem derartigen Gespräch anwesend, konnte es durchaus vorkommen, dass er den lateinisch Zurechtgewiesenen noch weiter demütigte, was diesem aber ebenso wenig bewusst wurde wie seine Zurechtweisung, die er nicht verstanden hatte, indem er an Dr. Müller gerichtet sagte: „Lieber Jakob, ich werde immer wieder an unseren guten alten Fontane erinnert, der über seinen Pastor Lorenzen im Gespräch mit Melusine die Weisheit von dem Schlossherrn und dem Leineweber uns nahegebracht hat." Dr. Müller lächelte ebenso wie der parvenühafte Gesprächspartner, der sich nicht nachzufragen getraute, um nicht vermeintliche Bildungslücken zu offenbaren und natürlich nicht im entferntesten ahnen konnte, dass im ‚Stechlin' davon die Rede war, dass man früher dreihundert Jahre Schlossherr oder Leineweber gewesen, während heutzutage jeder Leineweber eines Tages Schlossherr sei. Poth liebte es den Snobs zu erklären, woher der Begriff Snobismus kam: „Es ist schon interessant, wie sich Begriffe im Sprachgebrauch durchsetzen. Welcher Snob weiß heute noch, dass der ihn bezeichnende Begriff von *sine nobilitas*, also ohne Adel, stammt, in englischen Privatschulen für Schüler verwendet, die nicht wegen ihrer Vorfahren aufgenommen wurden, sondern weil sie begabt, meist aus bescheideneren Verhältnissen kamen und ihre Ausbildung an teuren Eliteschulen Stipendien verdankten. Diese Snobs ahmten in Stil, Sprache und Umgangsweisen ihren privilegierten Kameraden besonders nach. „Aber trösten Sie sich" – der Angesprochene fühlte sich eigentlich gar nicht als Snob und insofern auch nicht angesprochen –, „der Snobismus ist insofern heute", und er wendete sich mit einem verschmitzten Lächeln an Dr. Müller, bevor er den Snobverdächtigen weiter belehrte, „gesellschaftlich gefordert, wenn auch zuzugeben ist, dass man kaum mehr die Privilegierten findet, denen nachzuahmen wäre, darum wird das imitiert, was man sich vorstellt, dass die vermeintlich Privilegierten vormachen könnten."

Konsul Poth zitierte ungeniert einem formellen, langweiligen Gesprächspartner, einer angesehenen, aber häßlichen älteren Dame oder einem gesellschaftlichen Schwätzer gegenüber die Lebensmaxime Montaignes, der bevorzugte, zur Tischgemeinschaft lieber den Witzigen als den Bedächtigen, zu Bett lieber die Schönheit als die Tugend und zur Gesprächsrunde lieber den Sachverstand, selbst wenn es ihm an Redlichkeit fehlen sollte, zu laden.

Demjenigen jedoch, der des Öfteren an gesellschaftlichen Konversationen von Konsul Poth teilgenommen hätte, was allerdings, auch weil Poth solche Veranstaltungen, gleichgültig ob privater oder öffentlicher Natur möglichst mied, eher selten vorkam, hätten solche Aussprüche, da allzu oft präsentiert, was wiederum daran gelegen haben könnte, dass die gesellschaftlichen Gesprächspartner von Poth oft neureich waren, dann doch ein wenig abgeschmackt und allzu dünkelhaft erscheinen müssen. Offenbar hatte Poth die Gesellschaft, die er verachtete, doch notwendig, um sich selbst seiner Überlegenheit gewiss zu sein. Konsul Poth wirkte jedenfalls sehr gebildet und galt als solcher, was er relativ gesehen auch war.

Er erschien arrogant, unnahbar, aber für die gehörnten Männer gefährlich charmant, wenn es darauf ankam. Zumal er seinen Wahlspruch „Nicht, weil es schwer ist, wagen wir's nicht, sondern weil wir es nicht wagen, ist es schwer" an mancher Frau der weiteren Bekanntschaft, jedenfalls in der ersten Hälfte seines Manneslebens, verifizierte.

Die Arroganz Konsul Poths fühlte Paul daran, dass Herr Dr. Poth ernsthaft eigentlich nur mit dem Jesuitenpater Dr. Müller sprach, mit seiner Frau, Pauls Großmutter, nur ein wenig Banalitäten austauschte, und an den meist abschätzigen Bemerkungen, die er über die Gästeliste seiner Frau bei von dieser so geschätzten Einladungen machte. Bei derartigen Veranstaltungen, die er so gering wie möglich zu halten gedachte und die sich im Laufe der Zeit verflüchtigten, und bei den folgenden Gegeneinladungen, zu denen er seine Frau nur allzu oft mit der Ausrede unaufschiebbarer beruflicher Verpflichtungen alleingehen ließ, unterhielt er sich in der Regel nur mit dem Jesuitenpater über Themen, die den sonstigen Gästen wenig vertraut waren.

Paul, der öfter bei solchen Empfängen, die häufig Mittagseinladungen waren und sich in den Nachmittag hinzogen, dabei war, meistens von der Großmutter, stolz den weiblichen Gästen präsentiert, an der Hand gehalten und auf deren Sitz gezogen, nahm zwar nicht bewusst die Worte wahr, wenn sich sein Großvater darüber erregte, dass der von Dr. Müller, nicht nur wegen des Naphta im Zauberberg Thomas Manns, und trotz des konträren materialistischen Ansatzes, durchaus geschätzte und als solcher zitierte Georg Lukacs die Dichotomie von Natur und Geschmack in Fontanes Werk zu erkennen glaubte. Für Paul waren es unverständliche Worte, wenn sein Großvater äußerte, dass derartige Germanistik lächerlich sei, zu nichts gut. als sich um selbstgestellte Probleme, die gar keine sind, zu drehen, wie die

offenbare Attitüde von Lukacs, alles nach ideologisch vorgege-
benem Raster zu beurteilen gleich dem Dr. Müller, dem Jesuiten, nur aus anderer Sicht. Paul hörte seinen Großvater von Mozarts ‚Zauberflöte' als Beweis dafür schwärmen, dass Kunst und
Aufklärung keine Antipoden seien, was doch auch gerade Kant
dargetan habe, wie Dr. Müller ergänzte und Konsul Poth in seiner Attitüde bestärkte, indem er den Königsberger für seinen
Satz rühmte, Geschmack sei das Beurteilungsvermögen der Ver-
sinnlichung sittlicher Ideen. Poth konnte konstatieren, dass Geschmack eben nicht nur L'art pour l'art sei. Stil sei die Haltung,
die Geschmack in Taten manifestiere, in der Malerei mit am
eindrucksvollsten von dem Florentiner Bronzino verwirklicht.

Paul verstand die einzelnen Worte nicht, aber er verstand
die Gesten, den Duktus und hörte immer wieder Geschmack,
Stil und er sah die Blicke von Dr. Müller und seinem Großvater, wenn einzelne Gäste es wagten, in deren Konversation ein-
zugreifen, Allgemeinbildung demonstrieren wollten und etwa
meinten, „Fontane, ah ja, ein weites Feld" oder von Mozarts
‚Zauberflöte', „ja, ja, die habe ich bei den Salzburger Festspielen
irgendwann in den dreißiger Jahren gehört, ich mag ja Opern
eigentlich nicht, aber die war wirklich niedlich. Hieß nicht ein
Paar Papa irgendetwas?", oder bei Kant in Erinnerung an ihren
Schulunterricht etwas von „meinem gestirnten Himmel über
mir und das Sittengesetz in mir" murmelten.

Paul nahm auch wahr, wie sich die Gäste dann doch etwas
pikiert abwandten, immerhin aber die Lektion gelernt hatten,
künftig die Gespräche mit Pauls Großvater auf belanglose Be-
grüßungs- und Verabschiedungsfloskeln zu reduzieren und bei
Gegeneinladungen ihren Gattinnen äußerst beflissentlich versichern zu lassen, dass es ganz und gar nichts ausmache, wenn
Frau Poth allein käme, da diese wieder einmal darauf hingewiesen hatte, für ihren Mann wegen dessen doch so sprunghaf-
ten Geschäftsterminen nicht verbindlich zusagen zu können.

Der Lehrmeister war, durchaus in der Tradition seines Or-
dens, Dr. Müller, der völlig mit Pauls Großvater für alle deutlich hörbar darüber übereinstimmte, dass die Schlimmsten
die Halbgebildeten seien – „Schrecklich wie ein Katarrh", un-

terbrach der Konsul augenzwinkernd Fontane zitierend –, die überall mitredeten, ohne zu wissen, wovon sie sprachen, die mit ihrer Kartenspielerintelligenz, die durchaus dafür ausreichte, sich genügend Mittel für eine gutbürgerliche Existenz zu verschaffen, meinten, alles sei käuflich und es reiche, Schlagworte zu repetieren, was in der Regel in ihren Kreisen auch genügte, da ohnehin sich das Wissen auf Zeitungsüberschriften beschränkte und schon derjenige als gebildet galt, der wusste, dass Fontane mit Vornamen Theodor hieß, Mozart, obwohl manche Opern in Italienisch gesungen wurden, Österreicher war oder Kant Ende des 18. Jahrhunderts in Königsberg lebte.

„Wenn sie sich wenigstens die Weisheit des Wiener Philosophen, von dem sie sicher noch nichts gehört haben und dessen tieferen Sinn sie sicher nicht verstehen würden, wörtlich nehmen würden: Wovon man nicht sprechen kann, darüber muss man schweigen. Nebenbei bemerkt möchte ich dir aber sagen, dass ich wohl weiß, dass dieses Dictum auf den genannten Sachverhalt nicht passt, sondern was ganz anderes meint. Du lehnst", fuhr er an Dr. Müller gewandt fort, „diesen Leitsatz des Positivismus als gänzlich unphilosophisch gewiss ab, da, wie ein bekannter gegenwärtiger Philosoph meint, Philosophie mit dem zu tun hat, was nicht in einer vorgegebenen Ordnung von Gedanken und Gegenständen seinen Ort hat. Du nennst es Theologie. Ich ziehe praktische Philosophie, die für das konkrete Leben verwendbar ist, vor und so halte ich es mit Wittgenstein, dessen Aufforderung man durchaus auch als Motto für Einladungen ausgeben sollte. Die Folge wäre, dass sich das Gespräch reduzierte auf vorsichtig formulierten Klatsch, der Wiederholung offenbarer Gewissheiten, wie ‚Heute regnet es schon wieder' oder der Formulierung von Tautologien, wie ‚In den Stoßzeiten am späten Nachmittag sind die Straßen fürchterlich verstopft und es ist kein Fortkommen'. Aber lieber Banalitäten als aufgeblasene Pseudoerkenntnisse."

Bei diesen gelegentlichen Einladungen waren auch meine Eltern anwesend. Da sie Nachbarn waren, hatte sich Paul auch schon ein Bild über meine Eltern gemacht. Denn der einzige Genuss von Pauls Großvater an diesen Einladungen war es, nach dem Ende, während die Dienstboten abräumten, sich mit Dr. Müller in die Bibliothek zurückzuziehen und dort die einzelnen Personen zu charakterisieren. Paul durfte die silberne Zigarrenkiste holen und während er, was er liebte, die Zigarrenspitzen abschnitt, hörte er bald im wohligen Rauch der Zigarren, die – im Gegensatz zu den hektischen Zigaretten – ihm vielleicht deshalb immer Kultur, Lebensstil bedeuteten, seinen Großvater von meinen Eltern, den Nachbarn reden. „Die deutschen Juristen könnten, im Gegensatz zu ihren anglikanischen Kollegen, die doch nur Präzedenzfälle nachbeten, dank des BGB auch etwas von Logik verstehen, würde der Verdacht, sie haben sich im wahrsten Sinne des Wortes die Regeln nur eingepaukt, was allemal reicht, die Examina zu bestehen, sich nicht allzu oft bestätigen. Dies vermute ich auch bei unserem Herrn Nachbar, der geschäftstüchtig, wie er ist, das Haus der Witwe Stiegler abgehandelt hat, um es sofort modern um- und auszubauen. Er ist einer dieser Anwälte, die es nicht verwinden, dass unsereins zu deutlich zu verstehen gibt, dass man nicht Jurist ist, sondern sich Juristen hält und sich dadurch rächen, dass sie überhöhte Rechnungen stellen, die ohnehin keiner nachprüfen kann. Schlimmer finde ich aber dieses neureiche Gehabe, wenn man schon ein Landhaus der Jahrhundertwende einer alten Frau günstigst abschwatzt, es dann protzig mit Marmortreppen, -toiletten und -bädern verziert, mit albernen barbusigen Skulpturen, extra angefertigten Leuchten, die im Einzelnen durchaus ihren Reiz haben, von einem Architekten aushöhlen zu lassen, der durchaus Stil im Detail hat, dessen Werk in der Summe jedoch grotesk ist. Möglicherweise, was aber keinesfalls eine Entschuldigung ist, denn bloße Duldung exkulpiert nicht – das hören wir doch ständig angedenk unseres großen ehemaligen Führers – hat er aber einfach seine Frau machen lassen und der Architekt hat sich verwirklicht. Unser Nachbar hat seine Kanzlei von seinem Vater übernommen, der vor kurzem gestorben ist. Er war einer der überzeugten nationalsozialistischen Juristen, die sich nach 1945 an nichts mehr erinnern konnten, den juristischen Sachverstand und damit ihre Pfründe nahtlos ins demokratische

Nachkriegsdeutschland tradierten. Der Sohn hat sich ins gemachte Nest, sprich Kanzlei gesetzt. Ich hatte Dreiunddreißig ja auch Hitler gewählt und dies meiner Mischpoke auch vorgegeben: Jetzt wählen wir mal den Kerl, vielleicht wird es besser. Und es wurde ja auch besser. Aber mir war immer unverständlich, wie intelligente Leute an den Unsinn glauben und dem Gebrüll irgendeinen Sinn abgewinnen konnten. Und dann die Geschichte mit den Juden."

„Du musst aber zugeben, dass du geschäftlich durchaus davon profitiert hattest", fiel Dr. Müller ein.

„Klar, aber ich habe meinen jüdischen Kollegen frühzeitig geraten, ins Ausland zu gehen und ihnen immer Marktpreise gezahlt. Schließlich war ein allerdings konvertierter Jude Taufpate meines Sohnes. Heute mache ich mit ihnen im Ausland wieder beste Geschäfte. Nun kommt mir meine damalige korrekte Haltung zugute. Die Schlauen sind ja auch rechtzeitig abgehauen. Die dümmsten waren eigentlich die Deutschnationalen, die dachten, so was tun doch die Deutschen nicht. Auch Nachbars Vater, ein frühes Mitglied der SS, war geschockt, als er des Massakers an seinen SA-Kollegen gewahr wurde. Im Übrigen hat sich die katholische Kirche auch nicht mit Ruhm bekleckert."

11

Mein Eindruck von den Poths kam ganz anders zustande. Meine Eltern waren nach dem Erwerb und den Umbau des Hauses neu nach Seeberg gezogen. Es war die Aufgabe meiner Mutter, in dem gemeinsamen Bestreben, möglichst bald in den besseren Kreisen Seebergs aufgenommen zu werden, diese Kreise einerseits zu identifizieren und andererseits die entsprechenden Kontakte zielgerichtet herzustellen. Der jeweilige Fortschritt wurde sonntags am Frühstückstisch besprochen. Dabei wurde die Nachbarschaft mit den Poths als in doppelter Hinsicht bedeutungsvoll erkannt. Die Poths hatten das größte Anwesen in Seeberg. Sie gehörten daher per se zu den sogenannten Besseren und die Kontaktaufnahme war durch die Tatsache der Nachbarschaft erleichtert. Anlässlich des Hauskaufes stellten sich meine Eltern bei den Poths vor, da sie es angemessen fanden, diese über den umfangreichen Um- und Ausbau zu informieren, zumal es dazu auch der Nachbarschaftsunterschrift, die ohne irgendein Zögern problemlos geleistet wurde, bedurfte.

Ich machte mir daher so früh eine Vorstellung von Herrn Konsul Poth, ein Bild, wie man sich Bilder von Dichtern macht, deren Bücher man gelesen hat. Manchmal treffen sie zu, manchmal ist man enttäuscht, hat sich den Dichter ganz anders vorgestellt. Es passt Verlaines grobschlächtiges Gesicht, das auf dem Gemälde von Vallotton abgebildet ist, so gar nicht zu dem Dichter, der den vertrauten Traum („Mon rêve familier") von der unbekannten Frau, nie die gleiche, die ihn liebt und versteht, besingt:

> *«Je fais souvent ce rêve étrange et pénétrant*
> *D'une femme inconnue, et que j'aime, et qui m'aime,*
> *Et qui n'est, chaque fois, ni à fait la même*
> *Ni tout à fait une autre, et m'aime et me comprend.»*

Andererseits sieht man Marcel Proust seine verklemmte Geschraubtheit und Sensibilität ebenso an wie Thomas Mann dessen Komplexität und Selbstbewusstsein („Wo ich bin, ist die deutsche Literatur."), Fontanes Altersweisheit und Milde, wie Musil dessen Bosheit, Flaubert seine Süffisanz, Joyce seine Intellektualität und Philipp Roth seine Altersgeilheit. Oder identifiziert man, weil man die Gesichter kennt, beim Lesen die Gesichter mit gewissen Charakteristika der Bücher und legt so diese in die Gesichter?

Ich jedenfalls hatte von Dr. Poth eine Vorstellung schon lange, bevor ich ihn sah. Die Vorstellung wurde von der äußeren Erscheinung durchaus bestätigt. Herr Poth war groß, er hatte kaum mehr Haare, einen kleinen Schnurrbart, eine schöne attische Nase, volle Lippen, starke Augenbrauen, große, länglich ausgerichtete Augen und ein markantes Kinn. Auffällig waren seine großen, aber weichen Hände. Herr Poth neigte zur Fülle, was seine Körperwucht noch betonte. Er hatte eine tiefe Stimme. Herr Poth war so für mich stets eine Achtung erheischende Persönlichkeit. Paul war das bewusst, und er war insofern stolz auf seinen Großvater.

Meine Eltern wurden jedesmal nur von Frau Poth begrüßt, und selbst für einen abendlichen Empfang anlässlich der Einweihung unseres neu gestalteten Hauses ließ sich Herr Poth entschuldigen. Allerdings hatte er Interesse an unserem Architekten, Herrn Steichlein, den Herr Poth zu sich bat, um ihm sein Anwesen zu zeigen und der, sozusagen im Gegenzug, unser Haus in Spezialführung Herrn Poth vorstellte. Dabei konnte Herr Poth es nicht unterlassen, trotz der Anwesenheit meiner Mutter, die aber das leichte entschuldigende Schulterheben von Herrn Steichlein nicht bemerkte, bei einigen Unschlüssigkeiten oder Geschmacklosigkeiten, wie einer aus dem Mauerwerk hervorspringenden Halbplastik über dem Kamin, einen flötenspielenden Schäfer mit einigen Schafen darstellend, darauf hinzuweisen, dass wohl das romantische Gemüt der Hausherrin Ursache solcher Darstellung sei. Er fügte hinzu: „Übrigens hörte ich neulich eine wirklich gute Definition von Kitsch: Die Verbindung von Süßlichkeit und Prätention, des Geschraubten mit dem Gewöhnlichen."

Ansonsten rühmte er die Konsequenz einiger Details des Innenausbaus und meinte, dass ein solch modernes Interieur in Verbindung mit einem Landhaus, das wie zur Jahrhundertwende üblich Elemente der bäuerlichen Umgebung aufgenommen hat, doch ein ziemlich einzigartiger Eklektizismus sei. „Nichts gegen Eklektizismus, Sie haben ihn ja in meinem Haus zur Genüge gesehen. Es fragt sich jedoch, ob der durchgezogene Stil eines Architekten, der, gewiss eklektisch, Stilelemente verschiedener Epochen zu einem neuen Ganzen zusammenstellt, was man ja Klassizismus nennt –, der, wie manche kluge Leute meinen, letzte große verbindende europäische Stil –, nicht dem Dreiklang durchschnittlicher Landarchitektur von Städtern, modernen Interieurs und simplen Spießbürger-Einfällen vorzuziehen ist."

Meine Mutter war so geblendet von der Ehre des Besuches Herrn Poths, dass sie die Gemeinheiten nicht realisierte, während Herr Steichlein leicht pikiert anmerkte: „Nun, die Wirklichkeit zwingt manchmal zu Kompromissen. Oft entsteht, gerade in der Architektur aus äußeren Zwängen, das Neue, das Besondere. Abstrakte Ideen verwirklichen zu wollen, heißt Wirklichkeit zerstören, so oder so ähnlich hat, glaube ich, ein berühmter Denker, der Ihnen nicht unbekannt sein kann, es formuliert." Herr Steichlein, ein gebildeter Architekt, ärgerte sich offensichtlich über die doppelte Arroganz von Herrn Poth, nämlich die ästhetische, die Meinungen oder Gestaltungen, die dem eigenen ästhetische Werturteil widersprechen per se als geschmacklos, stillos, parvenühaft, spießig oder kleinbürgerlich denunziert und die bildungsbürgerliche, die dem Gegenüber allzu deutlich zeigt, dass dessen Wissen über kulturelle oder historische Belange allenfalls angelesenes Schul- oder Zeitungswissen ist.

Zwar musste Herr Steichlein Herrn Poth in seinem ästhetischen Urteil eigentlich recht geben, fand jedoch, dass die arrogante Form des Vortrages ihn ins Unrecht setze. Um nicht auf derselben Ebene zu parieren, aber doch Herrn Poth ein wenig zurechtzuweisen, merkte er sinngemäß an: „Wir wissen ja alle, dass das Haus als Lebensraum, als Ausdruck dessen, wie ich das tägliche Leben gestalte, eigentlich eine Errungenschaft des Bürgertums im 19. Jahrhundert ist. Von dem Anspruch der Repräsentanz und Selbstverewigung, wie es etwa in der Renaissance sich prototypisch in der Villa Rotonda darstellt, geht man über, das Haus als Ort des Wohlbehagens und privater Gemütlichkeit zu sehen. Wenn dem aber so ist, dann kommt eben die Privatheit oder auch Individualität der Bewohner in der Architektur zu ihrem Recht und Ausdruck. Der gute Architekt verbindet diese Individualität mit dem künstlerischen Anspruch. Das Haus ist aber sicher kein Museum oder ein abstraktes Kunstwerk, es sei denn man sähe seine Bewohner auch als stereotype, museale oder rein künstlerische Wesen. Was an ästhetischer Gestaltung verlorengeht, mag an menschlicher Individualität gewonnen sein."

Herr Poth replizierte darauf nicht mehr, jedenfalls erinnere ich mich daran nicht.

12

Aber kehren wir in die Brienner Straße in meine Kanzlei zu unserem ersten Treffen zurück. Paul vergegenwärtigte sich seine Kindheit und wollte von mir wissen, warum ihm dabei vor allem Seeberg in den Sinn kam.

„Ich weiß es nicht. Vielleicht liegt es daran, dass das Elternhaus der Alltag war und Seeberg das Besondere", antwortete ich.

„Ich glaube, Seeberg war auch eine Art von Freiheit für mich. Es wurden keine Ansprüche gestellt, ich wurde akzeptiert, wie ich war. Gewiss auch aus einer Art von Gleichgültigkeit heraus. Mein Großvater nahm Kinder ohnehin nicht wahr und für meine Großmutter war ich eine Art von Maskottchen, wie ein Schoßhund, den man aufpäppelt, gelegentlich herzeigt, Gutes zukommen lässt und den man krault. Meine Eltern stellten doch Anforderungen, sei es als Vorbild für die kleineren Geschwister, sag Grüss Gott, mach deine Hausaufgaben und so weiter. Bei den Großeltern gab es keine Geschwister, keine Hausaufgaben. Wochenlang erlebte ich noch vor der Schulzeit und dann während der Ferien den gleichen Tagesablauf, der lediglich an den Wochenenden variierte. Ich konnte aufstehen, wann ich wollte. War es gegen 8.00 Uhr, traf ich meinen Großvater am Frühstückstisch, in eine der beiden verfügbaren Zeitungen, die „Süddeutsche" oder die „Frankfurter Allgemeine" vertieft. Ich sagte ‚Guten Morgen, Opa', er blickte kurz auf und meinte ‚Guten Morgen, mein Lieber'. Ohne weitere Ansprache las er weiter.

Ich glaube zwar nicht, dass die Ignoranz meiner Person der Meinung des von meinem Großvater verehrten Senecas geschuldet war, der im Kind nichts Gutes sehen konnte, da ihm die Vernunft fehle. Die Nichtbeachtung meiner Person war eher Ausdruck einer allgemeinen Indolenz meines Großvaters anderen Menschen gegenüber, ausgenommen Frauen, an denen er seine Verführungskraft zur Befriedigung des Geschlechtstriebes erproben wollte, und Männern, Frauen traute er das per se nicht zu, die seine Intelligenz oder Bildung herausforderten oder von denen er sich neue Erkenntnisse erhoffte.

Angesprochen wurde ich als Kind oder Jugendlicher eigentlich nur, um architektonische Leistungen oder Kunstgegenstände erläutert zu bekommen. Dabei war ich aber offenbar nur der Vorwand, die jeweiligen Erkenntnisse sich zu vergegenwärtigen oder Ausflüge zu derartigen Objekten mit bildungspolitischen Aktivitäten zugunsten des Nachwuchses zu rechtfertigen. Mein Großvater war eigentlich ein Autist, ein Weiser im Sinne seines Lieblingsphilosophen Seneca, dem niemand schaden noch nützen könne.

Ich setzte mich und die Köchin Anni, deren Liebling ich war, kam aus der Küche, brachte mir Ovomaltine und schmierte mir ein Honigbrot. Nicht zu selten war auch Dr. Müller am Frühstückstisch."

13

„Dr. Müller und Fritz Liebknecht, ein Junggeselle, Beamter der staatlichen Museumsverwaltung und studierter Kunstgeschichtler, waren die ältesten und eigentlich einzigen Freunde meines Großvaters. Alle drei waren Jahrgang 1900 und hatten gemeinsam in Ettal das klösterliche Internat besucht. Sie verloren sich auch nach der Schule nicht aus den Augen. Fritz Liebknecht und mein Großvater studierten zusammen.

Mein Großvater, der sich kaum für Individuelles oder Individuen interessierte, hatte in den beiden Freunden seine idealen Gesprächspartner. Mit Dr. Müller thematisierte er Fragen des Lebens in abstrakter Form, wie sie seine Lieblingsphilosophen und sein Lieblingsschriftsteller, die fast die einzigen waren, die er las, Seneca und Montaigne beziehungsweise Fontane aufwarfen. Liebknecht war der geeignete Gesprächspartner für die bildende Kunst, insbesondere die Malerei des Manierismus, seinem bevorzugten Thema. Gemeinsam und zu dritt wurde über Politik geredet und heftig gestritten. In der Nazizeit hatten sich alle drei weggeduckt, ohne schuldig geworden zu sein. Mein Großvater kümmerte sich um das Geschäft und mied allzu viel Kontakte mit Nazigrößen, die meine Großmutter ob ihrer Vulgarität ohnehin verachtete. Fritz Liebknecht als Deutschnationaler sympathisierte mit den Nazis und war auch nach 1933 der NSDAP beigetreten. Als Museumsbeamter spielte er aber keine herausragende Rolle. Er denunzierte niemand, protestierte aber auch nicht, als jüdische akademische Kollegen entfernt wurden, sondern nutzte vielmehr die begünstigten Karrierechancen. Wegen seiner Kurzsichtigkeit konnte er den Kriegsdienst weitgehend vermeiden. Dr. Müller als Jesuit war kein Prediger nationalsozialistischen Gedankengutes wie manche seiner, vor allem evangelischen Kollegen, er war aber auch kein Widerstandskämpfer, wie manch anderer eher katholische Kollege, sondern typischer Vertreter der inneren Emigration, der sich in seinen Predigten strikt moraltheologisch und damit unangreifbar äußerte.

Die politischen Diskussionen zwischen den Freunden waren dennoch, wie mir Dr. Müller einmal erzählte, oft kontrovers. Onkel Fritz, wie ich ihn nannte, war immer noch deutschnational. Er lehnte die Westintegration ab. Der Mitgliedschaft in der Nato 1955 stimmte er nur deswegen zu, weil sie die Wiederaufrüstung ermöglichte und das Besatzungsstatut damit, bis auf den Viermächtestatus von Berlin, beendet war. Er hielt auch nichts von den 1957 abgeschlossenen EWG Verträgen der sechs Montanunionstaaten Deutschland, Frankreich, Italien, Holland, Belgien, Luxemburg, den römischen Verträgen. Er meinte, Deutschland sollte eigenständig bleiben und hätte gerne die Offerte Stalins zu einer neutralisierten Wiedervereinigung angenommen. Mein Großvater wie Dr. Müller waren da gänzlich anderer Meinung. Sie waren ausdrücklich für die Westintegration, mein Großvater war ein Freund Amerikas.

Während Dr. Müller das Godesberger Programm der SPD von 1959 mit seiner Absage an den Klassenkampf und den Marxismus als historische Wende begrüßte, meint Onkel Fritz, man dürfe dem nicht glauben, „Sozi bleibe Sozi' sie seien jetzt der Wolf im Schafspelz.

Den größten Streit hatten sie allerdings wegen des Wiedergutmachungsabkommens mit Israel aus dem Jahr 1952, in dem sich Deutschland zu Entschädigungsleistungen verpflichtete und auch der politischen Annäherung an Israel, die in Adenauers Treffen mit Ben Gurion 1960 in New York gipfelte. Mein Großvater wie Dr. Müller hielten das für eine aus historischer Schuld notwendige Verpflichtung Deutschlands, während Onkel Fritz meinte, die Verbrechen der Nazis könnten nicht mit Geld aufgewogen werden, man käme so nie zu einem Ende, wir sollten doch politisch lieber auf die Araber zugehen, die hätten das Öl, und außerdem sei der Staat Israel illegitim auf Kosten der Palästinenser entstanden. Selbst als die Kriegsverbrecherprozesse in Frankfurt und der Adolf-Eichmann-Prozess das Grauen von Ausschwitz dokumentiert und den Holocaust zum unauslöschlichen Bestandteil des kollektiven Gedächtnisses der Welt machte, äußerte Onkel Fritz noch seine Empörung über die Entführung von Eichmann durch die Israelis. Er verurteilte zwar die Judenverfolgung als verbrecherische Maßnahme einiger Verrückter, fand aber, sie könne nicht dem deutschen Volk als Ganzes zugerechnet werden, Verbrechen speziell gegen Juden hätte es schon immer gegeben. Man solle nach vorne schauen und dürfe auch den verbrecherischen Bombenkrieg der Alliierten gegen die deutsche Zivilbevölkerung nicht vergessen, der militärisch sinnlos und reiner Terror gewesen sei.

Er interpretierte Hitler als die deutsche Erscheinung der Revolution, eine Umwälzung, die die nicht stattgefundene deutsche Revolution 1918 nicht vollbracht habe. Daher sei es besser, die Deutschen ließen jegliche Revolution.

Wie Richard Wagner die Musik für Unmusikalische gemacht habe, so Hitler die Politik für Unpolitische, das sei aber eben der Preis der Demokratie. Faschismus sei damals modern gewesen, Zeitzeichen, ein Affekt gegen die Zivilisation, das irrationale Verlangen nach Spontaneität, Rausch und Anschaulichkeit, der Vehemenz der Jugend geschuldet, die die Gewalt ästhetisierte. Als die Bewegung der 68er von manchen Intellektuellen als Linksfaschismus bezeichnet wurde, war dies ganz nach dem Geschmack von Onkel Fritz, der gleichzeitig eine gewisse nicht gänzlich wegzuleugnende seinerzeitige Nähe zum originären deutschen Faschismus der Deutschnationalen „sich vernebeln" sah.

14

Ich merkte an: „Die Argumentation bleibt gleich, auch heute, denkt man an die Rede Martin Walsers in Frankfurt, wird argumentiert, der Holocaust werde instrumentalisiert, um Deutschland in seiner Handlungsfähigkeit einzuschränken."

Paul: „Onkel Fritz war ein gebildeter, sehr konservativer Mensch. Letztlich war er aber ein Antisemit und auch antiamerikanisch. Die Angst vor der Moderne wurde in Deutschland auf die Amerikaner und oft auch auf die Juden projiziert. Deutsche wie Fritz Liebknecht waren nach dem Krieg selbstmitleidig. Amerika war schuld an allem, vor allem an dem Ausverkauf von Jalta, da es versäumt hatte, gemeinsame Sache gegen die Sowjetunion zu machen. Die matte Reaktion auf den Mauerbau hat ihn dann erneut bestätigt."

Ich: „Man kann allerdings sagen, dass die Integration der alten Nazis, von denen die meisten ungeschoren davonkamen oder als Kriegsverbrecher zu langjährigen Haftstrafen verurteilt, vorzeitig entlassen wurden – beides ein Zugeständnis der Amerikaner an Adenauer – mit Teil des sogenannten Wirtschaftswunders war. Ich las erst neulich die durchaus plausible Ansicht, dass die Leistungsgemeinschaft der Nazis in die Nachkriegszeit gerettet wurde, der Leistungsfanatismus wurde sozusagen entnazifiziert."

Paul: „Die Frage ist dann allerdings, warum dem anderen deutschen Staat dies nicht gelang, der doch äußerlich der Nazi-Diktatur viel ähnlicher war, denkt man nur an die FDJ-Aufmärsche wie im Deutschen Jungvolk, die gleichen gläubigen Gesichter, derselbe Kommandoton, dieselben Zeltlager, nur blaue statt brauner Hemden."

„Ich las darüber in demselben Buch. Es wurde argumentiert, und das erscheint mir schlüssig, dass in Westdeutschland der Marschallplan wirkte, die Deutsche Mark lange völlig unterbewertet war, was den Export förderte, dass die Aufnahme der aus den Ostgebieten Vertriebenen und in der DDR Enteigneten ein wirtschafts- und unternehmerfreundliches menschliches Potential geschaffen hatte. Während 1952 bereits die westdeutsche Chemie- und Elektroindustrie auf dem Weltmarkt dominierte, ließ Stalin in die Schwerindustrie ohne Erz und Steinkohle investieren und hat damit die Weichen gleich falsch gestellt, obwohl die Lage in Buna und Leuna nach den Zerstörungen des Luftkrieges eigentlich günstiger als im Ruhrgebiet war. Die DDR hat fünfzig Prozent des Staatshaushaltes zur Subventionierung von Lebensmittel, Wohnen und Nahverkehr aufgebraucht mit dem bekannten Ergebnis einer maßlosen Verschuldung und dem schließlich praktischen Staatsbankrott."

Paul: „Westdeutschland hat im Ergebnis vom kalten Krieg profitiert. Fünfzig Millionen Deutsche profitierten von der bolschewistischen Gefahr, achtzehn mussten sie erdulden."

Ich: „Insofern war die BRD ein Produkt der Staatskunst der Amerikaner, der positiven Reaktionen der Westdeutschen und der Intransigenz Stalins, wie der Autor des von mir zitierten Buches meint."

Paul: „Die angebliche Gleichheit war aber nie gegeben. Die Eigentümer von Land und die Inhaber der Produktionsmittel waren bevorzugt. Daher war auch das Geschäft meines Großvaters in den fünfziger Jahren exorbitant. Er musste eigentlich nur verteilen."

Ich: „Dennoch gab es den Lastenausgleich, eine Sondersteuer für die Flüchtlinge und Ausgebombten. Immerhin wurde die gigantische Summe von 180 Milliarden DM umverteilt. Heutzutage hätte ein derartiges Ansinnen den Massenexodus der Besitzenden nach Österreich oder der Schweiz zur Folge."

Paul: „Damals wurde es aber akzeptiert, vielleicht auch geschuldet dem schlechten Gewissen oder als Dank einem gütigen Schicksal gegenüber. Ich kann mich noch erinnern, dass mein Großvater sich durchaus über den Lastenausgleich beschwerte, aber angesichts der Maßnahmen des anderen Deutschlands, die manchen seiner Kollegen vertrieben hatten, das geringere Übel in Kauf nahm. Aber mein Großvater war sich seiner Klasse durchaus bewusst und fürchtete schon die unteren Klassen oder gar Klassenkämpfe, die allerdings weitgehend ausgeblieben waren."

Ich: „Durch den sogenannten Fahrstuhleffekt wurden die Gegensätze weniger wahrgenommen. Immerhin hatte sich das Nettoeinkommen zwischen 1950 und 1973 vervierfacht."

15

Paul: „Diese Erkenntnisse hatte mein Großvater so noch nicht. Er war der gebildete, selbstbewusste, arrogante Bourgeois, der keine größere Gemeinschaft für sein Selbstbewusstsein reklamieren musste. Anders als Fritz Liebknecht, der auch gebildet, aber sich als Teil einer Kulturnation verstehend, für sein Selbstbewusstsein und dem Sinn seines Daseins auf den Rekurs der aktuellen und historischen Leistungen seines Volkes angewiesen war, während Dr. Müller universal denkend hierfür die ganze Welt der katholischen Kirche, die er überhöhend mit der der Vernunft gleichsetzte, in Anspruch nahm. So gab es dieses Dreigestirn, der Großvater mit dem überbordenden Ich seiner Selbstgewissheit, Fritz Liebknecht eingebettet in nationale Identität und Dr. Müller dem Reich der Vernunft verschrieben, deren Organisation die katholische Kirche zumindest sein sollte.

Mit Dr. Müller allein diskutierte mein Großvater vor allem Fragen der Moral. Er hielt es eher mit Montaigne und Seneca als den zehn Geboten. Wenn Dr. Müller darauf verwies, dass die Tugendlehre Senecas, die nur der Tugend das wahre Lebensglück zuweist und nur den als weise anerkennt, der Tugend besitzt, deren herrlichste die Hochherzigkeit sei, doch gut mit den zehn Geboten und deren katholischer Interpretation vereinbar sei, so entgegnete mein Großvater, dies könne sein, doch er wende sich gegen die Dogmen der katholischen Kirche wie die jungfräuliche Geburt, die Unfehlbarkeit des Papstes, das Zölibat und ähnlichem, was doch kein vernünftiger Mensch ernsthaft glauben könne. Philosophie wie Religion müssten dem Menschengeschlecht guten Rat verheißen, wie es Seneca ausdrückt, wozu wären sie sonst gut. Er finde diesen guten Rat in den Schriften Senecas und Montaignes und nicht in den zehn Geboten.

Dr. Müller erwiderte, wenn dem so sei, so frage er sich, warum mein Großvater sonntags in die katholische Kirche gehe, Kunstgegenstände könnte man doch auch außerhalb der Messe besichtigen und es sei vielleicht gegenüber den sonstigen Gläubigen eher respektlos.

Mein Großvater, darüber verärgert, wollte eine Antwort nicht schuldig bleiben, ,Nun, du weißt ja um die Bedürfnisse meiner Frau und ich möchte ein guter Ehemann sein. Außerdem kann man die Hoffnung nie aufgeben. Vielleicht überzeugt mich doch noch einmal einer deiner Kollegen. Ich will ja auch nicht sagen, dass ich gänzlich ungläubig bin, ich bin nur nicht naiv gläubig, wie ihr es vielleicht gerne hättet. Zugeben musst du aber, dass' – und das war die eigentliche Retourkutsche – ,man in der Bibel eine solche auf wahrer Lebenserfahrung beruhende Empfehlung nicht lesen kann, die ich neulich bei Montaigne fand, der die Schwiegertochter des Pythagoras zitiert, die ihren Geschlechtsgenossinnen empfiehlt, wenn sie sich zu einem Mann ins Bett begebe, mit dem Rock auch das Schamgefühl abzulegen und es hernach mit dem Unterrock wieder anzuziehen.'

Diese Geschichte hatte Dr. Müller besonders verletzt und er erzählte sie mir nach dem Tode meines Großvaters mit dem Hinweis, dass sie immer sich gegenseitig schonend diskutiert hatten und die genannte Auseinandersetzung außergewöhnlich war, da er nicht die Widersprüche im Leben seines Freundes thematisierte, die Widersprüche zwischen den Ratschlägen Senecas und Montaignes und der gelebten Realität des Großvaters, der umgekehrt die tabuisierten Themen des Priesters wie dessen Sexualität vermied."

16

„Letzteres Thema wurde auch in den Gesprächen mit Fritz Liebknecht ausgeklammert. Onkel Fritz war Junggeselle geblieben und konnte nie an den Erfolgen meines Großvaters bei Frauen teilhaben. Er war immer verklemmt und hat sich nicht getraut.

Ich lernte ihn schon in älteren Jahren kennen, hörte aber bei Gesprächen meiner Großmutter mit ihrer Schwester heraus, dass sie oftmals vergeblich versucht hatten, Onkel Fritz zu verkuppeln und sich ernsthaft fragten, ob er nicht impotent sei.

Mit Onkel Fritz konnte mein Großvater sich dem Thema der bildenden Kunst widmen.

Sie diskutierten lange und mit viel Detailkenntnis Fragen wie: Kann man die Postmoderne als moderne Form des Manierismus ansehen, hat der Manierismus überzeitlichen Charakter oder verbindet er nur ein in seiner Widersprüchlichkeit einheitliches Konglomerat im 16. Jahrhundert? Oder: Ist das Stilmittel der Figura serpentinata, exemplarisch in Parmigianinos ‚Madonna mit dem langen Hals‘, Ausdruck einer Weltanschauung oder nur der Anspruch, Grazie und Schönheit zu repräsentieren, weder eine Idee vermittelnd noch Handlung darstellend? Onkel Fritz vertrat den Standpunkt der Klassik, der Renaissance, mein Großvater vehement denjenigen der Nachfolgerichtung, der Reflexion, des Manierismus. So konnten derartige Themen durchaus streitig diskutiert werden.

Beide waren aber zu lange und zu gut befreundet, als dass sie kunsttheoretische Auffassungen persönlich auslegten, vielleicht dachten sie es aber, wie etwa Dr. Müller über Fritz Liebknecht vertraulich meinem Großvater gegenüber äußerte:‚Der schwache Charakter hält sich an die Klassik, wie an die Nation. Die Reflektion, die Infragestellung verunsichert ihn zu sehr.‘ Fritz hätte dagegen auf seinen Freund Poth verweisend einwenden können:‚Alles Infragestellen kann sich immer nur der erlauben, der genug abgesichert ist. Es ist auch nur die akademische Lust am L'art pour l'art, die ohne Konsequenzen nur destruktiv ist. Es ist dekadent.'"

17

„Dr. Müller wurde von meiner Großmutter immer noch, obwohl eigentlich längst Professor an der Jesuitenhochschule in München, anderen, selbst dem Hauspersonal und Familienangehörigen gegenüber, als Dr. Müller bezeichnet. Mein Großvater, der mit ihm in Ettal auf dem Internat ein Zimmer geteilt hatte, nannte ihn beim Vornamen Jakob. Auch meiner Großmutter hatte Dr. Müller schon lange das Du angeboten. Doch sie blieb bei ‚Herr Dr. Müller‘, ohne es zu thematisieren. Sie dokumentierte damit ihre Distanz zu ihm. Das hatte mehrere Ursachen: Zum einen stand er als Schulfreund meines Großvaters zu Recht bei ihr unter dem Verdacht, mein Großvater hätte sowohl emotional wie intellektuell ein intimeres Verhältnis zu ihm als zu ihr, zum anderen hatte sie, als mühsame Absolventin der Mittelschule, übertriebene Achtung vor akademischen Titeln. Sie zeigte aber mit dem ‚Dr. Müller‘ auch, dass sie ihn schon vor der Erlangung des Professorentitels kannte und dass ihre Achtung vor akademischen Würden doch nicht so weit ging, sich der Mühe unterziehen zu sollen, alte Namensgewohnheiten zu ändern. Als möglichen Ansprechtitel Pater Müller, so wurde Dr. Müller auch von verschiedener Seite genannt, zu verwenden, kam ihr nicht in den Sinn. Denn bei Pater dachte man zu leicht an Beichtvater und diese Funktion Dr. Müller zuzugestehen, war nicht nur angesichts des Näheverhältnisses desselben zu meinem Großvater undenkbar, sondern auch wegen der von meiner Großmutter durchaus gespürten Verachtung des Doktors, die dieser ihr gegenüber – und zwar nicht nur wegen ihrer vermeintlich allzu bescheidenen intellektuellen Fähigkeiten – durch subtile Nichtwahrnehmung an den Tag legte.

Da die Haususancen, dazu zählte auch die Namensgebung von Gästen, mein Großvater weitgehend seiner Gattin überließ, war für mich Jakob Müller nicht Onkel Jakob, nicht Pater Müller, nicht Herr Professor, sondern Herr Dr. Müller.

Mir fiel als Kind bei Dr. Müller seine langsame, immer bedächtige, nie eifernde, nie fordernde Sprechweise in einem leicht singenden Ton auf. Er hatte einen milden Blick, der nicht verdammte, sondern verstand und verzieh. Er hatte weiche, fast samtene Hände. Sein Gesicht war leicht verfettet, er hatte volles weißes Haar, war groß mit den Bauchausmaßen, die man bei katholischen Geistlichen fast verallgemeinern kann.

Er fühlte mir gegenüber einen gewissen Bildungsauftrag, was sowohl allgemeinpolitische wie familiengeschichtliche Angelegenheiten betraf.

So belehrte er mich schon beim Frühstück jeweils bezogen auf die aktuellen politischen Überschriften der Zeitungen und wenn es irgend möglich war, stellte er Bezüge zur Familie her."

18

„Von den Themen am Morgen sind mir in Erinnerung nur zwei Komplexe geblieben, und zwar wohl deshalb, weil diese die einzigen waren, die meinen Großvater zu eigenen Stellungnahmen verleiteten, was wiederum zu Diskussionen führte, deren Einzelheiten ich nicht mehr weiß, deren Tenor mir aber im Bewusstsein geblieben ist. Es ging einerseits um Hitler und den Nationalsozialismus und andererseits um die Frage, wie verhält man sich richtig, wie lebt man richtig? Letzteres wurde dann oftmals theologisch gewendet, was ist Sünde und was nicht?

Zu Hitler war mein Großvater immer der Meinung, dieser sei ein Verbrecher gewesen, der das deutsche Volk verführt habe. Was hätte man tun können. Als man es merkte, war es zu spät und Widerstand sinnlos und Selbstmord. Dr. Müller warf dann sinngemäß ein, dass Hitler und seine Bande Verbrecher waren, hätte man doch schon früher erkennen können, was nicht wenige taten. Vor allem aber merkte er an, habe denn Hitler die bekannten Untaten allein ausgeführt, hatte er nicht nur allzu viele willige Helfer und gehören zum Verführtwerden nicht zwei. Gab es nicht Beispiele von Widerstand, der erfolgreich war und war es nicht genau das, was von den Nazis intendiert war, alle sollten glauben, Widerstand sei zwecklos, sei es nicht so, dass genau die Meinung, Widerstand sei sinnlos, eben der Fehler war, wie die Furcht zu irren, schon der Irrtum selbst sei. Letzteres stehe im Übrigen erstaunlicherweise am Bahnhofsturm von Stuttgart, dessen berühmtesten Sohn zitierend.

Mein Großvater entgegnete in etwa so: Mag sein, doch nehme mich als Beispiel. Hätte ich mich wehren sollen, hätte ich meine Arbeiter aufhetzen sollen. Hätte ich meinen jüdischen Bekannten, die in Amerika neu anfangen wollten und Geld benötigten, nicht ihre Kunstgegenstände abkaufen sollen. Was wäre gewesen? Bei Widerstand wäre ich ins KZ gekommen, hätte meine Familie ruiniert und nichts geändert. Im Ergebnis hätte ich nur einige, und zwar noch dazu die mir Nächsten unglücklich gemacht, gefährdet oder Schlimmeres. Und hätte ich nicht mit den Juden kontrahiert mit dem Argument, ich nutze nicht die Notlage aus, sollen dies andere tun, was hätten sie mir gesagt? Deine Preise sind noch anständig, bitte kaufe du von uns, von dir wissen wir, dass wir nicht betrogen werden. Wir akzeptieren, dass der Marktpreis schlecht ist, wir würden an deiner Stelle auch zugreifen, aber wir wissen bei dir, dass das gegebene Wort gehalten wird und du den Handel nicht hinauszögerst und uns dann noch Nachlässe abverlangst, wenn wir angesichts des endlich möglichen Ausreisetermins nicht mehr anders können. Mein Handeln konnte der Kantischen Maxime des kategorischen Imperativs, die doch auch du vertrittst, in der konkreten Situation durchaus gerecht werden.

Interessant ist aber eigentlich, was sie nicht besprachen, jedenfalls nicht vor mir, und zwar niemals, denn sie diskutierten auch am Mittagstisch und gelegentlich abends in der Bibliothek vor meinen Ohren. Es sind die Dinge, die ich erst viel später erfuhr und die ausgeklammert wurden in dieser, dem Kind so lieben und so vertrauten heilen Welt. Dinge, die die Bedingungen der Möglichkeit darstellten, dass ich an diesem Frühstückstisch saß, Familientabus, über die dann später gelegentlich bei meinen Eltern gemunkelt wurde, die aber Jahre später erst in mein Bewusstsein traten. Obwohl wenig schmeichelhaft für meine Großeltern, ändert doch das Wissen darum nicht mein Gefühl, meine Vorstellung von ihnen. Diese ist aus dem kindlichen Erlebnis geprägt und lässt das Offenbarwerden genannter Familientabus erscheinen, als handelten sie von anderen Personen. Denn vor mir habe ich immer noch den Großvater am Frühstückstisch mit Dr. Müller als Gesprächspartner.

Beim anderen oftmals diskutierten Aspekt des richtigen Lebens rekurrierte mein Großvater auf Montaigne und Seneca. Dr. Müller versuchte beides mit katholischer Ethik zu verbinden.

Einig war man sich, dass für den normalen Menschen – und als Solcher wollte mein Großvater gelten – Philosophie in der natürlichen Praxis, im Hier und Heute, nicht im Spekulieren bestand. Mein Großvater stimmte auch Montaigne zu, dass die größte aller Künste sei, recht zu leben, was die Alten durch ihr Leben und weniger durch ihre Schriften dargestellt hätten. Dr. Müller wollte das so nicht gelten lassen, nun war er auch Theologe und daher Theoretiker, noch dazu katholischer Priester, der sein Leben seiner Gemeinde und Gott gewidmet hatte, auch fragte er, woher man denn das Leben der Alten kenne, offenbar doch nur aus ihren Schriften.

Einig war man sich aber, dass das richtige Leben nicht Kraftanstrengung, sondern Ausgeglichenheit verlange, dass die Nützlichkeit des Lebens nicht in seiner Länge, sondern in der Art des Gebrauches der jeweiligen Lebensdauer liege oder, wie Seneca sagte, es komme darauf an, wie ehrenhaft man lebte, nicht wie lange.

Senecas Postulat, die Weisheit, die Vernunft solle gebieten, die Fertigkeiten nur dienende Rolle haben und die Leidenschaft möglichst niedergehalten werden, also die Triebstruktur verdrängt werden, hielt mein Großvater zwar für Priester denkbar, für die Lebenswirklichkeit aber fremd, war sich aber mit Dr. Müller einig, dass der Vorteil der katholischen Kirche die Gewährung der Absolution sei, sofern man seine Sünden, zumindest im Moment der Beichte einsichtig, gestehe.

Mein Großvater postulierte, dass das höchste Gut ein glückliches Leben sei. Dr. Müller genügte die Ataraxia, die Gemüts- und Seelenruhe der Stoiker oder die Euthymia, der Frohsinn, die Wohlgemutheit von Demokrit nicht – mein Großvater ergänzte stets noch die Lust der Epikureer als Quelle der Glückseligkeit, die aber immer als Tugend und nicht als reine Sinnenhingabe verstanden wurde. Der Jesuit verwies darauf, dass das irdische Leben im Grunde nichts anderes als Knechtschaft sei. Er stimme Seneca zu, dass es deshalb gelte, sich an seine Lage zu gewöhnen, so wenig als möglich über sie zu klagen und keine Erleichterung, die es etwa biete, unbenutzt zu lassen. Das reiche jedoch nicht. Es gelte auch, das Leben nach dem irdischen Tod in Betracht zu ziehen, an das die Christen glaubten. Es sei sicher richtig, nicht wie die Geschäftsmänner nur in der Gegenwart zu leben und nicht zurückzublicken, obwohl nur die Vergangenheit gewiss, die Gegenwart kurz und die Zukunft zweifelhaft sei. Nur wer sich Muße nehme, seine Zeit der Weisheit widme, führe das wirkliche Leben. Gewiss sei zuzugeben, dass niemand alles haben könne, was er wolle, wohl aber nicht wollen könne, was er nicht habe und so heiteren Sinnes genieße, was ihm beschert sei. All dies sei jedoch nur formell, es sei nichts über den Lebensinhalt konkret ausgesagt, wie das etwa die Zehn Gebote täten.

Mein Großvater betonte dabei stets, dass er gegen jede kleinkarierte, verklemmte, spießbürgerliche Ethik sei, die ja auch Seneca nicht gemeint habe, der Reichtum nicht verachtete, weil er überflüssig sei, sondern sofern man davon abhängig oder gar kleinlich werde."

19

„Mit Ende des Frühstücks, immer gegen 9.00 Uhr, wurde meinem Großvater sein Lodenmantel von einem der Hausmädchen gebracht, den sie zuvor von den auf mit Samt bezogenen Kleiderbügeln in der hinter schweren Samtvorhängen sich befindlichen Garderobe genommen hatte. Ihm wurde der silberne, lange Schuhlöffel gereicht, mit dessen Hilfe er seine bei J. G. Maier in München erstandenen ledernen Straßenschuhe anzog. In der Auffahrt wartete bereits der Chauffeur Kuglmüller. Er hatte den Verschlag eines großen amerikanischen Cadillacs schon geöffnet, zog seine Chauffeursmütze, grüßte meinen Großvater, half ihm in den geräumigen Wagen und schloss die Wagentür. Anschließend grüßte er den ‚Herrn Doktor', der des Öfteren zu seinen Jesuiten mitgenommen wurde und öffnete ihm die Hintertür. Er stieg selbst ein, hupte zweimal, so dass das Haus wusste, sie sind abgefahren und fuhr über den knarzenden Kies die Hofeinfahrt hinunter am Gärtnerhaus vorbei durch das geöffnete Gartentor auf die Straße hinaus.

Der Chauffeur Kuglmüller war groß, stämmig mit einem runden, immer leicht geröteten Bauerngesicht. Er hatte ein besonderes Vertrauensverhältnis zu meinem Großvater, das Verhältnis war nur auf den ersten Blick wie bei Dubslav Stechlin und seinem alten Diener Engelke – Vertrauter ohne Vertraulichkeit. Kuglmüller fuhr stets in einer Chauffeursuniform mit einer grauen Chauffeursmütze mit glänzendem Vorbau aus Plastik. Diese Mütze hatte er während der ganzen Fahrt auf dem Kopf. Er wies den Chauffeur meiner Großmutter mit dem Namen Isidor Mausler, allgemein nur leicht verächtlich Isidor genannt, zurecht und demonstrierte an vielen Kleinigkeiten dessen Unfähigkeit. Auch richtete er Isidor bei meinem Großvater häufig aus, indem er Nachlässigkeiten oder gar Verfehlungen berichtete, aber stets verhinderte, dass dem nachgegangen oder gar Konsequenzen gezogen wurden. Kuglmüller hatte seinen Dienst bei meinem Großvater bald nach dem Krieg angetreten. Mein Großvater konnte sich auf seine Verschwiegenheit, vor allem meiner Großmutter gegenüber, verlassen. Kuglmüller chauffierte meinen Großvater – und das blieb ihm auch nicht verborgen – sowohl zu diversen bezahlten Damen als auch regelmäßig, zumindest in den Anfangsjahren seiner Dienstzeit, zu Großvaters großen, dauerhaften Liebe, der Mutter seines unehelichen Sohnes, Martha Glauer.

Kuglmüller wahrte gegenüber meinem Großvater eine männliche Solidarität, die mein Großvater dadurch förderte, dass er Kuglmüller in fremden Städten in ausgesuchten Bordellen, die er selbst allerdings nie besuchte, dortige Freuden bezahlte. Das gemeinsame Fremdgehen, wenn auch auf unterschiedlichem Niveau und zu unterschiedlichen Preisen, verband die beiden. Insofern war Kuglmüller vertraulicher Vertrauter.

Wenn Dr. Müller am Morgen auf der Fahrt von Seeberg nach München Fahrgast war, wurde mein Großvater erst in sein Büro in die Brienner Straße gebracht, welches sich – wie mein Großvater seinen Gästen gerne erläuterte – schräg gegenüber des von Wedekind im Marquis von Keith erwähnten Hauses Nr. 21

befand. Dann fuhr Kuglmüller nach Pullach, um Dr. Müller am Berchmankolleg, das 1971 in die Kaulbachstraße umsiedelte und ab diesem Zeitpunkt als Hochschule für Philosophie firmierte, abzusetzen. Zurück in der Brienner Straße stellte er den Wagen in die Hofeinfahrt und wartete auf meinen Großvater. Dieser hatte inzwischen mit seiner Sekretärin, Frau Gabler, den weiteren Tagesablauf besprochen, insbesondere auch, wen er wo, gegebenenfalls zum Mittagessen treffen, würde.

Die Variationsbreite war nicht sehr groß, denn er speiste höchstens einmal die Woche in München, ansonsten fuhr er gegen 13.00 Uhr nach Seeberg. Dort wurde um 14.00 Uhr das Mittagessen aufgetischt, das mindesten drei Gänge beinhaltete, eine Suppe, von Kartoffel-, über Spargelcreme- bis Brennnesselsuppe, ein Hauptgericht, von Kalbshaxe, über Suppenfleisch, Ochsenschwanz, Kalbsbrust, Lammbraten bis zu Curryfleisch in den Varianten mit Kalbs-, Rind- und Schweinefleisch, freitags aber immer Fisch, vom heimischen Starnberger See Renke über Seezungen bis zu Hummer, und ein Nachtisch in Form von selbstgemachtem Zitroneneis, sogenanntem ‚Moor im Hemd‘ oder ‚Ausgezogenen‘.

Die Mittagessen in München waren oft geschäftlich veranlasst, sei es mit Kunden, Lieferanten oder Handelsvertretern, aber auch regelmäßig mit dem Geschäftsführer des Vereins deutscher Kunsthändler, dessen Vorsitzender mein Großvater lange Jahre war. Mit Frau Gabler wurde dann sorgfältig das jeweilige Restaurant ausgesucht, das danach variierte, ob die Geschäftsfreunde dem Bereich der Möbelindustrie, dann war man Gast in Restaurants wie dem ‚Bayerischen Hof‘ oder den ‚Vier Jahreszeiten‘, oder dem Kunsthandel, dann wurden individuellere Restaurants präferiert, wie der ‚Humpelmayr‘, zuzurechnen waren. Mein Großvater traf Onkel Fritz zusammen mit einem Kreis von Kunstfreunden und Gelehrten, die sich seit den Tagen des gemeinsamen Studiums ziemlich regelmäßig, allerdings durch die Kriegszeit unterbrochen und dezimiert, sahen, monatlich einmal im Franziskaner.

Es gab noch einen weiteren, allerdings heikleren festen Monatstermin zum Essen, auch dieser arrangiert von Frau Gabler: Das Treffen mit seiner alten, ehemaligen Liebe und Mutter seines außerehelichen Sohnes: Martha Glauer. Von deren Existenz wussten wir als Kinder nichts, wenn auch in der Familie gemunkelt wurde, dass wohl ein paar Bankerts meines Großvaters nicht auszuschließen seien. Bekannt war der folgenreiche Seitensprung aber meiner Großmutter, die gewiss darunter litt, aber eher wegen der angetanen Schmach als wegen der verlorenen Liebe, sofern sie diese überhaupt jemals besessen hatte. Sie ließ sich die Schmerzen nicht nur in Form von Schmuckstücken aller Art vergolden, sondern auch durch Machtgewinn dahingehend, dass sie, nachdem sie die Alltagsentscheidungen, bis auf wenige Ausnahmen, wie die Einrichtung des Hauses (was ihr aber nicht viel bedeutete, sofern diese nur repräsentativ genug war), übernommen hatte, auch zunehmend geschäftliche Belange, jedenfalls im Bereich der Personalpolitik, beeinflusste.

Mit Martha Glauer traf sich mein Großvater im ‚Böttner‘, dem kleinen intimen Restaurant Ecke Maffei-/Theatinerstraße, welches nur wenige Tische hatte und heute an einem anderen Standort in der Innenstadt seine Dienste anbietet.

Meine Großmutter war bei geschäftlichen Essen nur dabei, wenn Geschäftsfreunde ihre Frauen mitgenommen hatten, die meist von weiter herkamen und in München Einkäufe tätigten, manche sogar die Kunstsammlungen besuchten. Bei solch einer Gelegenheit ließ mein Großvater es sich nicht nehmen, selbst eine Führung durch aktuelle Ausstellungen zu übernehmen. Vor allem aber führte er die Damen durch die Alte Pinakothek, während meine Großmutter sich eiligst nach Seeberg zurück chauffieren ließ.“

20

„Wenn ich bei derartigen Gelegenheiten in Seeberg war, musste ich mit der Großmutter nach München fahren und nach dem Mittagessen wurde ich noch meist in die Alte Pinakothek mitgenommen. Mein Großvater meinte, dass je früher man schöne Dinge sehe umso besser, dass dadurch der Geschmack gebildet werde, auch wenn man seine Erklärungen noch nicht alle verstand. Daher erlebte ich mehrere solcher Exkursionen und stellte bald fest, dass mein Großvater bei den verschiedenen Gästen immer sehr variationsreich vorging und niemals dieselbe Tour führte. Er hatte jedoch einige Konstanten, die sich naturgemäß bei mir einprägten. Die eine war seine Ausführungen zum Manierismus, da er dank seiner Promotion über dies Thema gängige Vorurteile auch aufgeklärter, ‚kunstsinniger' Menschen kompetent korrigieren zu können glaubte."

„Welches Bild ist dir vor allem in Erinnerung geblieben und warum?", fragte ich.

„Das ist Tintorettos ‚Vulkan überrascht Venus und Mars'. Was kein Wunder ist. Für ein Kind und beginnenden Jugendlichen ist es schon interessant, zu bemerken, für was sich Vulkan da so sehr interessiert. Mein Großvater liebte dieses Bild. Er erklärte daran die Elemente des Manierismus: Die gelängten Körper, die Diagonalen und den Spiegel im Hintergrund als Zeichen der Reflexion, wohl von Parmigianino eingeführt. Der Manierismus reflektiert die Renaissance, der Spiegel reflektiert und bricht das Gesehene. Aber er machte sich auch über den Alten lustig, der die zu junge Frau ertappt hat, deren erotischen Ansprüchen er offenbar nicht genügte. Leicht süffisant regte er dann gegenüber den weiblichen Begleiterinnen an, ihren Gatten zu berichten, dass schon Homer wusste und es Tintoretto nur ins Bild rückte, dass alte Männer mit zu jungen Frauen große Gefahr laufen, nur allzu schnell der Häme ausgesetzt zu werden. Diese Bemerkung unterließ er allerdings, wenn es sich bei der Gattin seines Geschäftspartners, was durchaus vorkam, um eben eine solche Venus handelte.

Regelmäßig führte mein Großvater bei seinen Führungen auch in den Bau der Alten Pinakothek ein als erstes führendes Kunstmuseum, als größter und modernster Museumsbau seiner Zeit, der die Entwicklung des europäischen Museumsbaues zusammenfasste und damit des gesellschaftlichen Novums, dem Museum als Demokratisierung der Kunst, und machte Ausführungen über das München Leo von Klenzes. Wie sehr doch ein kühner Auftraggeber, Ludwig der I., und ein genialer Architekt Lebensräume und damit aber auch den Geist der dort Lebenden über Jahre hinweg formen könnten.

Im Übrigen finde ich, dass die Idee des Klassizismus eigentlich recht gut zur Persönlichkeit meines Großvaters passte. Der Klassizismus ist ein Gegner der Parvenüs, der Neureichen, aber in gewisser Weise auch ein Gegner der Innovation des Neuen, er bewahrt das Bewährte, das zu gestalten ihm sinnvoller erscheint als der Beifall für kreativ Neues, das doch Altes zerstören muss, immer auch das Suchende ist und als solches vor Geschmacksverirrungen nicht gefeit sein kann. Die Welt des Klassizismus ist die Welt von Maß und Stil, die Welt, die sich Bewährtem bewusst bleibt. Der Klassizismus ist die Kunstform der gesättigten, gebildeten Oberschicht, in denen die Alten das Sagen haben, die wissen, dass die proklamierten Siege im Lebenskampf meist ausgeblieben sind, und denen gemäß Erfahrung Gesichertes lieber ist als die vernichtende Kraft neuer Heilsversprechen. Der Klassizismus gibt aber auch demjenigen Sicherheit, der ihrer bedarf, die aber Illusion ist und immer war.

Nebenbei bemerkt zeigt der Unterschied von Alter zu Neuer Pinakothek, die mein Großvater nicht mehr erleben konnte, obwohl der Architekt der Neuen Pinakothek sicher ein Herr und Weltmann war, dass in der Kunst, und Architektur ist ja sicher auch eine Kunstform, Stillstand Rückschritt ist, dass das Wissen des Betrachters um die Entstehungszeit und das Umfeld des Gebäudes die ästhetische Beurteilung beeinflusst, dass handwerkliches Geschick noch lang keine künstlerische Essenz ist."

„Das stimmt", warf ich ein, „beweist aber auch, dass das politische Umfeld nicht mit dem künstlerischen Resultat korreliert. Die Zeit der Entstehung der Alten Pinakothek war unstreitig politisch reaktionär und hat doch ein architektonisches Kunstwerk geboren, einen Bau, der zeitlos eine Souveränität und Selbstbewusstsein ausdrückt, das dem Zeitgeist, der doch eher verzagt war, fehlte, während die siebziger Jahre, in deren Mitte der Entwurf der Neuen Pinakothek verabschiedet wurde, in vieler Hinsicht politische Umbrüche im Entstehen sah, Wegbrechen alter Zöpfe und gesellschaftlicher Tabus, wie die

Strafbarkeit der Homosexualität, des berühmten Paragraphen 175 des Strafgesetzbuches, neue Ostpolitik, schließlich die Vorbereitung zur Gründung der Grünen in den frühen Achtzigern, in Rom den polnischen Papst und in Polen die Gewerkschaft Solidarność. Und dann ein solcher Bau, der sich in seiner Formensprache an Elemente hält, die rückwärtsgewandt eine Scheinsicherheit verheißen. Aber wir wollen fortfahren, konnte uns doch die Pinakothek der Moderne ein wenig entschädigen. Was war die dritte Konstante in den Führungen deines Großvaters?"

„Es war Tiepolos Anbetung der Könige."

„Warum das?"

„Mir hat sich das erst im Laufe der Zeit erschlossen. Das Altarbild der neubarocken Kirche von Seeberg ist eine Kopie des Bildes von Tiepolo."

„Stimmt, ich kenne das Bild. Als Kind schaut man in der Kirche doch vor allem die Bilder an, da die Sprüche der Priester zu abstrakt sind. Mir ist immer der rechte Arm des dritten, hochaufgerichteten schwarzen Königs, also wohl Balthasars, aufgefallen, dessen Kleid wie ein Zebra gestreift ist."

„Siehst du, mit dieser Beobachtung setzt du meinen Großvater ins Recht, der meinte, der entscheidende Vorteil des Katholizismus gegenüber dem Protestantismus seien die Ausschmückungen in den Kirchen, die, und insofern war er stets dafür, dass ich, wenn ich sonntags in Seeberg war, mit in die Kirche ging, da Kindern, die mit der Eucharistiefeier nichts anfangen konnten, durch das zwangsläufige Studium der vorhandenen Malerei, ein gewisses Stilgefühl mitgeben würde. Im Übrigen hat mein Großvater immer wieder anhand dieses Meisterwerkes von Tiepolo, das in Würzburg entstanden ist und dank der Säkularisation, nämlich der Aufhebung des Klosters Schwarzach, für das es geschaffen wurde, in die Alte Pinakothek kam, darauf hingewiesen, wie doch das Barock die Errungenschaften des Manierismus, etwa die Diagonale, übernommen hat.

Ich selbst kann mich auch an das Bild erinnern. Als Kind gefiel mir vor allem die wunderschöne junge Madonna. Es ist, neben den Tönen der Glocken, deren dunkler, satter Klang Seeberg als Wohnort allein schon auszeichnet, das Einzige, das diese Kirche wirklich schmückt: Macht und Geld beugen sich vor einem Baby und dessen stolzer Mutter."

„Es spricht auch für den Architekten der Kirche von Seeberg, oder wer immer es entschieden hat, dass er die Kopie eines Meisterwerkes irgendeinem drittklassigen Original, von denen es aber in der Kirche genug gibt, vorgezogen hat."

21

„Aber kommen wir zum weiteren Tagesablauf meines Großvaters zurück. Ich erzähle dir das, weil sein Tagesablauf auch meinen als Kind bestimmte, und weil sein Leben ein Lebensmuster war, das, wenn wir nun schon zurückschauen und resümieren, vielleicht ein mögliches gewesen wäre oder auch nicht und wenn nicht warum. Liegt es an den Umständen, die diese Art von Leben nicht mehr zugelassen haben oder an dem Leben selbst, das nicht als das richtige erscheint. Aber gibt es das? Oder gibt es ohnehin kein richtiges Leben, da wir im falschen leben. Können wir uns überhaupt bewusst für Arten des Lebens entscheiden oder werden wir von den Umständen, unseren Leidenschaften und Bedürfnissen getrieben? Dennoch leben wir ein bestimmtes Leben und offenbar nicht jeder das gleiche. Andererseits gibt es gewisse Muster, die gleichartig sind und es lassen sich Typen von gelebtem Leben feststellen. Ich möchte mir mit deiner Hilfe bewusst werden, welchen Lebenstyp ich gelebt habe. Dazu ist aber die Spiegelung in anderen, zumal wenn sie in tatsächlicher Korrelation zu meinem Leben standen, wichtig. Also kehren wir zum Rhythmus des Tages meines Großvaters zurück.

Herr Kuglmüller chauffierte meinen Großvater von der Brienner Straße nach Schwabing in die Möbelfabrik. Dort begrüßte mein Großvater die dortige Sekretärin, Frau Seifert, die oft schon mit meiner Großmutter, die ungefähr eine Stunde nach meinem Großvater mit ihrem Chauffeur und einem etwas kleineren amerikanischen Wagen, vielleicht ein Chevrolet, von

Seeberg nach München gefahren war, die neuesten Familien-
nachrichten ausgetauscht hatte. Frau Seifert war nämlich die
eigentliche Vertraute meiner Großmutter. Meine Großmutter
bevorzugte das Ambiente der Möbelfabrik in Schwabing desje-
nigen der Kunsthandlung in der Brienner Straße gegenüber. Das
lag vor allem an den Personen, die ihr hier oder dort begegneten. Die Mitarbeiter der Möbelfabrik hatten, auch wenn sie zu
leitenden Angestellten aufgestiegen waren, etwas Bodenstän-
diges. Sie sahen meine Großmutter als die Ihre, die es – durch
Heirat – zu etwas gebracht hatte, während die Angestellten der
Kunsthandlung gerade dies verachteten wie den – aus ihrer Sicht
zu offensichtlichen – Prunk der Kleidung, überhaupt des Stils
meiner Großmutter, des Stils, der sich durch Stillosigkeit auszeichnete. Am meisten störten sie sich an der Krokodilleder-
handtasche meiner Großmutter als Ausdruck modischer Dekadenz. Sie fragten sich, wie ein so kultivierter und stilsicherer
Herr, wie ihr Chef, der Herr Dr. Poth, diese Frau sich hatte an-
tun können. Solche Vorurteile teilten sich meiner Großmutter
unbewusst mit. So mied sie weitgehend die Brienner Straße.

Du musst wissen, dass meine Großeltern ein sehr unter-
schiedliches Paar waren. Meine Großmutter kam aus der frän-
kischen Provinz und war Tochter eines Apothekers. Wie damals
die meisten Mädchen, wurde sie nicht gebildet und hatte weder
für Kunst noch Musik, ausgenommen eine ganz naive Liebe zu
Mozart, den sie durch ihre Klavierlehrerin kennengelernt hatte,
noch gar Geist oder Literatur das geringste Interesse. Sie interessierte nur der gesellschaftliche Aufstieg, der gesellschaftliche
Tratsch, ihr Aussehen, das sie dank Frisör, Kleidung, Maniku-
re und Pediküre zumindest nach ihren Maßstäben und dank
des Geldes ihres Mannes zu optimieren verstand. Du kanntest
sie ja und musst zugeben, dass sie nach landläufiger Ansicht
hübsch war, voller Temperament und Lebensfreude.

Um gesellschaftlich zu reüssieren, war sie schon bald aus
der Provinz nach München gegangen und lebte dort bei ihrer
älteren Schwester, der Frau Majorin. Das Schlachtfeld waren
die wohlsituierten Junggesellen, zu denen auch mein Großvater gehörte. Weiblicher Charme und körperliche Vorzüge wa-

ren die bewährten Kampfinstrumente. Meine Großmutter fing schließlich den Großvater mit meinem Vater, wenn auch nach damaligen Verhältnissen wohl schon fast im Schlachtgetümmel untergegangen, sprich, dank des fortgeschrittenen Alters von Ende zwanzig in die Gefahr gekommen als ‚Jungfer' zu enden oder die Ansprüche an den künftigen Lebensstandard allzu weit herabstufen zu müssen. Diese Kampfzeit bewirkte bei ihr ein sicher schon seit Geburt angelegtes Misstrauen allen gegenüber und ein Vertrautsein nur zu Untergegebenen, wie Frau Seifert oder der Köchin Anni oder Enkelkindern wie mir, die ihr nicht wirklich schaden oder ihr Vertrauen missbrauchen konnten.

Mein Großvater begab sich nach der Begrüßung der Sekretärin und gegebenenfalls meiner Großmutter, der er gleichzeitig mitteilte, wie sich das Mittagessen letztendlich gestalten sollte, ein Restaurantbesuch allein, mit meiner Großmutter oder zu Hause, was Frau Seifert unverzüglich nach Seeberg zu vermelden hatte, in die Kantine. Dort befand sich ein kleines Zimmer, das als Frühstücksraum für meinen Großvater diente. Er wurde von der Kantinenchefin bedient, einer älteren Cousine meines Großvaters, die nicht verheiratet war und die ein Unterkommen gesucht hatte: Tante Irma. Dieses zweite Frühstück fand gegen elf Uhr statt. Da die Arbeit in der Fabrik um sechs Uhr morgen begann, hatte die Belegschaft schon die Frühstückspause in der Kantine hinter sich. Anlässlich der ersten Pause informierte sich Tante Irma bei einigen Vertrauten über das Betriebsgeschehen. Diese Informationen übermittelte sie meinem Großvater, während er sein Ei und die Honigsemmel aß und nebenbei die Münchener Lokalzeitung, die „Abendzeitung" durchblätterte.

Nach dem Frühstück machte mein Großvater seinen Betriebsrundgang.

Er empfing danach in der immer gleichen Reihenfolge den Personalleiter, den Produktionsleiter, den Verkaufsleiter und zuletzt den Leiter der Buchhaltung. Gegebenenfalls gab es anschließend noch eine gemeinsame Runde, in welcher mein Großvater seine Beschlüsse kundtat.

Dank der Informationen von Tante Irma war er schon immer erstaunlich gut unterrichtet, was er durch gezielte Fragen an seine leitenden Angestellten offenbarte, die das auf den Betriebsrundgang zurückführten und darauf, dass er einen so guten Blick für das Wesentliche hatte. Diese Methode hatte im Übrigen den Vorteil, dass die Leitenden die Probleme gleich von sich aus bei Beginn der Besprechung auf den Tisch brachten, um nicht durch Fragen meines Großvaters unangenehm überrascht zu werden. So hatte er, mit verhältnismäßig wenig Aufwand, ein vorzügliches betriebliches Informationssystem. Er konnte es sich leisten gegen 13.00 Uhr entweder in die Stadt zum Essen oder, im Regelfall, nach Seeberg zurückzufahren. Dort traf er gegen 14.00 Uhr ein, was der Chauffeur durch lautes Hupen kundtat und somit der Küche das Signal gab, sich auf das Servieren der Mahlzeit vorzubereiten.

Das Mittagessen wurde im Esszimmer serviert. Der Esstisch, rund und aus Mahagoniholz, war extra angefertigt worden und konnte weit ausgezogen werden. Je nach Bedarf bot er für sechs bis achtzehn Gästen Platz. Es war immer vornehm gedeckt mit Tischdecke, Stoffservietten, Silberbesteck, Silberplatzteller, Messerbänke, an jedem Platz eine goldene kleine Schüssel mit Wasser zum Reinigen der Hände und verschiedenen wertvollen Gläsern. Das Besteck und die Teller waren mit den Initialen AP, nach der Mutter meines Großvaters, graviert. Vor dem Essen und nach dem Essen, wurde jeweils im Stehen gebetet – wie mir später Dr. Müller erzählt hat, auf ausdrücklichen Wunsch meiner Großmutter.

Meine Großeltern, die sich wenig unterhielten, hatten sich, um Streit zu vermeiden, eine klare Aufteilung gegeben, wer was zu entscheiden hatte. Es folgte dem einfachen Grundsatz: Alles, was in auch weiterer Verbindung zur Kunst stand, entschied mein Großvater, den Rest meine Großmutter. So wurden architektonische Fragen, sei es des Hauses oder des Gartens, aber auch die Einrichtung und das Geschirr, also jedenfalls Fragen des Kunsthandwerks und eines gewissen dauerhaften Stils von meinem Großvater entschieden. Dinge, die der Mode unterworfen waren, wie Kleidung, Autos, Speisen, sowie Einladungen, sowohl was die Gäste wie die Abläufe betraf, wie gewisse Rituale, zum Beispiel das Mittagessensgebet oder das Zimmer zum Frühstücken, die Uhrzeit und der Ort des Mittagessens – eine Zweifelsfrage nur im Sommer, nämlich, ob die Essensterrasse das Esszimmer substituiere – wurden von meiner Großmutter bestimmt, auch wenn es meinen Großvater betraf, wie seine Kleidung. Meine Großmutter fand, dass mein Großvater nun Bayer sei und er daher dies in seiner Kleidung zum Ausdruck bringen sollte. Daher kaufte sie für ihn bei Lodenfrey Trachtenanzüge und Lodenmäntel ein, die ihn jedenfalls an Sonn- und Feiertagen und nicht nur dann auch bekleideten.

Mein Großvater hätte sicher als sein Auto einen Mercedes vorgezogen, doch er fügte sich dem Wunsch meiner Großmutter und fuhr einen Cadillac. Während mein Großvater den Geschäftspartnern aus der Möbelindustrie, die einen Cadillac zu fahren neben der Demonstration finanzieller Potenz für Ausdruck einer fortschrittlichen Gesinnung hielten, der die modernen amerikanischen Unternehmensmethoden auch sonst bewusst waren, und denen mein Großvater, da er sie insgeheim, was sie im Regelfall auch waren, für hochgekommene Primitivlinge ansah, wegen des Cadillacs keinerlei Rechenschaft zu schulden glaubte, meinte er gegenüber den Partnern aus dem Kunsthandel, auch wenn sie beim Zuordnen des Cadillacs zu meinem Großvater kein süffisantes Lächeln aufsetzten, doch seinem Ruf eine Erklärung zu schulden wie die:‚Ich weiß, dass es lächerlich erscheint, so einen Cadillac zu fahren und doch demonstriere ich damit zweierlei: Ich lasse in meiner Ehe auch Entscheidungen meine Frau treffen, was sicher sehr modern ist, und es ist mir egal, in welchem Wagen ich kutschiert werde. Ist es nicht viel abgeschmackter, wenn man durch die Wahl seines Autos meint, seine Persönlichkeit zum Ausdruck bringen zu müssen?‘

Zeigte aber nicht gerade so eine Erklärung, dass es ihm nicht gleichgültig war? Gegenüber Dr. Müller rechtfertigte er sich manchmal ironisch damit, dass er als Deutscher den Amerikanern, denen man immerhin die Weisungsunabhängigkeit der Bundesbank, das Kartellverbot und die Währungsreform von 1948, die ja ein alliiertes Oktroi gewesen sei, verdanke, durch die Wahl eines amerikanischen Straßenkreuzers, seine Reverenz erweise. Seiner Meinung nach sei ein Auto ein Gebrauchsgegenstand. Er erkenne durchaus den ästhetischen Reiz des Porsche, den sein Sohn sich mit seinem ersten Geld, das doch eigentlich das des Vaters war, gekauft habe – es war ein cremefarbenes Cabriolet 356, das erste Serienmodell von Porsche mit roten Ledersitzen, der durchgehenden Sitzbank für Fahrer und Beifahrer und einer Windschutzscheibe mit Knick. Ihm sei das durchgängige Design und die fein abgestimmten Details, wie das dünne Lenkrad, die runden Armaturenanzeigegeräte, die Fensterkurbeln, also das ganze Arsenal des progressiven Autodesigns der fünfziger Jahre bewusst. Obwohl er Stil und Geschmack schätze und Wert darauf lege, so fände er, dass sich dieser nicht in der Gebrauchsästhetik erweisen müsse. Stil und Geschmack zeige sich in einer Haltung, in Lebensart und sprachlichen Ausdrucksformen, in Bildung, nicht darin, dass, wie sein ältester Sohn, mein Vater, nach Gründung seiner Familie, den Porsche durch den BMW V8 zu ersetzen, der immerhin zwanzigtausend Mark gekostet hätte, und seiner Frau einen MG als Zweitwagen, einen sportlichen Zweisitzer, zur Verfügung zu stellen. Gleichzeitig hätten sie das von ihnen erworbene Haus mit ihrer ersten Maßnahme, dem modischen Einbau eines Blumenfensters nachhaltig verschandelt. Leider gebärde sich sein Sohn, obwohl er es eigentlich nicht notwendig hätte, wie ein Parvenü. Das sei aber möglicherweise Folge der Kriegs- und Nachkriegszeit, die den jungen Leuten doch allzu viel Entbehrungen abverlangt hätten. Nein, wenn der Autokauf nach ihm ginge –, aber das sei zu unbedeutend, daher überlasse er es seiner Frau – so hätte er sich für ein zweckmäßiges Auto entschieden, das schon Komfortansprüchen genügt, aber auch ein gewisses Understatement ausgestrahlt hätte, also nicht etwa einen Opel Kapitän, den Cadillac der kleinen Leute. Sein Auto wäre ein Mercedes gewesen.

Man kann sich fragen, ob zu einem Leben mit Stil und Geschmack, wie es mein Großvater prätendierte, auch der Bereich Kleidung und Autodesign, beziehungsweise Design generell, gehört. Die Einrichtung, die Möbel waren ihm offenbar wichtig. Nicht jedoch modernes Gebrauchsdesign oder Kleidung. Aber sind Möbel kein Gebrauchsdesign oder gar Architektur? Die Verfeinerung der Bedürfnisse als Ausbildung des Geschmacks, die Ästhetisierung, sind doch Ausdruck einer höheren Zivilisationsform, gesteigerter Unterscheidung zur Barbarei und zum Tierreich. Warum dann nicht Autodesign? Warum nur Kunst und die Verachtung für den Alltag? Liegt darin etwas typisch deutsches, wie die Unterscheidung zwischen U- und E- Musik? Bringt man durch demonstrative Gleichgültigkeit gegen sogenannte Äußerlichkeiten zum Ausdruck, dass man auf die inneren Werte – welche sind das? – setzt, auf das ‚eigentlich' Wichtige?

Wollte sich mein Großvater von den Dandys unterscheiden, die schick gekleidet in gestylter Umgebung und mit den neuesten Autos ausgestattet selbst Teil dieser doch dann sterilen Einheitswelt sind, die Geist, Bildung, Individualität und Intellektualität vermissen lassen?"

22

„Manches Mal schlossen meine Großeltern auch eigenartige Kompromisse. So war es für meine Großmutter wichtig, sonntags in die Kirche zu gehen. Mein Großvater durfte im Gegenzug jeden zweiten Sonntag die Kirche auswählen. Die anderen Sonntage wurde die Messe in Seeberg besucht. Beides hatte seinen Grund. Für meine Großmutter war neben dem Kirchgang als solchen ebenso wichtig, dass den anderen Kirchgängern Seebergs und insbesondere dem Pfarrer diese Tatsache auch bewusst war. Sie wollte nicht in den Verdacht geraten, unregelmäßige Kirchenbesucherin zu sein. Daher erzählte sie jedem nach der Kirche, in welcher Kirche sie letzten Sonntag waren, wie die Predigt war und dass es ausdrücklicher Wunsch des Großvaters sei, regelmäßig die Kirchen zu wechseln. Dem Pfarrer erschien dies zwar alles andere als der eigentlich von meinen Großeltern angesichts ihrer gesellschaftlichen Stellung zukommenden Vorbildfunktion angemessen. Er fügte sich aber, da meine Großeltern nicht nur gute Kirchensteuerzahler waren, was er vermutete, aber angesichts des Steuergeheimnisses nicht verifizieren konnte, sondern auch bei irgendwelchen Spendenaktionen für die Caritas, eine neue Orgel, neue Glocke oder eine Kirchenheizung immer die nach dem gegebenen Geldbetrag gereihte Liste – diese Methode sollte die Spendierfreude erhöhen, was auch gelang – regelmäßig anführten. Im Übrigen war ihm durchaus klar, dass er es nur meiner Großmutter zu verdanken hatte, dass der Vorbildfunktion immerhin teilweise nachgekommen wurde.

Mein Großvater meinte, wenn er schon das immergleiche hören und tun solle, so wäre das, vor allem angesichts der Güte der Predigten des Pfarrers von Seeberg, der, nicht anders als die Mehrzahl seiner Kollegen, vorwiegend Tautologien wie ‚Gott ist der Allmächtige' und nicht nachvollziehbare Erkenntnisse wie ‚Wenn wir dich schauen, sind wir erlöst' oder Schmähungen über diejenigen, die nicht in die Kirche gingen und daher die daraus resultierenden Konsequenzen sich gar nicht bewusst machen konnten, in einer Rhetorik vorbrachte, die völlig unvermittelt mal ganz leise und dann wieder laut brüllend die Sätze intonierte und unmotiviert einzelne Silben betonte, doch eher zu ertragen, wenn er als Ausgleich die Architektur, Skulptur oder Malerei des Raumes studieren könnte, in welchem sich das Ganze zutrug.

So kam es, dass ich mit der Zeit ziemlich alle sehenswerten Kirchen der Umgebung besuchte, sei es die auf der Grundlage einer gotischen Hallenkirche im Stile des Rokoko von Johann Baptist Zimmerman neu konzipierte Kirche des Kloster Andechs, die seinem und seines Bruders Dominikus Meisterwerk, der Wieskirche, kaum nachsteht, sei es die Kirche in Schäftlarn mit dem Stuck und den Fresken desselben Meisters oder die Barockkirche auf romanischen Fundamenten von Fischer in Dießen, bis zu den weniger bekannten St. Ulrich in Eresing, St. Rasso in Grafrath oder der Pollinger Stiftskirche St. Salvator. In Polling, übrigens wie du sicher weißt, dem Pfeiffering in Thomas Manns ‚Dr. Faustus', machte mich mein Großvater jedes Mal auf die Schrift am Portalbau der Stiftskirche aufmerksam: *Liberalitas Bavarica*. Bei der Heimfahrt erläuterte mein Großvater, der ansonsten auch beim Autofahren wenig sprach, was es mit die-

sem Spruch auf sich habe: Als Bayern, und wir wären nun einmal Bayern, müssten wir uns dessen immer bewusst sein, wir
lebten gut und ließen leben, wir seien tolerant, was nicht verhindere, dass wir unsere Grundsätze hätten und diese auch zum
Ausdruck brächten. Doch wir wüssten eben, dass Grundsätze
Grundsätze seien und, wie schon Hippokrates sagte, gelte ansonsten: *Ars longa, vita brevis.* Dieses kurze Leben müsse gelebt
werden, und darüber würden einige Grundsätze vernachlässigt.

Die am weitesten entfernte Kirche war St. Benedikt in Benediktbeuern. Gerechtfertigt wurde der Besuch damit, den Enkel,
also mich, zu bilden, was nicht auslangte, den wohl berechtig-
ten Protest meiner Großmutter zu verhindern, die meinte, das
könne doch auch unter der Woche geschehen, es sei dann doch
etwas übertrieben sonntags insgesamt mehr als eine Stunde
Autofahrt in Kauf zu nehmen, nur um Bildungsbedürfnissen
gerecht zu werden. Ich lernte, dass neben Monte Cassino und
St. Benoit sur Loire die Kirche in Benediktbeuern zum wich-
tigsten Kultort des abendländischen Mönchsvaters St. Benedikt geworden war und außerhalb Münchens als die früheste
bedeutende Barockkirche Oberbayerns gilt.

Mein Großvater genoss während der Messe den dekorativen
Stuck mit den Blumen, Früchten, Obst- und Gemüsemotiven
und den Plastiken mit den Symbolfiguren für Stärke (fortitu-
do) und Schönheit (decor), die Illusionsmalerei der Deckenbil-
der von Georg Asam, den Vater der berühmten Asambrüder
oder die Altarwand mit ihrer dreifachen Vertikal- und Hori-
zontalgliederung in der Art der Stirnfassade der Andreaskir-
che in Mantua von Alberti. Mir selbst fiel schon als Kind die
Uhr über dem Hochaltar auf. Mein Großvater erklärte mir die
spirituelle Bedeutung als Botschaft der Barockzeit: Trotz allen
Glanzes, aller Darstellungslust zeigt die Uhr die Vergänglichkeit des Lebens an. Daran habe ich mich bei der Salzburger Inszenierung der ‚La Traviata' mit Anna Netrebko und Villazon
erinnert, die auf die Bühne eine überdimensionale Uhr, offenbar mit derselben Intention stellte.

Wenn wir in Benediktbeuern waren, es war ganz selten der
Fall, ich war vielleicht dreimal dabei, besuchten wir immer die

lichtvolle, wohlproportionierte Anastasiakapelle von Johann Michael Fischer mit den leicht dahinfließenden, eleganten Stuckaturen der Innendekoration von J. M. Feichtmayr. Mein Großvater wies in der Kapelle auf die Seitenaltäre hin: ‚Man sollte als gebildeter Bayer den Namen Ignaz Günther kennen, der die hiesigen Seitenaltäre gestaltet und die dortigen Putti und Engelsgestalten geschnitzt hat. Denn Ignaz Günther ist der Vollender der altbayerischen Rokokoplastik, die wiederum der Höhepunkt bayerischer Plastik überhaupt ist.'

An einem Freitag, als mich mein Großvater für ein Wochenende nach Seeberg mitnahm, ließ er Kuglmüller in Starnberg vor dem Heimatmuseum, dem Würmgaumuseum halten und zeigte mir dort eine Plastik von Ignaz Günther: Eine weibliche Heilige von 1755 aus der Dorfkirche zu Haunsfeld bei Starnberg, eine der schönsten, anmutigsten gelöstesten Frauengestalten der Plastik im 18. Jahrhundert, wie er mir erklärte, überaus schlank, halb kniend, halb hingegossen, in der Hüfte sanft gebogen und gedreht, auf dem schlanken Hals das träumerisch geneigte Mädchenhaupt mit den gesenkten Lidern, die Ärmel mit flatternden, spitzenbesetzten Volants lang herabfallend, allerdings ohne Hände.

Ein' andermal besuchten wir in Starnberg die ehemalige Pfarrkirche St. Josef, in der zum Leidwesen meines Großvaters kaum mehr Gottesdienste gehalten wurden. Er wies darauf hin, dass dieselbe Künstlergruppe wie in der Benediktbeurer Anastasiakapelle dort gewirkt hatte mit dem Rocaille-Stuck von Franz Xaver Feichtmayr und dem Hochaltar von Ignaz Günther.

Er gab vor, mich bilden zu wollen, doch war ich gewiss nur der Vorwand, seinem eigenen Bedürfnis zu frönen, Werke seines Lieblingsbildhauers sich zu vergegenwärtigen.

Kirchen, wie diejenigen in Andechs, Polling, Benediktbeuern und Dießen wirkten in ihrer Gesamtkonstruktion. Wir besuchten aber auch gewöhnlichere Kirchen, die eine Besonderheit enthielten, auf die ich dann beim Besuch aufmerksam gemacht wurde, wie das romanische Kruzifix in der Basilika St. Michael zu Altenstadt bei Schongau, der spätbarocke Erzengel Gabriel von Philipp Dirr in der Pfarrkirche Etting bei Weilheim, der

Figurengruppe des heiligen Wandels auf einer Vortragestange in der Pfarrkirche St. Johannes Baptist in Inning oder einer Skulptur des Heiligen Johann Nepomuk auf dem rechten Seitenaltar und einer Büste des Heiligen Judas Thaddäus auf dem Altartisch, beides von Johann Baptist Straub, dem Lehrer von Ignaz Günter unter Mitwirkung seines Schülers in der Kirche 'Unserer lieben Frauen' in Gauting.

Die Uhrzeit der sonntäglichen Messen hatte Frau Gabler, die Sekretärin der Kunsthandlung, herauszufinden. Besondere Anerkennung konnte sie sich dadurch erwerben, dass sie meinen Großvater auf eine Besonderheit in einer Kirche in der Umgebung von Seeberg aufmerksam machte. Ihre Kenntnisse bezog sie durch regelmäßige Besuche der Staatsbibliothek, in welcher sie kunstgeschichtliche Bücher danach durchstöberte, ob sie Hinweise auf einzelne bedeutende Werke in oberbayerischen Kirchen enthielten. Fand sie etwas, so verifizierte sie es durch Telefonate mit dem örtlichen Pfarrer, der nur allzu gerne über die Schmuckstücke seiner Kirche berichtete und der ihr auch bereitwilligst, dankbar um jedes neue Schäflein, die Gottesdienstordnung verriet. Frau Gabler präsentierte ihre gesammelten Erkenntnisse meinem Großvater.

Frau Gabler war unverheiratet und das Lob und die Anerkennung, die derartige Hausaufgaben ihr durch meinen Großvater einbrachte, entschädigte sie für den Verzicht auf manche Sinnenfreuden, die gewöhnlicherweise eine Ehe durchaus mit sich bringen kann. Der Höhepunkt einer derartigen Anstrengung war, wenn mein Großvater nach Besuch einer sonntäglichen Messe in der ausfindig gemachten Kirche und eingehender Inspektion des angelobten Kunstwerkes, Frau Gabler, was aber allenfalls einmal jährlich vorkam, zum Essen einlud mit etwa der Bemerkung: ,Der Stuck in der Kirche von Perchting, der Ihren Recherchen zufolge ja von Herrn Zöpf stammt, der auch die mir wohlbekannte Kirche von Inning ausgestattet hat, hat mir solchen sinnlichen Genuss bereitet und den Blödsinn, den der dortige Pfarrer verzapft hat, bei Weitem aufgewogen, so dass ich Ihnen ein gemeinsames Mittagessen im Franziskaner schulde. Reservieren Sie für uns doch gelegentlich einen Tisch.'

Während manch einem Autor Namen von Dörfern wie Otterbach, Reuenthal oder Moosbrunn Glück verheißen oder gar bei Proust, die Ortsnamen mythologisch überhöht werden und seitenlange Fantasien auslösen, so waren für meinen Großvater bayerische Ortsnamen wie Unering, Ettering oder Polling Ausdruck ästhetischen Genusses und lebenskluger Intelligenz, die das Notwendige (den sonntäglichen Kirchgang, geschuldet einer erträglichen Ehesituation) mit dem Angenehmen verbindet. Aber ich verliere mich in Details."

23

„Ach was, ich kannte ja auch deinen Großvater, und ich wusste wohl, dass man deine Großeltern nur jeden zweiten Sonntag nach der Kirche begrüßen konnte. Dieses eigenartige Ritual war gelegentlich auch Thema bei uns zu Hause. Es wurde als Exzentrik abgetan. Die Hintergründe, die du schilderst, wusste natürlich keiner. So ist es aber oft. Man nimmt Dinge, Gewohnheiten und Eigenarten anderer Menschen wahr und beurteilt sie oberflächlich und regelmäßig völlig falsch. Es ist in diesen Fällen wohl besser, sich einer Meinung zu enthalten.

Aber fahre fort mit der Schilderung deiner Kindheit bei deinen Großeltern. Wir resümieren dein Leben, deine Großeltern spielten eine wichtige Rolle und stellen gleichzeitig, jeder für sich, Lebensmodelle dar."

„Lebensresümee heißt, hat man richtig gelebt oder gibt es das gar nicht, im angeblich falschen Leben. Lebensresümee bereitet auch auf den Tod vor. Die Vergegenwärtigung von nahestehenden oder nahegestandenen Personen demonstrieren auch Lebensalternativen. Wäre diese Art zu leben, vielleicht die bessere oder richtigere gewesen? Gab und gibt es die Freiheit tatsächlich, sich den Lebensduktus, die Lebensart zu wählen?

Fahren wir fort mit meinem Großvater und dem Tagesablauf bei ihm, wie ich ihn erlebt habe."

Ich warf ein: „Es war bei ihm anscheinend so, wie Montaigne verallgemeinernd, aber auch tröstlich sagt: ‚Und wenn ihr einen Tag gelebt habt, so habt ihr alles gesehen; ein Tag gleicht allen übrigen Tagen.'"

Paul erwiderte: „Montaignes Diktum stimmt wohl in diesem Fall, aber in der Allgemeinheit auch wieder nicht. Montaigne meint es doch bezogen auf die Frage des Todes als Trost für den Sterbenden, für den die Zeit endet."

Ich ergänzte, froh, auch einen Beitrag leisten zu können und im Bewusstsein, Tröstliches zu sagen angesichts des gewissen baldigen Todes meines Freundes. Aber ist nicht uns allen der Tod gewiss, und was heißt baldig, angesichts der realen Zeitdimensionen? Dennoch macht es einen Unterschied, ob man abstrakt weiß, man werde eines Tages sterben, oder konkret einen nicht operablen Hirntumor diagnostiziert bekommt mit der Gewissheit auf Monate begrenzter Lebenszeit. Ist es zynisch, dem betroffenen Freunde zu sagen, dass Leben nur endlich ist oder ist es die geforderte Auseinandersetzung mit dem Tod, die, wenn sie bestanden ist, diesen akzeptieren lässt? So formulierte ich, ganz nach meiner Überzeugung und doch nicht gewiss, nicht opportunistisch zu reden:

„Diejenigen, die meinen, es kommt noch was, sie müssten das Leben, das sie versäumt haben, nachholen, indem sie mit sechzig erneut Kinder zeugen, oder ihre betagten Ehefrauen oder gelegentlich auch Ehemänner gegen Jüngere eintauschen in der irrigen Annahme, sich selbst damit noch ein Stück der Jugend zu verschaffen, die längst vorbei ist, anstatt ihrem Alter gemäß, das Leben zu gestalten, laufen Phantomen nach. Sie können die verlorene Zeit nicht wiederfinden, nicht einmal in der Erinnerung. Jahre später erkennen sie, dass die geborgte Jugend doch keine richtige war und die Zeit, die der angenommenen Jugend geopfert wurde, erneut vertan wurde. Mit sechzig wird versucht, die Zeit von dreißig nachzuholen, ist dies misslungen, wie es nicht anders sein kann, und wird man sich dessen bewusst, dann wird versucht, mit achtzig die sechziger Jahre zu kopieren. Wie nach Marx sich die allgemeine Geschichte als Farce wiederholt, so die Individualgeschichte, die die Alterung des Individuums negiert, wenn es gut geht, als Groteske und leider nur allzu oft als Tragödie. Lächerlich wie

Vulkan auf dem Gemälde von Tintoretto in der Alten Pinakothek, der Venus und Mars überrascht."

Ich machte eine Pause und fuhr fort:

„Machen wir mit dem Mittagessen bei deinem Großvater
weiter. Wer nahm denn daran teil?"

Mein Freund verharrte. Er sagte nichts. Er sinnierte wohl
noch über meine Worte zum Tod.

Ich dachte an Saul Bellows Erkenntnis, dass es Sterbenden schwerfällt, uns zu vergeben, da wir noch da sein werden,
wenn sie schon fort sind. Ich hätte ihn einfach weiterreden
lassen und nicht unterbrechen sollen mit Allgemeinerkennt-
nissen. Dann antwortete er doch langsam: „Warum reden wir
nicht über den Tod?"

„Aber das tun wir doch in gewisser Weise, indem wir uns
die Vergangenheit vergegenwärtigen. Montaigne sagt zwar
sinngemäß, dass die vergangene Zeit, die wir erlebt haben, uns
genauso wenig angeht, wie die Zeit vor unserer Geburt. Aber
nicht nur, dass wir heute durch Proust belehrt sind, dass die
erinnerte Zeit eben nicht verloren ist. Die Meinung von Montaigne, die als Trost gemeint ist, als Aufforderung nach vorne
zu schauen, verkennt auch, dass sowohl die individuelle Vergangenheit wie die vor dem Individualleben bestehende unserer Vorfahren, unsere Gegenwart und uns selbst prägt. Die vergegenwärtigte Vergangenheit ist die Negation der Zeit wie der
Tod. Mit dem Tod endet die Zeit, die Lebenszeit. Die Dimensi-
on von Raum und Zeit wird verlassen. Die Vergangenheit war.
Sie sich vergegenwärtigen heißt, allerdings vermittelt über die
Erinnerung, sie dem Tod entreißen.

Aber wir machen noch mehr, wir fragen auch inhaltlich.
War unser Leben in der Konfrontation mit durch eigene Erinnerung vermittelten Lebensmustern von Personen unseres
Fleisches und Blutes, und damit uns auch prägend, richtig gelebt? Damit werten wir und stellen uns gegen den reinen Fluss
der Zeit, dem wir uns nur durch den Tod entziehen können,
unser eigenes Ich als zeitunabhängig. Denn die Wertung un-
terliegt nicht der Zeit. Oder vielleicht doch? Könnte es sein,
dass wir ein Lebensmuster, wie dasjenige deines Großvaters,

heute anders beurteilen, als wir es vor fünfzig Jahren beurteilt hätten?

Aber kommen wir erst einmal zum Urteil, indem wir sein Leben kennenlernen. Wer saß also am Mittagstisch deines Großvaters?"

„Lass mich aber doch vorher noch einen Gedanken über die Zeit formulieren. Auf deine Anregung hin las ich neulich Saul Bellows Spätwerk ‚Ravelstein‘, das wieder einmal die absurde Debatte ausgelöst hatte, was ist biographisch, was nicht, durfte Bellow seinen Freund Bloom als Homosexuellen, der noch dazu an Aids verstarb, outen – auch so ein anglizistisches Wort, aber mir fällt kein besseres ein, etwa enttarnen oder bloßstellen, das trifft doch den Sachverhalt nicht so gut. Ravelstein stellt sterbend fest, dass das Leben davoneilt und wünscht sich, dass die Zeit so langsam verrinnt wie in der Kindheit – jeder Tag ein ganzes Leben. Durch die Gewohnheit des Immergleichen erscheint die Zeit schneller vergänglich und doch ist das, was objektiv messbar ist, subjektiv so unterschiedlich in der Empfindung. Es kommt darauf an, wie intensiv wir etwas erleben. Erscheint doch eine gewisse Nuance in einem Musikstück, wie etwa die Art, in der die Callas das Es singt, die objektiv nur wenige Sekunden dauert, viel länger als etwa die Zeit bei einer Routinetätigkeit. Die Intensität des Erlebens bestimmt den Eindruck der Zeitdauer. Darauf kommt es letztlich an. Wird dies nicht dadurch verifiziert, dass solch intensives Erlebnis im Bewusstsein bleibt und damit die Vergänglichkeit der Zeit überdauert, jedenfalls relativiert?"

24

„Doch bleiben wir bei meinen Großeltern. Bei Tisch waren wochentags regelmäßig die gleichen Gäste im Haus. Das waren entweder Dr. Jakob Müller, der Jesuitenpater und Schulkamerad meines Großvaters und/oder Tatte, die Schwester meiner Großmutter oder auch Frau Majorin genannt, nach dem Dienstgrad ihres schon vor langen Jahren verstorbenen Ehegatten.

Am Sonntag gesellten sich zu dieser Runde die Kinder meiner Großeltern mit deren Familien. Dabei hatte zunächst nur unsere Familie Enkelkinder aufzubieten.

Meine Tante hatte einen schwarzhaarigen Rechtsanwalt geheiratet und war kinderlos. Ihre Ehe wurde geschieden. Die Scheidung wurde auf Betreiben meiner Großmutter mit hilfreicher Assistenz von Dr. Müller vom Vatikan sanktioniert. Es konnte glaubhaft nachgewiesen werden, dass ‚Mauli‘, wie der Schwiegersohn meiner Tante bei uns hieß, nie ernsthaft diese Ehe gewollt hatte. Mir war dies nie klar, denn ich fand angesichts der immer wiederholten Erzählung meiner Großmutter, dass er vor ihr mit ausgestreckter offener Hand seine Zustimmung zur Scheidung in die Worte kleidete:‚Wieviel zahlst du?‘, das Ganze einen aus seiner Sicht ziemlich plausiblen Heiratsgrund. Begründet wurde es jedoch ganz hegelisch, dass sich der mangelnde ernsthafte Wille, das geforderte katholische Heiratsversprechen nicht nur physisch zu vollziehen, daran manifestierte, dass schon auf der Hochzeitsreise die Geliebte im gleichen Hotel auf die körperliche Beglückung wartete, zu der meine Tante offenbar nur das Vorspiel abgab.

Für mich waren die kurzen, gemeinsamen Ehetage mit dauerhaften Erinnerungen verbunden an Ausflüge, zu denen ich mitgenommen wurde und an welchen Mauli seinem Hobby frönend, ferngesteuerte Modellflugzeuge und Schiffe in der Luft oder im Wasser kreisen zu lassen, den Interessen des kleinen Jungen entgegenkam. Mauli war dann plötzlich aus meinem Gesichtskreis verschwunden. An seine Stelle trat Franz-Josef, ein schwäbischer Gutsbesitzer, der meine Tante, wie sich bald nach der Heirat, die meine Großmutter sehr forcierte, denn das vatikanische Annulierungsverfahren der ersten Ehe bedurfte der Zeit und bis dahin war meine Tante eine geschiedene Frau, in den fünfziger Jahren durchaus noch ein Makel, nicht nur wegen ihrer attraktiven Erscheinung geheiratet hatte.

Er erhoffte sich neben der angemessenen Mitgift, die sich aber nicht so ohne Weiteres in Cash umsetzen ließ, meinen Großvater als Investor für seine unternehmerischen Pläne gewinnen zu können, um dem heruntergewirtschafteten und wenig ertragreichen Gut durch neue Ideen und Produkte wieder zu der Bedeutung zu verhelfen, die es angeblich vor Jahren hatte. Ein solches Begehren war vollkommen aussichtslos, wie ich Bemerkungen meines Großvaters an Dr. Müller am Frühstückstisch entnahm, die in etwa so lauteten: ‚Die arme Silvia' – meine Tante –, ‚erst heiratet sie einen überpotenten Heiratsschwindler, der wenigstens gut aussah, und dann sitzt sie, wenn auch allzu getrieben durch Muttilein', so nannte er seine Frau, ‚einem Gutsbesitzer mit Knollennase und vom Alkohol geröteten Backen auf, der seine ursprünglich bäuerliche Abstammung weder durch Aussehen noch durch Benehmen verleugnen kann und meint, das Gutsherrentum durch überlautes Brüllen nachweisen zu können. Er produziert ständig neue Geschäftsideen, die ich ihm finanzieren soll. Ich denke nicht daran. Mag sein, dass unsere Silvia in der Liebe eine Toni Buddenbrook ist und unser Geschäft, das, wenn auch kein Getreidehandel, sich auch einmal der Auflösung zuneigen mag, wenn wir also schon einer untergehenden Bürgerklasse zugehören, die aber anscheinend immer wieder entsteht, denn sie ist offensichtlich nicht schon Ende der neunziger Jahre des vorherigen Jahrhunderts verschwunden, so habe ich doch genug kaufmännische Erfahrung, das durchaus noch reichlich vorhandene Vermögen nicht in Geschäften von Schwiegersöhnen zu riskieren.'

Dr. Müller antwortete dann so: ‚Du hast völlig recht. Wenn du schon überflüssiges Geld hast, woran ich nicht zweifle, dann investiere es zum Beispiel lieber bei uns. Wir könnten einen Lehrstuhl nach dir benennen. Du könntest diesen für das Thema ausschreiben: Theologie und Kunst. Oder du stiftest einen Preis oder regelmäßig ein Doktorandenstipendium. Dann bist du Förderer der Wissenschaft, statt Förderer eines dilettantischen Schwiegersohnes, der es, wenn er erst dein Geld hat, vielleicht die längste Zeit gewesen ist.'

Mein Großvater tat weder das eine noch das andere und schonte die Liquidität des Geschäftes.

Aber es ist Zeit, wir haben schon länger als verabredet gesprochen, das heißt, ich habe weitgehend monologisiert. Sehen wir uns morgen – derselbe Ort, dieselbe Zeit?"

Ich verabschiedete Paul, da ich noch einige Anwaltsangelegenheiten zu erledigen hatte.

25

Es war für April ungewöhnlich warm. So benutzte ich das Fahrrad, um von der Brienner Straße in unsere Stadtwohnung im Glockenbach zu gelangen.

Ich dachte an den Lauf der Zeit: Wie sich doch die Unternehmer ändern, mein Vater hatte noch Unternehmern wie Herrn Konsul Dr. Poth juristisch geraten, während ich, glücklicherweise nur dank meines Spezialgebietes, dem Kartellrecht, zu lukrativen Preisen von Kollegen hinzugezogen, den neuen Unternehmern begegnete, den „Heuschrecken", die allzu jung zu viel Geld gekommen und es wie eine Droge vermehrten ohne Lebensweisheit, Bildung oder Respekt, sich einer schrecklichen Vulgärsprache bedienend und meine auch noch jüngeren, aber, dank des deutschen juristischen Systems, anspruchsvoller ausgebildeten und mit amerikanischen Master degrees versehenen Kollegen, herumdirigieren, die sich eingedenk der Stundensätze von über 500 Euro ihrer Kanzleikarriere verpflichtet, prostituieren.

Ich dachte an das Schicksal des Hauses in der Brienner Straße. Erbaut von einem Münchener bodenständigen und doch polyglott denkenden Architekten, einem Nachfahren der Asam und Fischer in der glücklichen, leuchtenden Prinzregentenzeit, sicher nicht avantgardistisch gedacht, sondern konservativ bewahrend, „edler Einfalt, stiller Größe" verpflichtet, gewiss nicht spießig. Hinter dem kleinen mit niedrigem Eisenzaun eingefassten Vorgarten steht das im Krieg nur unbedeutend beschädigte Haus. Die einzelnen Stockwerke sind unterschiedlich ausgestaltet. Zur Seite der Eingangstür, über die ein von Säulen gestützter Steinbalkon das Vordach bildet, sind je drei fast zum Boden reichende, reichlich mit Holzstreben durchteilte Fenster, zwischen ihnen quaderförmige Steine wie im Erdgeschoss des Palazzo Rucellai in Florenz. Das erste Geschoss zeigt sieben gleich große, aber noch feiner unterteilte Fenster, unter denen jeweils eine Steinbalustrade die Fassade des Balkons fortsetzt. Die Fenster sind umrahmt von je zwei dorischen Säulen, die durch einen Rundbogen verbunden sind. Innerhalb der Rundbogen sind Steinreliefs und teilweise Medaillons mit antikisierenden Köpfen dargestellt. Das zweite Stockwerk ist schlichter und das dritte hat nur noch die halbe Fensterhöhe. Im Inneren führt eine geschwungene, breite Holztreppe, wahlweise ein im Inneren mit Spiegeln verkleideter Lift, der mit einer Falttüre zu verschließen ist, in die von hohen Doppeltüren abgetrennten Wohnetagen.

Der Urgroßvater von Paul betrieb in dem Haus seinen Kunsthandel neben den Filialen in Zürich und New York. Nach dem Tod des Urgroßvaters wohnte Pauls Urgroßmutter lange in dem Haus, der Großvater war nach Seeberg gezogen. Der Kunsthandel verblieb in der Brienner Straße. Der Großvater hatte ihn auf Antiquitäten ausgedehnt und gleichzeitig die Möbelfabrik gegründet. Pauls Vater veräußerte das Haus in den siebziger Jahren und ich mietete in den achtziger Jahren mit meiner Kanzlei ein Stockwerk. Schließlich kooperierte ich mit einer großen Kanzlei, die das ganze Haus übernahm, mir aber meine angestammten Räume weitgehend beließ. So wurde aus einem Haus, in welchem ein Bürger lebte und mit Kunst handelte, ein Haus, in welchem eine Großkanzlei anonymen Entitäten deren Aktivität zur Kapitalvermehrung juristisch absicherte.

Ich dachte aber auch an Pauls Großvater, einem Grandseigneur, einem Herrn, der einen Stil, eine Lebensform verkörperte, die formal der Emotion geschuldete Verpflichtungen einhielt und doch anders den Emotionen nachgab, man könnte auch sagen der Doppelmoral huldigend.

Er heiratete Pauls Großmutter, die er im Fasching leichtfertig schwängerte, auf Druck von deren Vater, der seine nicht mehr ganz junge Tochter nicht der Schande ausgesetzt sehen wollte, aber wohl auch die späte Gelegenheit nutzte, der auch damals schon nicht unüblichen Abtreibungspraxis, angeblich aus moralischen Gründen, widersagend. Konsul Poth hielt derweil den Kontakt zu seiner alten Liebe aufrecht, die ihn nicht gegen den Widerstand ihrer Eltern gewagt hatte zu heiraten, deren Gefühl aber dann doch so stark war, dass sie sich von ihrer Liebe, obwohl schon verheiratet und anderweitig Vater, noch den ersehnten Sohn, wenn auch nur unter der damals noch wahrlichen Hypothek der Alleinerziehenden, sich zeugen ließ.

Herr Konsul Poth, von manchen, vielleicht auch deswegen, als bayerisch barocker Unternehmer bezeichnet, lebte seine Ehe und zeugte in ihr drei Kinder. Er lebte aber auch seine Liebe und sorgte für den dort parallel entstandenen Sohn zumindest materiell ausreichend, wenn auch nicht üppig. Erst nach dem späten Tod der Frau, der Mutter und Großmutter, wurde all das familienintern offenbart, und der Halbbruder wurde samt Familie in die Großfamilie aufgenommen.

Als Unternehmer hatte Konsul Poth vorausgesehen, dass der Antiquitätenhandel in alter Form zwar interessante Beschäftigungsmöglichkeiten bot, aber, um den gewohnten Lebensstil auf Dauer zu finanzieren, kommerzieller Ergänzung bedurfte. Da im Nachkriegsdeutschland auch Antiquitäten weniger als Gebrauchsmöbel nachgefragt wurden, beteiligte er sich an einer alt eingeführten Möbelfabrik, die er bald gänzlich übernahm. Damit konnte er am Aufschwung in den fünfziger und sechziger Jahren materiell teilnehmen, ohne dem angestammten Geschäft, das immer mehr zum Hobby wurde, noch dem gewohnten Lebensstandard zu entsagen. Er produzierte reine Gebrauchsmöbel, weit entfernt von den Kunstfabrikanten des 19. Jahrhunderts, die erst nach Befriedigung der Grundbedürfnisse wieder Aufschwung nahmen und die er verachtete. Denn Kunst und Massenproduktion schlossen sich nach seiner Vorstellung aus. Da er im Westen, in der amerikanischen Zone, die Nachkriegszeit, sofort arrangiert mit den neuen Besatzern, erlebte, gehörte er zu der Klasse, die Kaiserreich, Nationalsozialismus, zwei Weltkriege und die jeweils folgenden

Erschütterungen materiell ohne große Verluste, sieht man einmal von den enteigneten Auslandsfilialen des Kunsthandels in Brüssel und New York ab, überstanden hatten. Als Soldat für den Ersten Weltkrieg noch zu jung und im zweiten, aufgrund glücklicher Fügungen gesundheitsbedingt verschont, war die Familie von der oft umgebenden Not kaum belastet und konnte selbst nach Ende des Krieges vermeiden, dass die Amerikaner, die sich eben schnell mit der Oberschicht, die nicht allzu naziverdächtig war, verbündeten, eine andere Villa am See als Hauptquartier bezogen, deren glücklicherweise mit den Poths befreundete Bewohner dann in den reichlich vorhandenen Zimmern der Villa Seeberg aufgenommen werden mussten. Es waren aber eben Freunde und keine Flüchtlinge oder ausgebombte Städter.

Die Konsequenz, die Herr Konsul Pohl aus dem glimpflichen Überstehen solcher wahrhaft revolutionären Zeitläufen zog, war, sich politisch nicht zu engagieren, da man doch zu leicht auf das falsche Pferd setzte. Er war ein Konservativer wie Dubslav Stechlin, aber er hätte sich nie als Abgeordneter aufstellen lassen. Er war nicht den Verlockungen des Nationalsozialismus erlegen, was vielen auch gebildeten Deutschen nicht gelang. Bildung und Wissen schützt offenbar nicht vor Barbarei. Er wählte Adenauer, dessen schlauen rheinischen Katholizismus er bewunderte, obwohl er voller bayerischer Mentalität war, die in der auch vorhandenen dumpfen und trüben Bierseligkeit die seinerzeitige „Bewegung" durchaus animiert hatte.

26

Konsul Poth war kein Asket, er liebte sinnlichen Genuss, den er allerdings stilvoll konsumierte, sei es dank seiner erstklassigen Köchin oder entsprechender Lokale oder sei es, nachdem die große Liebe doch der Gewohnheit Tribut zollte und der eheliche Genuss eher Pflichtcharakter hatte, bei ausgewählten und entsprechend teuren Huren. Er hätte sicher die französischen Kokotten des 19. Jahrhunderts vorgezogen. Die Traviatas gab es aber weder in der Weimarer noch in der Nazi-Zeit, noch im Nachkriegsdeutschland. Deutschland hatte wohl nie Tradition darin, das Wilhelminische war zu spießig und die Münchener Ansätze, die, darf man Wedekinds Dramen trauen, doch vorhanden, aber wohl örtlich zu und zeitlich auf die Prinzregentenzeit beschränkt waren, konnten so nicht die Pariser Tradition und Finesse entwickeln. Daher begnügte und vergnügte sich Dr. Poth mit den blonden Huren in deren Appartements. Ihre meist roten 190er Mercedes mussten sie allein fahren. Ein gesellschaftliches Leben mit bezahlten Liebesdienerinnen wie seinerzeit in Paris fand zum oft bedauerten Leidwesen von Pauls Großvater nicht statt. Auf eine Odette de Crecy musste er verzichten.

Eine unbekannte feste Geliebte hielt er sich nicht. Dies war ihm zu anstrengend und, wie er meinem Vater gelegentlich anvertraut hat, mit zu großen finanziellen Risiken belastet. Die Geliebte wollte dauernd ausgehalten werden, während für die Hure einmalige Aufwendungen genügten. Die Geliebte stellte mit der Zeit immer höhere Ansprüche in Bezug auf Zeit, Aufmerksamkeit und Liebesbezeugungen, was den Interessen der Hure naturgemäß entgegenstand. Die Geliebte war immer dieselbe, ein Wechsel teuer und emotional aufwendig, die Huren befriedigten eher das Bedürfnis nach frischem Fleisch. Schließlich war nicht auszuschließen, dass die Geliebte das bislang versagte Mutterglück doch noch herbeiführte, mit allen wohlbekannten Folgen. In jüngeren Jahren, so hörte ich, hatte er manche verheiratete Dame verführt. Das brachte aber doch zu oft Ärger mit den Gatten oder unverhältnismäßigen Aufwand für die Geheimhaltung ein, so dass er derartige Aktivitäten auf das Unvermeidlichste reduzierte – im Laufe der Zeit und der Anzahl der Erfahrungen verminderte sich auch die Aussicht auf exzellente neue Genüsse immer mehr und damit das vermeintlich Unvermeidliche. Daher war Dr. Poth ein lebhafter Verteidiger der Vorzüge der Prostitution geworden.

Vielleicht war auch deshalb Montaigne sein Lieblingsphilosoph, der gar die Philosophie empfehlen ließ, für das Lieben ein Lustobjekt zu wählen, das nur die körperlichen Bedürfnisse befriedige und die Seele unbehelligt lasse. Für die Seele hatte Dr. Poth sogar noch eine wahre Liebe, die aber mit der Zeit abkühlte und ihm so Montaignes Diktum immer einleuchtender erscheinen ließ.

Poth war insofern ein geläuterter Don Giovanni, diesem in einem Individuum inkarnierte Kraft des sinnlichen Begehrens. Er war ein verbürgerlichter, der nicht in jedem Weibe das ganze weibliche Geschlecht als solches begehrte, aber vielleicht doch auch, wie Kierkegaard sagt, ein wenig die Synthese von Cherubino im ‚Figaro' als nur träumendes, unbestimmtes Begehren und Papageno in der ‚Zauberflöte' als entdeckendes Begehren. Poth war ein reflektierender Frauenheld, auch insofern anders als Don Giovanni, der Archetyp des Frauenhelden, der erlebt, nicht reflektiert. So endete er auch nicht im Untergang und machte die meisten Frauen nicht unglücklich, im Gegenteil, er gewährte seiner Gattin den erwünschten Status und Lebensstandard, verschaffte seiner Dauergeliebten den Sohn, Gelegenheitsliebschaften Sinnenfreuden und den Huren den versprochenen Mammon.

Durch die Form der Prostitution konnte er doch weitgehend sonstige Verwerfungen in seinem bürgerlichen Leben vermeiden, trotz des seiner eigentlichen Liebe geschuldeten unehelichen Sohnes, dem einerseits gerecht zu werden andererseits zu kaschieren ihm einige Mühe kostete. Die Befriedigung des Sinnengenusses und wohl nicht nur diesen über Prostituierte folgte zeitlich später den Verwicklungen aus Liebe und Faschingsflirt, war vielleicht Schlussfolgerung hieraus.

Er war in dieser Hinsicht ganz transparent. Für ihn war das so selbstverständlich, wie bei den Griechen die Knabenliebe. Seine Frau wusste davon und die einzige Maßnahme dagegen war, dass sie, wie sie ihrerseits ohne Scham unter Lachen erzählte, Herrn Konsul Poth auf dessen Reisen – denn er besuchte die Damen nur auf Geschäftsreisen, nicht im heimatlichen München – stets löchrige Unterhosen mitgab: „Sie sollen ein bisschen über ihn lachen und sich lustig machen." Die kleine Rache der betrogenen Gattin, der das anderweitige Ausleben des Geschlechtstriebes ihres Gatten durchaus entgegenkam, da sie dann verschont blieb. Sie war zwar keine der wohltätigen Damen, denen es nach Karl Kraus nicht mehr gegeben ist, wohl zu tun, sie war aber eine derjenigen, für die die geschlechtlichen Aktivitäten eher Notwendigkeit und Pflicht in der Ehe und davor Zweck war, zu einer solchen zu gelangen. Sie hatte schnell getrennte Schlafzimmer durchgesetzt und nach dem dritten Kind alle Aktivitäten in und außerhalb des Ehebettes, die ihren Mann zu schweißtreibenden Anstrengungen animieren oder bei derartigen Betätigungen unterstützen könnten, auf das Unvermeidlichste reduziert. Auch solches erzählte sie ganz freimütig im Kreis von, allerdings nicht sehr vielen, Freundinnen oder Verwandten. Diese wiederum informierten die anderen Damen über die Wünsche ihrer Männer, so dass die sexuellen Gewohnheiten allgemein bekannt waren. Es sprachen immer nur die Frauen mit den Frauen und die Männer mit den Männern darüber. Lediglich den eigenen Männern wurde dann berichtet wie: „Stell dir vor, der Franz-Josef erscheint seiner Frau abends immer in Damenwäsche" oder „die arme Trude muss immer ihren Hintern einseifen" oder „der Hans bringt nichts mehr zustande, aber die Ilse will befriedigt werden. Damit sie keinen Liebhaber nimmt, macht er es mit der Zunge."

Die Männer ihrerseits erzählten nie etwas über die Vorlieben ihrer Frauen, die sie ohnehin nicht interessierten oder, da für eine gute Ehefrau ungehörig, ignorierten. Sie berichteten sich die Geschichten über die anderen Männer, die sie von den Frauen wussten und untereinander die Erfahrungen mit den verschiedenen Huren, wer die besten „Bläserinnen" waren oder ähnliche Unanständigkeiten.

Ihre Abenteuer taten sie ganz ungeniert bei größeren Festivitäten, wie Hochzeiten kund, allerdings nur, wenn keine Frauen mit am Tisch saßen, also nach dem eigentlichen Festessen, sobald die Männer im trauten Kreis zusammenstanden und der Alkohol die Zunge schon gelockert hatte. Es störte sie auch nicht die Anwesenheit von Jüngeren, wie mir oder Paul, sofern es nicht die eigenen Söhne oder Enkel waren. Telefonnummern wurden ausgetauscht und Erfahrungen, wohl auch Übertreibungen über Dauer des Vergnügens und Anzahl von

Höhepunkten sowie die variablen Praktiken, die die jeweils Auserwählten bei ermüdenden älteren Herren angeblich zur Anwendung brachten, um ihnen das Gefühl zu geben, sie könnten, wie in den besten Zeiten, selbst so überstrapazierte Damen noch zu atemlosen Befriedigungen verhelfen.

Konsul Poth hatte noch eine andere Leidenschaft, die mit seinem Studium und Beruf im weiteren Sinne zusammenhing. Er sammelte Zeichnungen von Parmigianino. Da er das schon seit seiner frühen Berufstätigkeit tat, hatte seine Sammlung eine ansehnliche Größe und entsprechenden materiellen Wert. Die Bilder waren alle gerahmt und er bewahrte sie in einem abgedunkelten Raum in seiner Villa auf. Die Sammlung hatte in eingeweihten Kreisen einen guten Ruf und ausgewählten Besuchern, wie Kunstprofessoren oder Doktoranden gestattete er problemlos die Besichtigung. Bedingung war lediglich, dass sie ihm einen Band ihrer veröffentlichten Studien überließen. Solche Besuche waren für seine Gattin ein Graus, die die Kunstgelehrten für unfein und potentielle Diebe hielt.

Dr. Poth hatte dadurch Kontakt in viele Länder der Welt und mit der Zeit eine ansehnliche Bibliothek mit Fachartikeln über Parmigianino oder den italienischen Manierismus in vielen Sprachen aufgebaut. Im Familienkreis galt diese Sammelleidenschaft eher als Spinnerei, seine Gattin verachtete sie gänzlich. Einzig der materielle Wert, der ohne Zweifel bedeutend war, regte das Interesse der Familienmitglieder an. Lediglich Paul war damit beschäftigt, als er sich zu Beginn seiner Studienzeit einiges Geld mit der Katalogisierung der Sammlung verdient hatte. Nach dem Tod von Dr. Poth sollte diese Sammlung zu einem erbittert ausgetragenen Streit zwischen seiner Frau und seinem ältesten Sohn als Testamentsvollstrecker führen.

27

Über diese Gedanken und Erinnerungen war ich nach Hause gelangt. Ich bewohne mit meiner Frau eine Eigentumswohnung im Glockenbachviertel in München. Diese hatten wir uns gekauft, nachdem unser letztes Kind zum Studium aus dem ererbten Haus in Seeberg ausgezogen war. Ich berichtete meiner Frau, die sich gerade eine weitere Serie der „Sopranos" per DVD angesehen hatte –, die „Sopranos" sind eine der mit guten Schauspielern besetzten, intelligent konzipierten und bestens gedrehten Serien, die zunehmend das dämliche Alltagsfernsehen und Filmproduktionen ablösen, die inhaltlos das schon zu oft Erzählte in der immergleichen Weise rezipieren – kurz über mein Treffen mit Paul und meine Gedanken über das Leben von dessen Großeltern.

„Ein Leben, das aus verschiedenen völlig nebeneinander bestehenden, in sich abgeschotteten und mit divergierenden Wertvorstellungen ausgestatteten Ausschnitten besteht, nur zusammengehalten von der einzelnen Person. Das intellektuelle Leben aufgeteilt in häusliche Banalitäten, geschäftliche Routine, gelegentliche Lehrübungen an Geschäftspartner oder Nachkommen, anspruchsvolle Gespräche mit dem intellektuellen Freund, gebildeter Gedankenaustausch im Kreise ehemaliger Studenten, und regelmäßiger Lektüre von Philosophen der Lebenspraxis wie Seneca und Montaigne, Kunstkritiken und Kunstbüchern und wenigen Schriftstellern wie Fontane, das emotionale Leben verteilt an die Ehefrau, die große Liebe, die zur Geliebten wurde und an Huren. Das Ganze umrahmt durch ein beträchtliches Vermögen und unternehmerisches Einkommen, das einen herrschaftlichen Lebensstil gewährleistete."

„Aber war der Mann auch glücklich?", warf meine Frau ein.

„Das weiß ich nicht, jedenfalls machte er einen in sich zufriedenen Eindruck und war als Gesprächspartner dank seiner Bildung interessant und, wenn er wollte, auch sehr charmant."

„Und seine Frau und seine Kinder? Waren sie nicht die Opfer dieser ganzen Doppelbödigkeit?"

„Gewiss die Frau. Frau Bettina Poth, die eigentlich Britta hieß, der aber dieser Name nicht gefiel und die sich einfach umbenannte, wenn auch ihr Pass immer noch den verhassten Vornamen enthielt. Ich werde morgen Paul über sie befragen und dir berichten."

„Die geschilderten Verhältnisse haben durchaus Ähnlichkeit zu denjenigen der Sopranos, sind also immer noch aktuell. Auch Toni Soprano lebt mit seiner New Jersey Mafia-Clique in einer eigenen Welt, aus der er seine Familie möglichst heraushalten will. Dieses Lebensmuster ist verbreiteter, als man denkt. Es entspricht der Tatsache, dass die menschliche Persönlichkeit aus unterschiedlichen Entitäten besteht, also in sich widersprüchlich ist. Es gibt nicht den Guten oder den schlechthin Bösen. Eine solche Lebensaufspaltung gewährleistet manchmal das Zusammenleben besser als die Sucht, alles gemeinsam zu erleben, die dann doch oft in die Zerrüttung führt."

Meine Frau ist Psychologin. Sie hat den Beruf zwar kaum ausgeübt, da die vier Kinder sie voll beanspruchten, aber als der letzte die oberen Gymnasiumsstufen erklommen hatte, begonnen, wieder Kindertherapiestunden abzuhalten.

III

28

Am nächsten Tag um 17.00 Uhr saßen Paul und ich wieder beisammen.

„Ich habe Sarah" – so heißt meine Frau – „ein wenig von unserem gestrigen Gespräch erzählt. Du hast doch nichts dagegen?"

„Ganz und gar nicht, wir können somit ihren psychologischen Input nutzen. Was meinte sie denn?"

„Sie verglich die Art deines Großvaters, in verschiedenen Lebenswelten zu leben, mit derjenigen Toni Sopranos – kennst du diese Serie, die geradezu süchtig macht? Wir haben uns alle DVDs gekauft. Es ist wirklich erstaunlich, auf welch hohem intellektuellem gestalterischen Niveau diese amerikanische Serie, die auch noch großen Erfolg hatte, ist. Wir unterschätzen allzu oft die Amerikaner und geben eine intellektuelle Arroganz vor, die sich eigentlich nur aus Erinnerungen und Vergangenem speist. Die letzten bedeutenden deutschsprachigen Dichter, Thomas Mann, Theodor Fontane und Robert Musil lebten wie die letzten Komponisten, Berg und Schönberg, vor bald 100 Jahren oder davor, die bedeutenden deutschen Entdeckungen im Bereich der Medizin, Physik, Chemie, Biologie waren Mitte bis Ende des 19. Jahrhunderts. Wusstest du, dass in den Jahren 1835 bis 1870 der Anteil der Deutschen an wesentlichen Entdeckungen im Bereich der Physiologie ungefähr das Vierfache der restlichen Welt war, dass von 1850 bis 1870 die Deutschen mehr physikalische und optische Entdeckungen machten als Engländer und Franzosen und genauso viele medizinische Entdeckungen wie diese damaligen Weltmächte zusammen?"

„Das wusste ich nicht, woher weißt du denn das alles? Immerhin sehe ich daran, dass du ein positives Beispiel einer Erbengeneration bist, noch dazu reich geheiratet hast und dank juristischer Spezialisierung deine Arbeitskraft überteuer verkaufen kannst, indem du deine Zeit mit geistiger Fortbildung verbringst und nicht mit Reisen, Bauen, Sport oder gar Geldvernichtung in Form von Beteiligungen an Private Equity Firmen."

„Danke. Damals ging die Elite nach Deutschland zum Studieren, heute gehen sie in die Universitäten von Harvard, Stanford oder Yale. Dasselbe lässt sich von der Bildenden Kunst und der Architektur sagen. Der letzte bedeutende deutsche Maler war doch Beckmann."

„Was ist mit Beuys?"

„Ausnahmen bestätigen die Regel. Der letzte relevante Architekt war Mies van der Rohe. Die Nationalsozialisten haben, indem sie die Juden ausrotteten oder vertrieben, Deutschland, die deutsche Kultur als Elite und Inspirationsquelle, dauerhaft zerstört. Bei uns herrscht die Kultur der christ- und sozialdemokratischen Banalität, der Gleichmacherei und des Neides."

„Du sprichst ja wie mein Großvater. Haben dich meine Schilderungen so inspiriert? Was meinte denn Sarah sonst noch?"

„Sie sprach davon, wie es denn deiner Großmutter ergangen war und ob nicht die Kinder Opfer dieser Lebensdichotomien gewesen sind."

29

„Gut, sprechen wir über meine Großmutter.

Beim Aufenthalt bei meinen Großeltern war mir der Tageslauf völlig freigestellt. So zog ich, statt mit meinem Großvater zu frühstücken, öfters vor, liegen zu bleiben. Der Schlafbereich meiner Großeltern war von meiner Großmutter Anfang der fünfziger Jahre innen neugestaltet worden. Die Ursache dafür, dass mein Großvater von dem Grundsatz abwich, die Innengestaltung selbst vorzunehmen, weiß ich nicht. Der Kompromiss war aber wohl so, dass mein Großvater einen jüngeren, ambitionierten, aber auch von Großmutter akzeptierten Architekten auswählte, der die Vorstellungen meiner Großmutter so stilsicher wie möglich umsetzen durfte. Ausgenommen war das Schlafzimmer des Großvaters, das er beließ. Es ist oft so, dass im Laufe der Ehe bei solch unterschiedlichen Geschmacks- und Lebenseinstellungen auch hinsichtlich eigentlich klar definierter Bereiche Kompromisse gemacht werden. Für mich war nur das Ergebnis dieses Kompromisses sichtbar, nicht deren Entstehungsgeschichte.

Meine Großeltern hatten zwei getrennte Schlafzimmer, die allerdings eine versteckte Tür, seitens meiner Großmutter als Teil eines verspiegelten Schrankes, separat verband. Sie hatten ein gemeinsames großes Bad, ganz mit bronzenem Marmor ausgekleidet mit goldenen Wasserhähnen, das einen Durchmesser von zwei Metern hatte und dessen üppiger Wasserzulauf unter der ebenfalls marmornen Statue einer nackten Meerjungfrau hervorquoll. Dazu hatte sich meine Großmutter ein vielleicht sechzig Quadratmeter großes Ankleidezimmer einrichten lassen. Dieses Ankleidezimmer, dessen Fenster den Blick auf den Starnberger See und das gegenüberliegende Ufer freigaben, hatte im Stile der fünfziger Jahre eine geschwungene, in weißer Kalkfarbe gestrichene und in sich durch kleine Einbuchtungen und Kerben konturierte, zwei Wände des Raumes einnehmende, allerdings nur circa achtzig Zentimeter hohe und damit eine breite Ablagefläche für allerlei Körperpflegemittel, Handspiegel, verschiedenste Haarbürsten, Parfüms bietende hölzerne Anrichte. Die dritte Seite des Raumes war mit einer hohen eingebauten Holzschrankwand bedeckt und auf der verbliebenen Seite war ein fest installierter riesiger Spiegel und ein Bett, das bis zu meinem neunten oder zehnten Lebensjahr bei meinen Aufenthalten in Seeberg für mich bezogen worden war. Die Wände waren mit beiger Seide bespannt und der Boden mit weißem flauschigem festen Teppich belegt. Das hinter der gestalteten Deckenabhängung versteckte, indirekte Licht gab dem ganzen Raum einen fast unwirklich, aber sehr hellen und freundlichen, ungeheuer behaglichen Charakter. Im Raum lag ein ständiger Duft, eine Mischung der vielen Parfüms und Hautpflegemitteln, ein Duft, der sich – wie am Frühlingsmorgen die einzelnen, völlig unkoordiniert singenden Vögel doch ein Konzert abgeben und damit eine Stimmung verbreiten – aus vielen einzelnen, nicht zusammenpassenden Gerüchen zu einer charakterisierenden Harmonie zusammenfand.

Ich schlief in diesem Ankleidezimmer, das sowohl zu dem Schlafzimmer meines Großvaters wie zu dem der Großmutter den Durchgang bildete und, um die Intimität zu wahren, mit einem großen velourigen, wiederum hellbeigen Vorhang parallel zu der Schrankwand und so einen Gang ermöglichend, abtrennbar war.

Sonntags badete ich zusammen mit dem Großvater und gelegentlich auch gemeinsam mit der Großmutter im Marmorbad. Ich erinnere mich noch gut an die Badetabletten, die sich im Wasser so langsam auflösten, wie sie es meist grünlich einfärbten und mal Kiefern-, mal Fichtennadelgerüche verbreiteten.

Blieb ich, statt mit meinem Großvater zu frühstücken, unter der behaglichen mit feinem Damast bezogenen Daunendecke liegen, schaute meine Großmutter, sobald mein Großvater den Schlafbereich verlassen hatte, nach mir und zog den Vorhang beiseite. Sie setzte sich auf mein Bett und strich mir über die Wangen. Sie war nur mit einem Schlüpfer bekleidet. Der Hautkontakt mit ihr war mir angenehm, hatte aber nichts Anzügliches. Ich sah ihr auch gerne zu, wie sie sich im Ankleidezimmer mit diversen Hautcremes ausgiebig einrieb oder wie sie sorgfältig die Nylonstrümpfe überzog und sie mühsam an ihren Strapshaltern befestigte. Es war eine natürliche Nacktheit wie auch beim gemeinsamen Baden, völlig unprüde und dadurch auch nicht verklemmt oder geil. Aber das Kind hat noch kein direktes sexuelles Begehren. Dennoch war der Hautkontakt sinnlich und gemeinsam mit den Düften und der Umgebung konnte man sich wie im Feenreich fühlen.

Aus dem Zimmer der Großmutter drangen nun die bisher ferne klingenden Mozartarien deutlicher heran. Es gab damals wohl nur einige wenige Platten, die komplett mit Mozartarien, andere mochte meine Großmutter nicht, bespielt waren. Daher war die Reihenfolge der Arien, da die immer gleichen Platten abgespielt wurden, immer die gleiche.

Ich dachte, die jeweilige Einspielung wäre das Original, wie man bei Schlagern der Beatles die Beatles als Original ansieht und etwaige Adaptionen sofort als solche erkennt.

Als ich die zweite Arie der Gräfin (‚Dovo sono') aus Figaros Hochzeit, in der sie sich wehmütig erinnernd ihr tristes Schicksal beklagt – ein lieblichstes Intermezzo in C-Dur, wo man c-Moll oder g-Moll erwartet hätte – von jemand anderen als Elisabeth Schwarzkopf in der Aufnahme mit Herbert von Karajan aus dem Jahre 1950 mit den Wiener Philharmonikern hörte, dachte ich zunächst, die Interpretin sänge falsch. Umgekehrt kam beim Agnus Dei der Mozartschen Krönungsmesse, in dem diese Arie intoniert wird, sofort wieder die Erinnerung an meine Großmutter und ihr Ankleidezimmer.

Ich hörte das Hoch auf die Treue in Maria Callas Koloraturen der Martern Arie, Nicolai Gedda als Don Ottavio, dem aufgeklärten Edelmann des 18. Jahrhunderts, der zum Verlierer wird, weil seine Haltung geschichtlich zu spät kommt, ‚Della sua pace' intonieren und Don Alfonsos, der Sohn der Vernunft, des Rationalismus und der Aufklärung, Bosheit, aber auch seine Gelassenheit des um die Dinge, die nun einmal so sind, wie sie sind, Wissenden aus ‚Cosi fan tutte'. Ich hörte die Musik, ohne sie zu verstehen.

Die Kriterien der Reihenfolge der einzelnen Arien auf den Platten meiner Großmutter war nicht ersichtlich. Ich war jedoch verwundert, als ich das erste Mal ‚Die Zauberflöte' in Wien hörte, dass nach der Arie der Königin der Nacht, dieser Vertreterin des archaischen Matriarchates im Kampf gegen die Welt der Männer, nicht, wie auf Großmutters Platte Susannas Gartenarie (‚Deh vieni non tardar') aus dem ‚Figaro' folgte. Auf der Platte meiner Großmutter sang Erika Köth, die meine Großmutter dann bei der Wiedereröffnung des Cuvilliés-Theaters im Original gehört hatte, diese Arie vielleicht ein wenig zu getragen und süßlich, die doch wie ein Naturlaut aus der schlummernden Landschaft mit ihrer herrlichen Melodik subjektive Empfindungen und in ihrer oft nur angedeuteten Harmonik das atmosphärisch Einmalige der Situation einzigartig wiedergeben soll. Ein Vorgriff auf ‚Cosi fan tutte': Sind die Gefühle echt oder doch nur Täuschung? Gelten die Worte und Töne einer kühlen Prüfung des Verlobten oder künftiger Erfüllung?

Übrigens war ‚Cosi fan tutte' die von meinem Großvater – wenn schon Oper und wenn schon Mozart – am meisten geschätzte Mozart-Oper, vor allem auch wegen des Librettos, das doch Beethoven und Wagner so verachteten, in der die Musik als Trost und Apotheose der Lebensklugheit des ‚So machen's alle' reale Kränkungen und Verletzungen sublimiert, während meine Großmutter den ‚Don Giovanni' vorzog. Die Vorliebe gründete in dem Don Giovanni bestimmten Ende, das sie ihm, wie allen anderen gleichgearteten Männern wahrlich gönnte. Es war also das Auftreten des Komturs, nach Kierkegaard der Geist, die Reflexion, über die Don Giovanni keine Macht mehr hat, der ihr vom Libretto her die Oper so nahebrachte. Sie wusste nichts davon, dass Kierkegaard an dieser Figur, die ihm Ausdrucksform des Dämonischen ist, das Paradigma der ästhetischen Lebensform veranschaulicht, Schopenhauer ihn als lebendigen Ausdruck der Verrottung des Lebens sieht oder Adorno den ganzen ‚Don Giovanni' auf eine Ästhetik des Erhabenen festlegt. ‚Don Giovanni' hätte für meinen Großvater als Lieblingsoper wohl besser gepasst, das trübe Schicksal dieses Aristokraten außerhalb seines Standes hinderte ihn möglicherweise daran. Ihm war dann doch die Doppelbödigkeit des ‚Cosi fan tutte' lieber, mit der wiederum meine Großmutter eher überfordert war.

Ich verbinde meine Großmutter mit Mozart und immer, wenn ich die Mozart-Arien meiner Kindheit im Schlafbereich meiner Großmutter höre, werde ich gleichsam selbst wieder ein Kind, wie es von der ‚Zauberflöte' so treffend heißt.

Meine Großmutter war völlig ungebildet, aber sie hatte eine naive Liebe zu Mozart und nicht nur zu dessen Opern. Aktuelle Schlager von Freddy Quinn, Conny Froboess oder Gus Bachus verachtete sie. Von Mozart hörte sie dagegen alles: Neben Arienzusammenstellungen aus den bekannten Opern, die Messen, Sinfonien, Klavier-, Geigen- oder Klarinettenkonzerte. Wie glücklich wäre sie gewesen, hätte sie im Film ‚Jenseits von Afrika' das Adagio aus dem A- Dur-Klarinettenkonzert hören können."

30

„Nach dem Tod meines Großvaters lud meine Großmutter mich und nach unserer Hochzeit auch Sophia jeden Sommer nach Salzburg zu den Festspielen ein, jeweils zu einer Mozart-Oper. Kuglmüller chauffierte uns im Cadillac nach Salzburg. Da sie dort nicht übernachten wollte, fuhren wir nach den Vorstellungen, die, damit die Gäste noch reichlich die Restaurants füllten, nie zu spät endeten, wieder nach Hause. Diese Tradition begann sie im Jahr eins ihres Witwendaseins, und zwar mit der ‚Zauberflöte' – meine erste Oper, die ich seinerzeit auch mit meiner Großmutter in Wien gesehen hatte. Damals naiv, unvoreingenommen.

Diesmal hatte ich mich vorbereitet. Ich wollte verifizieren, dass ‚Die Zauberflöte' die Versöhnung des Mythos sei, Luxus als Versprechen des Glücks, das nicht mehr der Naturbeherrschung bedarf. Ich wollte prüfen, ob diese Oper wirklich ‚rein und reinigend', ob sie ein Symbol für die Bewältigung der Übermacht der Elemente durch die Aufklärung sei oder gar komponierte Utopie, ein geglücktes Leben darstellend, in dem sich das Gute mit der Liebe vereinigt.“

„Nun bin ich aber gespannt auf das Ergebnis“, warf ich ein.

„Das ist selbstverständlich ernüchternd. Wie soll man solche Aussagen verifizieren? Das ist unmöglich, aber auch gar nicht nötig. Nur wer der Gewissheit des Eins plus eins gleich zwei bedarf, stellt diese Frage. Denn wessen sind wir überhaupt gewiss? Wenn ich mich auf Musik wie ‚Die Zauberflöte' einlasse und übertrage Erkenntnisse in Sprache, so kann ich derartige Aussagen akzeptieren.“

„Der Jurist würde sagen, sie sind vertretbar, was ja nicht heißt, sie sind beliebig.“

„Da möchte ich nicht ganz folgen. Man muss auch die Aussagen differenzieren. Wenn es sich um ein Versprechen des Glückes, das nicht mehr der Naturbeherrschung bedarf, handelt, so setzt eine derartige Aussage einen Kontext voraus, über den man sich zunächst klar sein muss. Andernfalls verliert sie ihren Sinn und erscheint willkürlich oder dezisionistisch. Nur wer in diesem Diskussionskontext verankert ist, kann einer derartigen Aussage zustimmen. Und so ist es auch mit den anderen Dikten. Mein Irrtum war also, dass ich meinte, ich könne angelesene Äußerungen zu einer Oper wie der ‚Zauberflöte' durch Hören und Sehen derselben verifizieren oder falsifizieren. Der richtige Ansatz wäre jedoch, sich zunächst auf die Voraussetzungen der Aussagen ebenso einzulassen, wie die Oper durchzuarbeiten, was aber musikwissenschaftliche Kenntnisse voraussetzt, bevor ich überhaupt Kommentare abgeben könnte."

Ich erwiderte: „Das heißt aber, man hätte zu schweigen, da man weder die jeweiligen Aussagen genügend in ihrem Kontext kennt, noch gar die musikwissenschaftlichen Voraussetzungen der Urteilsfindung besitzt. Danach kann man keinerlei Urteil über eine Oper abgeben."

Paul widersprach: „Das habe ich nicht gesagt. Ich muss mir nur bewusst sein, dass mein Urteil sehr vorläufig und sehr subjektiv oder gefühlsbetont und damit möglicherweise als Urteil bloß eine Meinung ist, nicht substantiiert. Das macht aber gar nichts.

Man kann sich doch sein Bild von der ‚Zauberflöte' machen und dies Bild wird gewiss nicht getrübt, wenn man weiß, dass es Mozarts Alterswerk war, dass es verankert war in dem Wiener Vorstadttheater, eine deutsche Oper, darum möglicherweise auch der Erfolg, für das Bürgertum, nicht dem Hof, der italienisch bevorzugte, heute würde man vielleicht Musical sagen – was der These vom Verfall des Kulturniveaus einige Wahrheit zugestehen würde.

Die frauenfeindliche Terminologie, die Rokokosprache mit dem ‚Herzensweibchen', ‚sanftes Täubchen', ‚Herzenskämmerlein', die doch die aufklärerische Musik kontrastiert, das ganze nicht so schlüssige Libretto, von dem Goethe gleichwohl meinte, es gehöre mehr Bildung dazu, dessen Wert zu erkennen als ihn abzustreiten, kann uns doch nicht hindern, bei Paminas und Papagenos Duett über die Menschen, welche Liebe fühlen, und so an die Gottheit heranreichen, in der Grundtonart des Werkes, diesem Hoch der Liebe, das für mich immer mit den Stimmen von Gottlob Frick und Agnes Giebel verbunden bleiben wird, oder dem einmaligen Klangkörper der drei Damen, zu fühlen, wie ich beim ersten Hören gefühlt habe: Das ist Glück, und dieses Glück ist der Hinweis auf eine Utopie welcher Art auch immer, und die Utopie muss man als solche zumindest noch benennen können als Alternative zum billigen Alltag, der sich am liebsten selbst als unveränderlich stilisiert."

Paul hielt inne.

„Du erinnerst mich mit deinen Aussagen an alte Zeiten, was nicht heißt, dass sie deshalb falsch sein müssen", nutzte ich die kleine Pause, mich selbst ein wenig einzubringen.

31

Paul fuhr fort: „Lassen wir das Theoretisieren. Ich will weiter von den Großeltern erzählen.

Mein Großvater musste seine Untreue mit viel Schmuck bezahlen, aber die schönsten Saphire, Smaragde und Rubine konnten nicht die Befriedigung ersetzen, die meiner Großmutter die Teilnahme an der Wiedereröffnung des Cuvilliés-Theaters, des schönsten Rokoko Theaters der Welt, inmitten einer noch weitgehend ruinierten Residenz, kultureller Höhepunkt des 800. Stadtgründungsjubiläums Münchens, mit Aufführung der Hochzeit des ‚Figaros', an der Seite meines Großvaters verschaffte.

Während mein Großvater gewiss die von den Zugaben des 19. Jahrhunderts befreite, vergoldete, original erhaltene Logenverkleidung, die vor den Bomben gerettet worden war, bewunderte und sich bei deren Anblick das Leitmotiv der Epoche, die dreidimensionale Kurve wie deren Herkommen aus der französischen Ornamentik, ebenso sehr vergegenwärtigt hatte wie weitere Bauten von Cuvilliés in München, das Erzbischöfliche Palais, das ehemalige Palais Hohenstein, die Amalienburg im Nymphenburger Park oder die Vollendung des Nymphenburger Schlosses, dieses bayerische Versailles, suchte die Großmutter im Parkett und den anderen Logen vergeblich nach dem Filmstar Gina Lollobrigida, die sich in München aufhalten sollte, und wurde nur des Nobelpreisträgers Werner Heisenberg, umgeben von weiblicher Entourage, gewahr, den sie aber lediglich dank des Hinweises meines Großvaters als solchen identifizieren konnte.

Es war das einzige Mal, dass mir meine Großmutter, es war im Frühsommer und ich verbrachte die Pfingstferien bei meinen Großeltern, eine sogenannte Lebensweisheit nahebringen wollte.‚Weißt du, mein Süßer, merke dir, wenn du mal groß bist und sicher auch eine Frau haben wirst: Eine Frau verzeiht viel, wenn ihr der Mann, wie dein Großvater gelegentlich, wahre Herzenswünsche, die er aber auch erkennen muss, erfüllt.‘ Sie sprach sonst nie, weder Gutes noch Schlechtes über meinen Großvater zu mir in der Art, nimm deinen Großvater als Vorbild, oder dies hätte dein Großvater sicher nicht gerne gesehen, oder frag deinen Großvater.

Mein Großvater war ein Charmeur. Er ahnte die Wünsche der Frauen und so versöhnte er sich diesmal meine Großmutter für lange Zeit, indem er sie an seiner Seite in eine Loge ins Cuvilliés-Theater führte und das auch noch mit einer Mozartoper. Er verschaffte ihr nicht nur den Triumph der Münchener Gesellschaft durch die Einnahme einer der besten Logen, Macht und Einfluss ihres Mannes, der auch öffentlich zu ihr stand, zu demonstrieren, sondern gleichzeitig durch die Konsumtion der bestens bekannten Arien, durch das Wiedersehen mit Erika Köth, deren Gartenarie als Susanna sie fast täglich mitgesungen hatte, einen emotionalen Höhepunkt, den man als Glück bezeichnen kann und verallgemeinernd vielleicht als antiker Triumph der Schönheit über das Unzulängliche, wenn man Mozart als Griechentum in der Musik ansehen will.“

„Es ist schon erstaunlich“, merkte ich an, „dass Mozart doch sowohl einfacheren Gemütern, wenn ich so sagen darf, wie deiner Großmutter zusagt, aber auch musikalisch bestens geschulten Geistern. Wie halt Mozart selbst sagte, die Musik dürfe das Ohr niemals beleidigen, sondern müsse es vergnügen.“

„Der Anlass für dieses Versöhnungsgeschenk hatte auch mit Mozart zu tun und verschaffte mir in diesem Jahr, 1958, meinen ersten Opernbesuch. Es war ‚Die Zauberflöte‘ und es war in Wien mit Gottlob Frick, Erika Köth und Anneliese Rothenberger. Meine Großeltern hatten mich, trotz Schule, nach Wien mitgenommen. Mein Großvater traf Vorbereitungen, dort eine Filiale zu eröffnen, und hatte von Geschäftsfreunden, die um die Vorliebe meiner Großmutter für Mozart wussten, recht kurzfristig Premierenkarten für ‚Die Zauberflöte' erhalten.

Frau Gabler hatte leichtsinnigerweise an einem Morgen in Anwesenheit meiner Großmutter ihre Freude darüber zum Ausdruck gebracht, dass ihr Hinweis beim letzten Besuch des Wiener Geschäftspartners meines Großvaters, Herr Kommerzialrat Giger, der im Vorzimmer seine Liebe zu Mozart erwähnte, Frau Poth teile dessen Neigung, zu dem erfreulichen Ergebnis geführt habe, dass nun zwei Premierenkarten für hervorragende Logenplätze in der Wiener Oper, mit ergebensten Grüßen des Kommerzialrates, sich in der heutigen Post wiedergefunden hatten, verbunden mit dem Hinweis, den vorgesehenen geschäftlichen Termin doch mit einem sicherlich zu erwartenden kulturellen Höhepunkt zu umrahmen.

Mein Großvater hasste derartige Einmischungen in seine Zeitgestaltung, zumal er in diesem Fall, wie ich viel später und meine Großmutter alsbald erfuhr, seine Zeit mit einer ihm empfohlenen Wiener Dame verbringen wollte, die angeblich für ihre Zunft erstaunliche Bildung und vor allem Kenntnisse über lukullische Spezialitäten Wiens besaß, die sich mein Großvater zur Steigerung und angemessener Umrahmung der erotischen Genüsse sozusagen als Vorspeise genehmigen wollte. Da er diese Pläne nicht kurzfristig aufgeben wollte – dies hätte schon seinem Willen zur Autonomie widersprochen, er ließe sich doch nicht von einem Geschäftspartner seine Zeit bestimmen – er andererseits kaum einen glaubwürdigen Vorwand finden konnte, meiner Großmutter dieses Erlebnis zu versagen, schlug er ihr vor, doch mich mitzunehmen, es sei an der Zeit, das musikalische Gehör des Jungen zu schulen und ‚Die Zauberflöte' sei hierfür gerade richtig. So wurde ich kurzfristig von der Schule herausgenommen und wir fuhren im Cadillac mit Herrn Kuglmüller nach Wien ins Hotel Sacher.

Am Abend besuchten meine Großmutter und ich die gegenüberliegende Oper. Mein Großvater hatte einen nicht aufschieb-
baren Geschäftstermin, der sich bis weit nach Mitternacht hin-
zog. Meine Großmutter, die wohl alles geahnt hatte, die sich
aber den Mozart nicht entgehen lassen wollte, beschloss, am
nächsten Tag sofort wieder abzufahren. Eigentlich war vorgesehen, dass wir den nächsten Tag für den Besuch des Bel-
vedere und Schloss Schönbrunn nutzen sollten. Daraus wurde nichts. Und so sah ich von Wien bei meinem ersten Besuch
dieser Stadt, die ein bekannter Denker das ästhetische Nachbild ihrer selbst genannt hat, außer der Oper und ein wenig
Ringstraße, wenig. Mein Großvater sprach so gut wie nichts.
Er hätte mir gewiss die Ringstraße ansonsten eingehend erläutert mit der Darstellung der verschiedensten stilistischen
Möglichkeiten der zweiten Hälfte des 19. Jahrhunderts, einmalig auf der Welt, sei es die Votivkirche und das Rathaus im
gotischen Stil, das Parlamentsgebäude klassizistisch, das Burg-
theater, das Kunsthistorische und Naturhistorische Museum,
die Akademie der Bildenden Künste und die Universität in An-
lehnung an die italienische Renaissance und die Oper in freier
Variante der französischen Renaissance. Er hätte mir die Ringstraße als Ausdruck der Unfähigkeit der Epoche, eine Stadt als
Stadt, eine Straße als Straße zu sehen, zeigen können. Er hätte
auf den Unterschied zur Ludwigstraße in München hinweisen
können, der ein Gesamtkonzept zugrunde liegt und die somit
Straße und Stadtcharakter dokumentiert, während die Ringstraße ihre Bauten in völliger Isolierung ohne Beziehung untereinander oder zu ihrer Umgebung lässt, solitär und solip-
sistisch, insofern Vorwegnahme der Hochhausarchitektur des
zwanzigsten Jahrhunderts, die die Individualisierung der Gesellschaft dokumentiert. Aber er war verärgert und wortkarg.

Nach unserer schnellen Abfahrt blieb mein Großvater allein und wohl auch nicht informiert in Wien. Er kannte aber
seine Frau und konnte seine Schlüsse ziehen. Frau Gabler, die
ja das Ganze eingebrockt hatte, musste die Rückkunft organisieren. Ich weiß heute noch nicht, wie er zurückkam, vielleicht

mit dem Flugzeug, wahrscheinlich war Kuglmüller erneut nach Wien gefahren und hatte ihn abgeholt.

Mir wurde nichts mitgeteilt und es gab auch keine offene oder aggressive Aussprache.

Wir hatten eine Suite und ich teilte das Bett meiner Großmutter. Wir frühstückten gemeinsam, ohne meinen Großvater zu sehen. Kuglmüller wagte nicht, den Befehlen meiner Großmutter zu widersprechen. Viel später, als mein Großvater schon längst gestorben war, erfuhr ich von der schon pensionierten Frau Gabler, dass die Münchener Mozartkarten die Wiedergutmachung für das Wiener Abenteuer waren. Sie schloss das aus den Worten meines Großvaters: ‚Da Ihnen doch so sehr daran liegt, meiner Frau originale Mozartmusik zu vermitteln, Platten hat sie ohnehin im Übermaß, und da ich die Wiener Premiere zum Missvergnügen meiner Frau meinem Enkel überlassen hatte, was eine Kompensation verlangt, so können Sie jetzt Ihr Organisationstalent beweisen und uns angemessene Karten für die bevorstehende Wiedereröffnung des CuvilliésTheaters verschaffen, das ich ohnehin gerne wieder im Original gesehen hätte.'

32

„Erzähle doch von der ‚Zauberflöte', der ersten Oper, was hattest du für einen Eindruck, was ist geblieben? Prägt die erste Oper das Opernerlebnis oder nicht?"

„Ich würde sagen, es war Glückseligkeit in einem emphatischen Sinne und ist es immer geblieben. Mag ‚Die Zauberflöte' großes Welttheater, ein Freimaurerstück, ein Alt-Wiener Singspiel, geschrieben für ein Volkstheater in der Vorstadt, eine Märchenoper, eine Stil-Enzyklopädie des 18. Jahrhunderts oder ein Gesamtkunstwerk sein, ich weiß es nicht. Wie wir gerade von dem Menschen, den wir lieben am wenigsten sagen können, wie er sei, weil wir ihn einfach lieben und das das Wesen der Liebe ist, so kann ich nicht sagen, was ‚Die Zauberflöte' ist. Für mich ist sie nur Glück. Kennst du die Verfilmung der ‚Zauberflöte' von Ingmar Bergman?

Bei diesem Film, den ich viel später sah und der mir mein Glücksgefühl in Wien vergegenwärtigte, wurde mir durch die eingeblendeten Gesichter der Zuschauer, die Gesichter der Sänger, die Landschaft, in der das Stück als Stück aufgeführt wird, kontrastierend dem vermeintlichen barocken Puppentheater, klar, dass die Oper nur die ist, die sie ist, durch uns, durch unseren Kopf, durch das, was wir damit verbinden, was wir hineinlegen. Glück, weil wir damit Glück verbinden. Es müssen also andere Umstände sein, die mit dem Erlebnis der ‚Zauberflöte' zusammenfielen, die mir sie als Glück in Erinnerung behalten ließen."

„Was ist Glück?", warf ich ein. „Ist Glück das Erlebnis der Geburt eines Kindes, der erste Kuss, die Präsentation guter Bilanzzahlen, die Wiederversöhnung mit einem geliebten Menschen, mit dem man auseinandergekommen war, der Gewinn eines Wettkampfes, das Lachen des kleinen Kindes, das neben einem im Bett erwacht, das Erreichen eines Zieles, eine gute Examensnote, die Aufnahme auf eine Elitehochschule, wie Harvard, die Feststellung nach einer Operation, der herausgenommene Tumor war gutartig, das Überleben einer Flugzeugentführung, das Lesen eines Satzes von Fontane wie:‚Wie er zuletzt war, so war er wirklich', eine grundlegende Erkenntnis. wie diejenige des Sokrates: ‚Ich weiß, dass ich nichts weiß', der fünfzigste Hochzeitstag, ein runder Geburtstag gefeiert von seinen Kindern und Enkelkindern, die Fertigstellung eines Romanes, einer Komposition oder Bildes? Lügt derjenige, der sagt, er sei glücklich, indem er es beschwört, da man sich des Glückes im Augenblick desselben nicht bewusst ist? Ist Glück vielleicht nur ein allgemeiner Zustand, Nachbild der Geborgenheit in der Mutter?"

„Es passt jedenfalls zur ‚Zauberflöte' und es ist ein subjektives Gefühl, das sich durchaus mit dem Hören von Musik verbinden lässt. Neulich las ich erst im Feuilleton der ‚Süddeutschen Zeitung', dass der Hochton Es, wie ihn Maria Callas in einer Bellini-Oper schließlich erreicht, eben Glück sei."

„Mag es für diesen Hörer und Feuilletonisten so sein, wie ja für Adorno noch viel weitergehend die Kunst die negative Utopie sehnsüchtig erträumt. Wenn eine Des-Dur-Stelle in einem Beethovenschen Quartett der Aufgang eines Nichtseienden, als ob es wäre ist, so ähnlich heißt es nach meiner Erinnerung in einer Abhandlung, so verlieren wir uns doch in Subjektivismen. Aber so subjektiv ist eben das Glück und was soll Utopie sein, wenn nicht die Ermöglichung von Glücksgefühlen? Fragt sich nur, ob dies wirklich gesellschaftliche oder auch nur erkenntnistheoretisch relevante Fragen sind. Ist Glück vielleicht ein Zustand, die Glückseligkeit im Jenseits frei von Neigungen und Bedürfnissen, oder im Diesseits erlangbar, durch Tugendhaftigkeit oder philosophische Einsicht, oder andersherum Befriedigung unserer Lust, unserer Triebbedürfnisse?"

„Für mich gab es beim Hören der ‚Zauberflöte‘ in der Wiener Oper, Paminas ‚ich fühl's‘, Papagenos ‚Mädchen oder Weibchen‘, Gefühle und Erinnerungen, die ich in ihrer Summe heute als Glück bezeichnen würde. Dieses Glück verbindet sich mit Mozart und meiner Großmutter.

Wenn ich analysiere, so ist mir klar, dass ich für meine Großmutter, die ihre ganzen emotionalen Bedürfnisse weitgehend im passiven Hören von Mozart-Opern und aktivem Klavierspielen, da anderweitig nicht befriedigbar, sublimiert hatte, nur angenehme Zierde war. Ein hübscher blonder Junge, den man gerne vorzeigte und auch gelegentlich zärtlich, aber völlig unverfänglich, streichelte und an sich zog, für dessen eigentliche Bedürfnisse, Wünsche, Sorgen oder Nöte aber weder die emotionale noch die intellektuelle Bildung meiner Großmutter ausreichte. Das war und ist aber für mich nicht bedeutungsvoll. Wichtig ist die Unbedingtheit, mit der meine Großmutter zu mir stand. Ich war da und galt, wie ich war. Es gab keine Anforderungen oder Ansprüche an mich. Wenn ich in Seeberg war, konnte ich mir den Tag einteilen, wie ich wollte, ich konnte meinen Ideen und Fantasien nachgehen, konnte mit Kameraden, wie dir, spielen, konnte Fernsehen oder Illustrierte wie die ‚Bunte‘ oder den ‚Stern‘ anschauen, in der Ferne begleitet von Mozart-Arien oder Tönen des

Bechsteinflügels, auf dem meine Großmutter eine Mozart-Sonatine spielte.

Ich erlebte keinerlei häusliche Streitereien oder Auseinandersetzungen unter meinen Großeltern oder zwischen ihnen und den Bediensteten, sei es, weil sie sich vor mir disziplinierten, oder sei es, weil sie wenig kommunizierten und sich das Leben in festen Regeln und Gewohnheiten abspielte, das kaum konfliktträchtiger Entscheidungen bedurfte.

Was zu entscheiden war, war klar in der Kompetenzverteilung zwischen meinen Großeltern geregelt. Es war ein in langen Ehejahren austariertes System, das die Interessen und Bedürfnisse beider Seiten wohl abwog, berücksichtigte und zu guten Kompromissen gelangte. Das Beispiel des sonntäglichen Kirchganges hatte ich dir ebenso schon erzählt, wie dasjenige der erotischen Bedürfnisse oder dasjenige der Wahl der Autos, der Hausarchitektur, der Möblierung oder der Wahl der Gäste. Das abendliche Fernsehprogramm – schon 1953 gleich nach Beginn des Fernsehens wurde ein Gerät angeschafft – war mangels Alternativen unstrittig und politisch verließ sich meine Großmutter, die gänzlich uninteressiert war und meinte, dass ohnehin alle Politiker nur Gauner seien, die es auf das Geld der Reichen abgesehen hätten, auf das Urteil meines Großvaters. Bei gemeinsamen Reisen wurden die Ziele so ausgesucht, dass die mondänen Bedürfnisse der Großmutter mit den Orten Cannes, St. Tropez oder später Marbella verbunden wurden mit dem Besuch kulturell interessanterer Nachbarschaften wie Montpellier oder Sevilla und Granada, die mein Großvater bevorzugte. Die Bediensteten stellte, ausgenommen den Chauffeur für meinen Großvater, die Großmutter ein. Das Mittagessen stellte meine Großmutter mit der Köchin gemeinsam zusammen, wobei Wünsche des Großvaters durchaus Berücksichtigung fanden. So erlebte ich ein konfliktfreies, harmonisches Leben.

Da ich in Seeberg weder in den Kindergarten noch zur Schule ging, waren meine Aufenthalte geprägt von einem mir liebevoll zugetanen Umfeld, das mich akzeptierte, wie ich war, und mich in keiner Weise formen wollte, nicht aus irgendwelchen pädagogischen Erwägungen oder gar philosophischen Inspirationen von der Art der Ideen Rousseaus. Dennoch wurde mir Bildung zuteil, wenn auch nicht ausdrücklich, durch die Musikgewohnheiten meiner Großmutter und manche inspierende Diskussionen meines Großvaters mit Dr. Müller, deren Zeuge ich geworden war."

„Sozusagen eine glückliche Kindheit, wenn auch nur ein Teil der Kindheit. Warum warst du eigentlich so oft in Seeberg und nicht bei deiner Familie in München?"

„Das weiß ich eigentlich nicht. Es war wohl so, dass ich es gerne wollte, meine Großmutter mich als Art Maskottchen oft anforderte und meiner Mutter angesichts der Belastung mit den nachfolgenden Geschwistern insofern eine gewisse Entlastung nicht ungelegen kam.

Ich wurde bei meinen Großeltern gewiss nicht ausdrücklich gefördert, war aber auch nicht gefordert. Ich war aufgehoben, ich musste keine Stellung beziehen. Das Umfeld war fraglos, selbstverständlich und somit konfliktfrei. Für ein Kind wunderbar zur Verwirklichung seiner Träume, Fantasien. Die vorgegebene, nicht in Frage gestellte äußere Ordnung, die auch eine äußerliche Ordnung war, verschaffte innere Freiheit und somit vielleicht auch Glück. Rückblickend würde ich sagen, es waren glückliche Tage, wenn ich meiner Fantasie frönend im Garten meiner Großeltern mich als Reh fühlte, das die wohlriechenden dunkelvioletten Fliederbüsche mit ihren glockenförmigen Kelchblättern nicht als Symbol der romantischen Liebe, sondern als Deckung vor dem gefährlichen Jäger betrachtete. Ich lief im Garten von Busch zu Busch, in jeder Jahreszeit blühte ein anderer, von den eleganten Hortensien mit ihren ballförmigen, grünlichweißen Dolden zu den breiten und dichtbuschigen Weigelien und zu den Düften der schneeweißen, feintriebigen und aufrechten Spieren mit den überhängenden Blüten. Vertraut, friedlich und harmlos, aber zerbrechlich und dennoch irgendwie frei wie die Schmetterlinge auf den farbenprächtigen Buddleia, dem Sommerflieder, muss ich dem Gärtner Pelz erschienen sein, der seine Arbeit in dem großen Garten verrichtete, der mir als paradiesisches Reich meiner Fantasie erschien."

33

„Die Beziehung deiner Großeltern wurde eigentlich nur durch Konvention und nicht durch Liebe aufrechterhalten. Wie und wann ist dir das bewusst geworden?", unterbrach ich Paul.

„Du hast recht. Offenbar wurde das eigentliche Nichtverhältnis meiner Großeltern für mich beim Tod meines Großvaters. Mein Großvater hatte Krebs, das liegt anscheinend in der Familie. Nicht wie ich, einen Gehirntumor, sondern Leberkrebs. Er starb zu Hause. Er war bis zum letzten Tag, eine Gnade der Natur, geistig völlig präsent. Als allen, und ihm wohl auch, ohne dass es ausdrücklich ausgesprochen wurde, klar war, dass sein verbliebenes Leben sich nach Wochen bemessen würde, gab mir meine Großmutter zu verstehen, dass sie mich gerne bei sich gesehen hätte. Als Student, der ich damals war, ließ es sich ohne Weiteres einrichten, zumal ich Semesterferien hatte. Außer mir war noch Dr. Müller gebeten. Als Pflegerin des Sterbenden hatte sich Emma angeboten, die Tochter der damals schon verstorbenen ehemaligen Köchin Anni, die im Hause meiner Großeltern mit aufgewachsen war und die diese Pflege als späte Dankespflicht gerne wahrnahm. Im Haushalt wirkte noch Marian, eine Ungarin, als Köchin und Haushaltshilfe und eine weitere Frau, Frau Stich, die zusammen mit ihrer Familie und Marian in einem kleinen Nebenhaus wohnte und den Garten und die Haushaltsangelegenheiten erledigte, zu denen, es waren die meisten, Marian einerseits wegen den Zeiterfordernissen des Kochens, andererseits wegen ihrer außerordentlichen Behäbigkeit keine Zeit verblieb.

Diese Tage waren wie diejenigen meiner Kindheit. Ich hatte keine Pflichten, die Zeiteinteilung oblag meiner Fantasie. Zum Verdruss meiner Eltern, die für mich Jura oder Betriebswirtschaft vorgesehen hatten, aber mit augenzwinkernder Zustimmung meines Großvaters, hatte ich, wie du ja weißt, angeregt durch unsere gemeinsamen ‚Hegel-Schulungen' in der Oberstufe, begonnen, Philosophie zu studieren. Meine, dem damaligen Zeitgeist Ende der sechziger Jahre entsprechenden marxistischen Tendenzen, waren meiner Großmutter völlig egal – anders als dem Großvater, der sich noch gut an die Begeisterung vieler Jugendlicher seiner Zeit über nationalsozialistische Ideen erinnern konnte und den unterschiedlichen theoretischen Ansatz nicht gelten ließ. Gemeinsam störten sie sich nur an meinem Äußeren, den langen Haaren und dem Bart. Letzteren reduzierte ich, ihnen zu Gefallen, vor meinem Aufenthalt in Seeberg zu längeren Koteletten.

Trotz Haartracht und falscher Gesinnung war ich ihnen willkommen. Das Verhältnis zu

Enkelkindern ist für Großeltern, anders als zu Kindern, wie auch umgekehrt dadurch geprägt, dass das Enkelkind das eigene Fleisch und Blut ist, das deren Fortleben dokumentiert, ohne die Erinnerung an die für die Emanzipation der Kinder notwendigen Konflikte, die aber auch allzu oft Fehler und Versäumnisse, die unvermeidbar, aber nicht revidierbar sind, manchmal in Vorwürfen verkleidet, bewusst werden lassen.

Meine Großmutter hätte mich nie ausdrücklich gebeten, bei ihr die Tage des Sterbens meines Großvaters zu verbringen. Sie sagte vielmehr anlässlich eines Besuches: ‚Du hast doch Semesterferien. Im September ist es hier noch schön und du könntest dich sicher gut erholen. Du kannst unsere Badehütte und das Motorboot benutzen und selbstverständlich jederzeit Freunde einladen.‘ Sie verschwieg, dass ihr der Zustand meines Großvaters wohl bewusst war. Ich sagte zu.

Dr. Müller kam am folgenden Tag. Er bewohnte das Gästezimmer im zweiten Stock, das Barockzimmer, während ich dort schlief, wo ich seit meinem zehnten Lebensjahr, seitdem es meine Großmutter nicht mehr angemessen fand, den Enkel in ihrer intimen Nähe zu belassen, immer schon geschlafen hatte, in einem Zimmer im ersten Stock. Dieses Zimmer war gänzlich im Stile der Renaissance eingerichtet, mit der Ausnahme einer Zeichnung von Parmigianino, der stilistisch gewiss der anschließenden Epoche, dem Manierismus zuzurechnen ist. Ich schlief in einem schlichten Holzbett, dessen Seitenwände mit Flachschnittdekorationen ausgestattet waren. Es war, wie das Hinweisschild auf dem englischen Ausziehtisch aus Eiche aus der ersten Hälfte des 16. Jahrhunderts kundtat, ebenfalls aus dem frühen 16. Jahrhundert und dem Oberrhein zugeordnet. Die Hinweisschilder waren für mich neu. Es waren darauf die einzelnen Möbelstücke im Renaissancezimmer aufgeführt und mit Anmerkungen versehen. Das Zimmer hatte sich seit Jahren nicht verändert. Ich verband mit jenen Gegenständen das Gefühl der Geborgenheit und des Glückes, das meine Aufenthalte in Seeberg generell auszeichnete. Nun konnte ich lesen, dass das mir vertraute Gefäß auf der italienischen Nussbaumtruhe Majolika-Keramik war und lernen, dass diese aus Spanien über die Insel ‚Majorca' eingeführte und danach benannte Technik darauf beruht, auf schwach gebrannte Tongefäße eine Zinnglasur aufzutragen, die die Behandlung mit leuchtenden Farben zulässt, die wiederum in einem zweiten Brande mit der Glasur unlöslich verbunden werden. Die Stadt Faenza war darauf spezialisiert und so entwickelte sich der Gattungsname ‚Fayence'. Die Beschriftungen erzeugten ein wenig das Gefühl, in einem Museum zu wohnen, was meinen eigenen Empfindungen entgegenkam.

Dem Bett gegenüber hing in einem schlichten Rahmen die Kopie einer braun lavierten und weiß gehöhten Federzeichnung von Parmigianino: Mehrere nackte weibliche Körper in verschiedenen Posen darstellend in einer umgebenden, eher nur angedeuteten Landschaft.

Darunter belehrte ein Hinweisschild mit der Aufschrift ‚Federzeichnung von Girolamo Francesco Maria Mazzola, genannt Parmigianino um 1527, Original in den Uffizien'.

Mit dem Bild von Parmigianinos sinnlichen Federstrichen bin ich jahrelang eingeschlafen. Es war die einzige Kopie, die im Haus meiner Großeltern aufgehängt war. Mein Großvater rechtfertigte dies damit, dass er dem Original verständlicherweise nicht habhaft werden konnte, es seine Lieblingszeichnung von Parmigianino sei, und er trotz der Vielzahl von ihm besessener Originale unbedingt seinen Gästen die unakademisch lockere Komposition nicht vorenthalten wollte, die die von Parmigianino, für den Manierismus so typische Längungstechnik der Figuren darstellte und doch schon am Beginn des Manierismus weit über diesen hinauswies mit seiner Sinnlichkeit und fast voyeuristischen Lust an Variationen und Posen, die 100 bis 200 Jahre später im Nymphengenre notorisch werden sollten.

Wenn ich nun in ‚meinem' Zimmer schlief, im selben Hause wie der sterbende Großvater, so war das unwirklich. Es war nicht mehr meine Realität. Es war Erinnerung. Als Kind lebte ich in dem Zimmer. Das Arrangement der Möbel erschien mir natürlich, es wurde nicht hinterfragt. Jetzt, dokumentiert durch die Hinweisschilder, wurde offenbar, dass dieses Zimmer immer ein ‚Kunstzimmer' war, nie geworden, sondern gestaltet, arrangiert – wie das ganze Leben meiner Großeltern.

Ich bewohnte ein Zimmer, dessen Möbel mir vertraut waren, weil ich dort als Kind geschlafen hatte und das mir jetzt als lebloses Museumsstück offenbar wurde, zu dem ich aber keine Beziehung hatte. Wenn der Becher auf der italienischen Nussbaum-Kredenz aus dem 16. Jahrhundert nicht aus Muranoglas, sondern eine primitive Vase gewesen wäre, so wäre die Bedeutung für mich gleich gewesen: Erinnerung an eine verlorene Zeit, die, wie Marcel Proust dargetan hat, nur in der formulierten, in Kunst gefassten Erinnerung wiedergefunden werden kann.

Ich fragte Dr. Müller, ob in seinem Zimmer, dem Barockzimmer, auch derartige Hinweisschilder angebracht wären.

‚Ja ja, dein Großvater hat wohl pädagogische und antiquarische Neigungen. Er vertraut seinen Nachkommen anscheinend nicht, die Möbel richtig zu identifizieren. Ich begrüße dies aber und habe jetzt gelernt, dass man die gewürfelten Intarsien der wunderschönen Kommode in meinem Zimmer ‚Würfelmarqueterie' nennt und das Prunkstück in Frankfurt zwischen 1750 und 1760 entstanden ist.'"

34

„In dieser Zeit in Seeberg las ich viel, mit Dr. Müller machte ich manchen Spaziergang.

Bewusst ist mir noch ein Spaziergang in die sogenannte Waldmannsschlucht. Man steigt eine Seitenmoräne des früheren Würmseegletschers hinauf über sieben Holzbrücken, die den Bach der Schlucht queren und gesäumt werden von Bergahorn und Eschen.

Ich erinnere mich an diesen Spaziergang, weil er wiederum Kindheitserlebnisse in mir wachgerufen hatte. So bleibt im Gedächtnis hängen, was mit anderen vorherigen Erlebnissen assoziiert ist. Umgekehrt frischt der spezielle Ort erneut das vergangene Ereignis auf.

Diesen Weg bin ich als Kind des Öfteren mit meinem Großvater in Begleitung des damaligen Terrierhundes der Großeltern mit Namen Dario gegangen.

Die Erinnerung an den Spaziergang mit Dr. Müller assoziiere ich wiederum mit einem Spaziergang mit meinem Großvater. Es war nicht einer jener Spaziergänge, den ich regelmäßig in den Sommerferien machte, in denen ich – es war das einzige Mal und ich war vielleicht zehn Jahre alt – meinen Eltern abgerungen hatte (mit erheblicher Unterstützung meiner Großmutter), statt mit ihnen im neuen BMW V8 gemeinsam mit meinen Geschwistern auf dem Rücksitz die Vierzehnstundentour über den Brenner zum Sommerurlaub nach Jesolo an die italienische Adria anzutreten, bei meinen Großeltern in Seeberg bleiben zu dürfen.

Vielmehr muss es März gewesen sein. Denn der Weg war schneebedeckt. Der Frühling, lang ersehnt und von den vielen singenden Vögeln – von denen vor allem die Singdrossel mit ihrer fülligen flötenden abwechslungsreichen Stimme, die einzelne Elemente ihrer Strophen des Öfteren wiederholend, deutlich erkennbar ihr Wiedereintreffen in hiesige Gefilde verkündete –, schon eifrig versprochen, hatte den Schnee des Nachts nicht verhindert. Eine zarte, weiße Schicht lag über den gelben Forsythien, die in Seeberg gerade voll erblüht waren, während in Städten wie München oder Hamburg ihr Gelb schon verblasst war. Der eisige Westwind, der die Luft klar und kalt machte, Berge und Skifahren assoziieren ließ, trieb die Wolken aufgeregt über den Himmel. Immer wieder kam die Sonne hervor, deren Kraft die weiße Schneeschicht bald unter Büsche und Bäume vertrieb und die nun die Wiese bedeckenden wilden Krokusse in weiß, blau und gelb ihre Pracht entfalten ließ, wie die im Halbschatten durch Ameisen verbreiteten, Schneestolz genannten, kleinen, zarten, violett-blau gesternten, zierlichen Blumen mit weißem Auge, die von Ferne wie eine blaue Samtschicht wirkten. Die braun knospenden Kastanien, der schon treibende Magnolienbaum und die bereits vorhandenen Blätter der Tulpen verdeutlichten, dass die ungemütliche Kälte den jahreszeitlichen Naturgesetzen bald weichen müsse, was der notwendigen Geduld eine gewisse Gelassenheit gab.

Mein Großvater hatte die Schneereste auf einer Bank im Walde am Beginn des Aufstieges in der Schlucht beiseitegeschoben und setzte sich mit mir, dem kleinen Jungen. Er legte seinen Arm um mich und sagte mir sinngemäß – da er mir so selten etwas sagte, so ist es mir in Erinnerung geblieben: ‚Wenn du mal groß bist, erinnerst du dich gewiss an mich und vielleicht sogar an diesen Augenblick. Du musst deine eigenen Erfahrungen machen und daraus die dir adäquaten Schlussfolgerungen ziehen. Auch wirst du alles adäquate Wissen gewiss nicht in der eigenen Lebenspraxis umsetzen können. Dadurch wird das Wissen, die Erkenntnis aber nicht disqualifiziert. Merke dir aber eine Einsicht, die ein bekannter Schriftsteller‘ – ich weiß heute, dass es Montaigne war – ‚so formuliert hat: Die Nützlichkeit des Lebens liegt nicht in seiner Länge, sondern seiner Anwendung.‘

Ich berichtete Dr. Müller bei unserem Spaziergang davon. Der Jesuit schmunzelte. Er dachte vielleicht daran, wie wenig doch mein Großvater seinen eigenen Erkenntnissen gerecht werden konnte.

‚Ich weiß, dein Großvater schätzt Montaigne und Seneca, nicht nur wegen ihrer Schriften und Erkenntnisse, sondern auch als Männer, die zu leben wussten, gebildet mit Geist und Geld. Geld, um unabhängig zu sein von anderen, und Geist, um dies auch genießen zu können und nicht plump der Anerkennung durch dritte Neider nachzulaufen, der Eitelkeit zu frönen, wie die Parvenüs oder Knecht seiner Begierden zu sein, wie sie Mozart in der Champagner-Arie für seinen Don Giovanni komponiert hat, dessen Hoch auf Wein, Weib und Gesang, trotz der kurzlebigen erotischen Ursprünglichkeit, sich im Presto Tempi widerstandslos rasend als vergänglicher Genuss erweist.

Auf die Anwendung kommt es an, wie Montaigne sagt. Das ist wohl wahr, aber doch zu wenig. Welches ist die Anwendung, der Inhalt ist gefragt. Bei solchem Inhalt bin ich völlig unzeitgemäß, bin ich ganz Stoiker – anders als Aristoteles, der die Affekte als Mittel zum Zweck sieht oder die Peripatetiker, seine Schüler, die als Praktiker die Affekte nur mäßigen, nicht beseitigen wollen. Denn die Affekte sind das Verwerfliche, sie hindern den Menschen, wahrhaft frei zu sein. Nur wer frei von den Affekten ist, ist unabhängig, frei, nicht getrieben. Nicht dass ich dem Bestreben von Aristoteles und den Peripatetikern nicht zustimmen würde, doch logisch ist das nicht. Wenn der Mensch sich vom Tier dadurch unterscheidet, dass er denken kann, während das Tier instinkt- und damit triebgesteuert ist, wenn dadurch, dass der Mensch denken kann, sich seine Freiheit definiert, so ist wahrlich der Mensch nur Mensch und damit frei, wenn er nicht seinen Trieben, seinen Affekten folgt, sondern seinem Geist. Wenn dies aber die Bestimmung des Menschen ist, und bestimmungsgemäß zu leben das wahre Glück ausmacht, so ist nur der Mensch glücklich, der affektfrei sein Leben zur Anwendung bringt'.

Du kannst dir denken, dass ich damals über diese Auffassung geradezu empört war. Die lange Kenntnis Dr. Müllers, der durchaus Autorität für mich war, der daraus abgeleitete Respekt, aber auch seine warme, unaufdringliche Art, sein gütiger, uneitler Umgangston hielten mich aber davon ab, die damals üblichen ‚Geschütze' wie reaktionäre, typische Verdrängung und daher in Wirklichkeit indirekt triebgesteuert des dem Zölibat verpflichteten Geistlichen geschuldete Sichtweise, zum Ausdruck zu bringen, vielmehr entgegnete ich zurückhaltend: ‚Vielleicht ist aber das Sichbewusstmachen der Affekte, also dessen, was einen unbewusst leitet und das gibt es nun einmal, wie man nicht nur mit Verweis auf die Psychoanalyse konstatieren muss, doch der bessere Weg, um zu Erkenntnissen zu kommen, die ansonsten doch gerade durch Unbewusstes gesteuert werden.'

Die Erwiderung kannst du dir ja denken. Sie lief darauf hinaus, dass meine Auffassung im Einzelfall durchaus richtig sei, jedoch nichts an der grundsätzlichen Logik des Gesagten ändere. So ging es weiter, ich möchte dich aber damit nicht langweilen, sondern zu meinem Großvater zurückkehren."

35

„Mein Großvater war bettlägerig. Er konnte das Stockwerk nicht verlassen. Daher wurden alle Mahlzeiten – Frühstück, Mittagessen, Abendessen – in einer Art Diele im ersten Stock eingenommen. Die Diele war der Wiener Werkstätte und vor allem deren Gründer Koloman Moser, diesem Wiener Tausendkünstler der Jahrhundertwende, gewidmet.

Teilnehmer des Essens waren neben meinem Großvater meine Großmutter, Emma, Dr. Müller und ich. Des Öfteren besuchte uns die Tochter meines Großvaters, Tante Silvia, gelegentlich seine beiden Söhne, mein Vater und Onkel Ernst, der Ernstl genannt wurde. Diese Verniedlichung seines Namens, die ihn als kleinsten der drei ehelichen Kinder auswies, charakterisierte ihn auch. *Nomen est omen*. Er war ‚niedlich', nicht ernst zu nehmen, harmlos, mit allen gut Freund und weder entscheidungs- noch mitleidensfähig, nur auf die unmittelbare Bedürfnisbefriedigung bedacht, die ihm zunächst die Eltern, dann der ältere Bruder, in dessen Windschatten er sich stets bei allen relevanten Entscheidungen bewegte, gewährleistete.

Mein Großvater aß kaum etwas trotz aller Ermahnungen meiner Großmutter.

Mir in Erinnerung ist die Härte und Mitleidlosigkeit meiner Großmutter, die peinlich darauf achtete, dass der mit Seide bezogene, für meinen Großvater reservierte Stuhl – einer der insgesamt sechs nach Entwürfen von Koloman Moser original hergestellten Armlehnstühle aus mahagonigebeiztem Bugholz mit Messingmanschetten an den Stuhlbeinen, die um einen rechteckigen Holztisch, der mit Intarsien aus verschiedenen Hölzern und Perlmutter verziert war, gruppiert standen – nicht durch die Inkonsistenz meines Großvaters einer Verschmutzungsgefahr ausgesetzt würde. Die Sitzfläche war

daher mit einem einfachen Stoff bedeckt und mein Großvater wurde dauernd zurechtgewiesen, alles zu unterlassen, was
ein Verrutschen des Stoffes zu Folge haben könnte. Derartige
Zurechtweisungen waren für mich neu. Offenbar hatte die im
Hause verbreitete Erkenntnis, dass das Leben meines Großvaters sich nur noch nach Tagen bemesse, die jahrelang eingeüb-
ten Regeln revolutioniert.

Mein Großvater saß zusammengekauert, vom Krebs schon
ziemlich aufgefressen, auf dem eher ungemütlichen Jugendstilstuhl und ließ sich die Demütigung gefallen. Vielleicht erinnerte ihn die Brosche aus Gold, Emaille, Aquamarin, Glas und
Diamanten, die seine Gattin zu dieser Zeit regelmäßig trug
und die von René Lalique stammte – diesem Pariser Meister
des Jugendstils, dessen geschmeidige, anmutige Körper hem-
mungslose Sinnlichkeit andeuten, deren Gesamtausdruck aber
oft maskenartig wirkt, eine ungewöhnliche Mischung von Sexualität und Tod – an seine vielen Seitensprünge, die er mit
stets neuen Schmuckstücken für meine Großmutter vermeintlich schon einmal gesühnt hatte, und er empfand das Erleiden
derartiger Erniedrigung als eine Art Buße, die seine Sünden,
gut katholisch, reinigen konnte. Der Kauf der Schmuckstücke
war eben keine Buße, er hatte ihm vielmehr Genuss, ästhetischen Genuss bereitet. Er ‚bezahlte‘ mit Schmuckstücken, aber
auch hier legte er auf Qualität wert und darauf, dass er entschied: Es galt noch, dass seine Frau Objekt des Geschmückt-
werdens war und sich noch nicht zum Subjekt des Schmückens
emanzipiert hatte.

Zwar gelang es ihm nicht immer der Joaillerie, also der Ju-
welierskunst, die sich den Eigenkräften der Edelsteine unter-
zuordnen hatte, in all seinen Käufen gerecht zu werden und
er musste allzu oft der Bijouterie, der die Beachtung der Gesetze der Symmetrie und der Ausgewogenheit aller Teile genügen, Tribut zollen.

Meist kaufte er den Schmuck in Paris bei Fouquet. Er wollte individuell und doch geschmackvoll kaufen. Er schätzte die
Klassiker wie Fouquet, Vever und Lalique, Schmuck nach Art
der Kreation der ‚Le Must‘-Idee von Cartier, wonach, in sich

widersprüchlich, den Individuen massenhaft suggeriert wird, durch Tragen dieses Schmuckes wären sie einzigartig, während sie dadurch nur zur Schau stellen, dass sie zu dämlich sind, diese Vermarktungsidee zu durchschauen, wären ihm zuwider gewesen. Er liebte die Tiersymbolik des Jugendstils, den narzisstischen Pfau oder den stolzen Schwan, Ausdruck der Metamorphose. Seine Frau zog mehr die geheimnisvollen, lebhaften Farben des Orients vor, die durch das Zusammenverarbeiten von Rubinen, Saphiren, Smaragden und Diamanten für ein Schmuckstück entstanden und deren Meister der Chefdesigner von Cartier, Charles Jacqueau war.

Seine Kaufkriterien waren ganz unterschiedlich: Er kaufte Schmuck, die Orchideen nachbildeten, manchmal auch Insekten, sofern diese nicht zu deutlich sichtbar waren, da seine Frau Insekten am Körper eher verabscheute. Jedoch kaufte er auch einen Armschmuck, der eine goldene feuerspeiende Schlange, dem Symbol des Lebens, der Unsterblichkeit und der Sexualität, mit einem Opal Mosaikkopf darstellte, weil der Verkäufer ihm versicherte, dass es sich um eine ziemlich originale Nachbildung eines von Alphonse Mucha entworfenen Armreifes für Sarah Bernhardt handelte. Der Verkäufer, selbst gebildet oder gut geschult, hielt meinen Großvater, obwohl Deutscher, in französischer Literatur für belesen und hatte beim Namen Sarah Bernhardt hinzugefügt:‚Sie wissen schon, die berühmte Schauspielerin, die aus der Welt der Guermantes auch späteren Zeitgenossen in Erinnerung bleibt.‘ Mein Großvater, der von dieser Welt so wenig wusste wie von Marcel Proust, gab seine neue Erkenntnis meiner Großmutter weiter, die von diesem Schmuck nur noch als‚Germont‘ Schmuckstück sprach. Die Geschichte tröstete meine Großmutter über das Reptil hinweg, zumal ihr bewusst war, dass sie zwar einen Umtausch verlangen konnte, doch keinen beliebigen. Der getauschte Schmuck entsprach den Kriterien des verschmähten, so dass es meist keinen Unterschied für meine Großmutter machte und die sofortige Akzeptanz des Geschenkes ihr neben dem unverzüglichen Besitz auch die Vermeidung sonstiger Auseinandersetzungen verschaffte."

36

„Auf die Vorhaltung meiner Großmutter ‚Pass doch auf, dass
du den Stuhl nicht vollmachst, die Windeln sind für Babys und
nicht für alte Männer, daher lassen sie zu viel zu leicht durch.‘,
blickte er sie von unten traurig an, als wollte er sagen: ‚Soweit
ist es nun schon gekommen, ich darf kaum mehr auf meinen
eigenen Möbeln sitzen‘, antwortete aber nur mit wegwerfen-
der Handbewegung: ‚Ja ja, ich gebe schon acht.‘

Gleich darauf lenkte er ab und sagte zu mir: ‚Du könntest
mir einen großen Gefallen tun. Ich habe diesen Vorraum noch
nicht förmlich richtig aufgelistet. Ich gebe dir meine handge-
schriebenen Notizen und du könntest diese in eine ordentli-
che Form bringen und an einem Aufsteller, wie in den anderen
Zimmern, anbringen. Das einzige wirkliche Original ist hier,
außer dem Bild von Koloman Moser, zwar dieser weißgestri-
chene Holzschrank mit dem blauem Hoch-Rechteck-Ornament,
doch auch die Kopien beziehungsweise industriell oder halbin-
dustriell nachgebauten Möbel verdienen festgehalten zu werden. Ich finde im Übrigen, dass Koloman Moser unterschätzt
wird und immer erst Klimt, Schiele und Kokoschka genannt
werden, wenn man an das Wien der Jahrhundertwende denkt.
Es ist doch auch interessant, dass die Philosophie des rechten
Winkels, die die Möbel Koloman Mosers, aber auch Josef Hoff-
manns charakterisieren, ihren Ursprung in Schottland haben,
etwa bei Mackintosh, mit dem Moser nachweislich befreundet
war. Wer hätte das von den Schotten gedacht. Was meinst du
denn dazu, Josef?‘

Er wandte sich an seinen Freund, den Jesuitenprofessor.
‚Man darf die Schotten nicht unterschätzen. Wie die Iren waren sie mit den in ihren Klöstern bewahrten geistigen Doku-
menten vielleicht überhaupt ursächlich dafür, dass wir als Erben von so etwas wie der christlich abendländischen Kultur
uns der sonstigen Weltbevölkerung so überlegen wissen.

Erzähl mir aber doch, wie du zu diesem Bild vom Wolfgangsee von Moser gekommen bist. Mir gefällt es, es hat etwas ex-
pressionistisches, wenn ich den dargestellten See auch nur

dank der Bildbeschreibung als den Wolfgangsee zu identifizieren in der Lage bin'.

Mein Großvater nahm allzu gerne dieses Stichwort auf und schilderte in allen Einzelheiten den seinerzeitigen Erwerb des Bildes. Der Sterbende liebt offenbar die Erinnerungen, so geht es mir jetzt auch. Nur habe ich den Vorteil, in dir einen aufmerksamen, interessierten Zuhörer zu finden, der das vergangene Leben, aus der Erinnerung formuliert, mit mir teilt, während mein Großvater bei seiner Erzählung den Widerstand meiner Großmutter spüren musste, wenn sie, um die Ausführungen ihres Gatten zu verhindern, verachtend kommentierte: ‚Aber die Geschichten kennen wir doch schon, wen interessiert denn das.'

Dr. Müller hatte offenbar in langer Kenntnis meines Großvaters, aber auch der Bedürfnisse von Sterbenden und um weitere Demütigungen meines Großvaters zu vermeiden, Themen angeschnitten, die meinem Großvater die Möglichkeit gaben, der trostlosen Gegenwart durch erinnerte Vergangenheit Kontra zu bieten. Meine Großmutter hingegen meinte, dies nicht mehr schuldig zu sein, die Vergangenheit hatte ihr die Disziplin abverlangt, die jetzt doch mein Großvater zeigen möge. Sie erhob sich bald nach Beginn der ausführlichen Schilderung des Erwerbes des Bildes von Koloman Moser und ließ uns allein.

Aber vielleicht geht es dir wie meiner Großmutter?"

„Unsinn, ich kannte diese Einzelheiten nicht und das Leben deines Großvaters in den von dir miterlebten Aspekten hat dich doch mitgeprägt und zeigt auch einen Lebensentwurf, eine Lebensweise, die sicher Zeitaspekte hat, aber ebenso gewiss eine Haltung charakterisiert, die jederzeit existiert und als Lebensmuster präferiert wird. Also erzähl weiter, wir haben heute nicht mehr lange. Du warst im Grunde dabei darzutun, wie dir die Beziehung deiner Großeltern, die dir als Kind quasi sakrosankt und Teil deines Glückes war, in ihrer anderen, nicht durch Disziplin, Gewohnheit und Regeltreue verklärten Seite gewahr wurde."

Paul fuhr fort: „Der nahende oder allen gewisse Tod lässt oft unter engsten Verwandten Hemmungen schwinden und längst verdrängte Verletzungen offenbar werden, zur Vergeltung an dem nun Hilflosen.

Täglich kam der Arzt, Dr. Feuerle. Wenn er das Krankenzimmer verließ, begaben wir uns in das Wohnzimmer im Erdgeschoss und Dr. Feuerle gab das ärztliche Bulletin in Kürze bekannt, bevor er, nachdem er diskret ein für ihn in der Garderobe bereitgelegtes Kuvert mit Bargeld in seine Jackentasche verschwinden hatte lassen, seinen im Hof abgestellten Porsche, der mit den Inhalten entsprechender Kuverts diverser geldiger Kranker finanziert worden war, startete. Unter dem Knarzen des Hofkieses steuerte Dr. Feuerle das Auto, dessen Motor ein Geräusch von sich gab, welches Männern seiner Art Glücksgefühle bereitete, da offenbar Männlichkeitsbestätigungen vermittelnd und den Neid anderer Männer begründete, die wohl zurecht vermuteten, dass der Besitz derartiger Fortbewegungsmittel die Betätigung männlicher Fortpflanzungstriebe gegenüber mancher Frau erleichterten.

Großmutter beschwerte sich, dass Dr. Feuerle – ‚ein wirklich guter und zuverlässiger Arzt, wenn auch sein Vater, der, da etwas stattlicher, für das Empfinden der meisten Frauen noch besser ausgesehen hatte, aber darauf kommt es bei einem Arzt ja nicht an‘ – seine Frau verlassen hatte und in wilder Ehe mit seiner ehemaligen Sprechstundenhilfe lebte. Diese Beziehung sollte jedoch, wie man hörte, bald bürgerlich legitimiert werden und die zwanzig Jahre Jüngere konnte die gleiche Arbeit nun als ‚Frau Doktor‘ täglich exekutieren, von älteren weiblichen Patienten nach wie vor missbilligend beobachtet und damit einerseits weibliche Solidarität mit der Exgattin gegen die auch noch erfolgreiche Konkubine andererseits katholisches Festhalten am sechsten Gebot bekundend.“

37

„Bei einem dieser Besuche teilte Dr. Feuerle meiner Großmutter mit, dass mit dem ‚Ernstfall‘ wohl baldigst, genauer gesagt in einer Frist, die sich nicht nach Wochen, sondern Tagen bemesse, zu rechnen sei.

Dass mein Großvater sterbend war, hätte mir an seinen Augen auffallen müssen. Bei Sterbenden verlieren die Augen ih-

ren Glanz, wie Proust so treffend an Monsieur de Charlus beschrieben hat, der mit dem Glanz seiner Augen auch seinen
hochgestimmten Stolz verlor, so dass das physische Leben den
aristokratischen Hochmut überdauerte. Wie mein Großvater
von seiner Frau, aber auch Emma gedemütigt wurde, so ließ
sich Charlus als vom Schlaganfall Gezeichneter herab, Damen
zu grüßen, die er früher nie bemerkt hätte. Aber ich war noch
ungeübt, Sterbende zu sehen und zu erleben.

Mir wurde eine Veränderung nur dadurch bewusst, dass
meine Großmutter nun mit Kuglmüller des Öfteren nach München fuhr und sich bald herumgesprochen hatte, dass Ziel der
Fahrten ihre Schneiderin war. Sie ließ sich offenbar ein Trauer-
kleid schneidern. Das rationale Kalkül, dass die Dauer von der
Bestellung, der Auswahl des Stoffes, diverser Anproben bis zur
letztendlichen Fertigstellung eines Trauerkleides den Zeitraum
vom festgestellten Tod zur Beerdigung bei Weitem übertreffe,
und daher Vorbereitungen noch zu Lebzeiten des zu Betrau-
ernden erfordere, wollte man angemessen und das heißt eben
nicht von der Stange angezogen der Trauergemeinde gegen-
übertreten, war mir völlig fremd. Den Tod, der ungewiss war
und von dem man doch hoffte, er werde nicht so bald eintre-
ten, in Handlungen einzurechnen, erschien mir vor allem für
meine Großmutter als Ehefrau, die für mich die nächste Vertraute des Großvaters war, gänzlich undenkbar. Umso mehr
war ich geschockt, als mir der Zweck der regelmäßigen Fahrten
nach München bewusst wurde. Ein weiterer Schritt zur Ent-
zauberung des Verhältnisses der Großeltern untereinander."

„Hättest du damals unseren Proust schon verinnerlicht, so
hättest du gewusst, dass im Leben der Frauen alles, selbst der
größte Schmerz, schließlich zur Kleiderfrage werde. Eine gewiss
‚political' inkorrekte Feststellung des Erzählers der hochadeli-
gen Welt der Guermantes, die ihm offenbar von manchem intellektuellen Gutmenschen verziehen wird, da er Stil im wahrsten Sinne des Wortes hatte", warf ich ein.

Paul ging jedoch darauf nicht ein. Er fuhr fort:

„Sinnlich offenbar wurde mir das wirkliche Verhältnis kurze Zeit später, als ich im Krankenzimmer – mein Großvater

konnte nun das Bett nicht mehr verlassen – Zeuge einer der seltenen pflegerischen Bemühungen meiner Großmutter wurde. Sie wechselte das eingenässte Tuch unter dem Gesäß meines Großvaters und hob dabei mit spitzen Fingern, ganz angeekelt den Penis des Großvaters empor. Während sie sich nicht enthalten konnte, zu äußern: ‚So viel hat der gesündigt, das muss er jetzt büßen‘, ließ sie das schlaffe, aber durchaus noch schöne Glied niederfallen. Mein Großvater, dort offenbar immer noch empfindlich, zuckte sichtlich schmerzhaft zusammen. Er sagte nichts, stöhnte nur leicht und sah beschämt zu mir, seinem Enkel.

Mein Großvater war geistig völlig präsent. Er war allerdings schon sehr schwach und konnte kaum noch selbst lesen. Daher nutzte er meine Anwesenheit, mich zu bitten, ihm vorzulesen. Es waren drei Bücher, die als Essenz seiner Beschäftigung mit schriftstellerischen Arbeiten für ihn von letzter Relevanz geblieben waren: Fontanes ‚Stechlin‘, aus Montaignes Essais,‚Philosophieren heißt Sterben lernen‘ und aus Senecas ‚Philosophische Schriften‘ der Brief an Paulinus,‚Von der Kürze des Lebens‘.

Von Dr. Müller habe ich später erfahren, dass die Beschäftigung meines Großvaters mit Philosophie sich weitgehend auf Seneca und Montaigne beschränkt hatte: ‚Warum soll ich mir Gedanken machen über Dinge, die die besten Köpfe auch nicht lösen konnten, während ich bei Seneca wie bei Montaigne nachvollziehbar begründet die für mein Leben notwendigen Weisheiten finde, Räsonnement als Lebenserfahrung. Philosophie, deren Aussage keinen praktischen Nutzen hat, ist überflüssig‘, hatte er sich sinngemäß gerechtfertigt. Seine Belletristik Lektüre konzentrierte sich auf Fontane, wobei er sehr früh eine Vorliebe für den ‚Stechlin‘ entwickelt hatte. ‚Mich fasziniert der alte Stechlin. So wäre ich gerne, obwohl ich selbst doch so anders bin. Fontane, der den alten Stechlin sagen lässt ‚Wenn ich das Gegenteil gesagt hätte, wäre es ebenso richtig‘ und dies weder zynisch, skeptisch oder nihilistisch meint, sondern als Wissen um die Relativität menschlicher Erkenntnis, verfehlter Dogmatik, hat auch durch die Zuordnung von je zwei Figuren, wie Stechlin und den Grafen Barby oder Melusine und

Armgard, die Dialektik des Lebens gestaltet und gleichzeitig es Interpreten erschwert, wenn nicht unmöglich gemacht, den Autor festzulegen. Er hat gezeigt, dass Lebensentscheidungen nie eindeutig richtig oder falsch sind, dass es auf die Haltung, den Stil ankommt. Wie nimmt man das gewiss auch selbst mitherbeigeführte Schicksal an und bleibt sich seiner Relativität bewusst? So wird man milde und gelassen oder sollte es wenigstens werden.'

Diese von meinem Großvater so geschätzte Ambivalenz des Lebens liebte er übrigens auch in Mozarts ‚Cosi fan tutte' und wäre ihm, hätte er den Film gekannt, auch in Ingmar Bergmans ‚Lächeln einer Sommernacht' wiederbegegnet.

Außer den genannten Autoren las er neben den Fach- und Tageszeitungen und einigen historischen Büchern lediglich kunsttheoretische Abhandlungen.

Ich sollte ihm jeweils einen Abschnitt aus Montaigne oder Seneca vorlesen und dann ein wahllos ausgewähltes Kapitel aus dem ‚Stechlin'. Er schlief darüber meist ein.

Was träumte er? Wurde er Teil der Welt Fontanes, einer Welt, in der Namen wie Melusine vorkommen, die märchenhafte Wasserfrau, die um der Liebe willen, auf ihre Unsterblichkeit zu verzichten bereit ist, im Roman Fontanes aber unglücklich geliebt hat und hinter ihrer Schwester schließlich zurücksteht – die Potentialität des Lebens veranschaulichend, das so oder so ausgehen kann. Oder wurde er Teil seiner eigenen im Traum und der Erinnerung bewahrten Vergangenheit?

Montaigne teilte uns mit, die Weisheit lehre, den Tod nicht zu fürchten. Er begründete das damit, der Tod habe Schrecken für alle, weil man das Leben verliere, aber was verliere man dabei tatsächlich: Die Güter des Lebens. Hänge man nicht daran, könne man das auch nicht verlieren und man komme leichter mit dem Tauschhandel des Todes zurecht. Meiner Meinung impliziert ein solcher Gedanke aber, dass, wenn man das Leben nicht liebe, wenn es einem gleichgültig sei, dies auch für dessen Negation zutreffen müsse. Wenn aber nicht? Dann kann der Tod nur seinen Schrecken verlieren, wenn man ihn als Anfang eines neuen Lebens sieht.

Nach solch einem Gedanken Montaignes oder dessen Bemerkungen über die Zeit wie ‚Lange Zeit leben und kurze Zeit leben, wird durch den Tod einerlei. Denn lang und kurz misst keine Dinge, die nicht mehr sind.‘, erhob mein Großvater bald die Hand, um Einhalt zu gebieten. Darüber zu sprechen, war er zu schwach, aber er dachte wohl über die Frage nach, ob die Zeit, die vergangen ist, weg ist, wie die Zeit vor der Geburt oder vielleicht in der Erinnerung verbleibt?

Er meinte: ‚Danke, genug‘. Nach einer längeren Pause sagte er: ‚Und nun zu Fontane. Suche ein beliebiges Kapitel aus, beginne aber am Anfang des Kapitels.‘ Bei den sechsundvierzig Kapiteln des ‚Stechlin‘ bestand reichlich Variationsmöglichkeit. Er wollte bewusst nicht in der Reihenfolge der Kapitel vorgelesen haben, sondern einmal ein frühes Kapitel, einmal ein späteres. Nach dem jeweiligen Beginn freute er sich offenbar, sobald er das Vorgelesene in den gesamten Roman einordnen konnte. Er fühlte sich in seinen Urteilen bestätigt, wenn ich vorlas, wie der alte Mediziner, Dr. Sponholz von der christlichen Ehe als ‚Schinken in Burgunder‘ sprach, ‚das eine ist immer da, aber das andere fehlt‘, wenn die Prinzessin, die Frau des Oberförsters ihren Gatten immer nur mit seinem Nachnamen ‚Katzler‘ nannte, da ‚mein Mann‘ plebejisch sei, oder wenn Dubslav meinte, in Seelenangelegenheiten sei der nächste Trost der beste und der, den man am schnellsten hat, denn wer schnell gebe, gebe doppelt, ebenso wie Worte, die von Herzen kommen, die als gute Worte einen helfen und man nicht frage, ob sie richtig seien.

Mir wurde bei diesem Vorlesen klar, wie Fontane schreibt: So wie das Leben sein könnte, gelassen und ruhig, sich bewusst seiend, manches zu erreichen und manches nicht, bescheiden, aber nicht bedürfnislos, heimatverbunden, aber nicht provinziell, gebildet, aber nicht intellektuell abgehoben, detailbewusst, aber nicht fantasielos. Weltbürgertum, das um seine Wurzeln weiß, Liebe, die nicht verglühende Raserei, sondern substantielle Lebensgrundlage ist, Religiosität ohne Eifer und pharisäische Konformität, spannend und doch unaufgeregt, interesseloses Wohlgefallen im Sinne Kants.

War meinem Großvater bewusst, dass er diese Option verfehlt hatte?"

Ich konnte mir nicht versagen, eine Bemerkung zu Fontane zu machen: „Fontane ist eben mehr als purer Realismus, als reine Beschreibungsliteratur. Er wusste, dass die von ihm abgebildete Realität seine Realität war, wie könnte es auch anders sein. Sprache war ihm mehr als schöner Stil oder zweckdienliche Kommunikation. Er war aber auch kein Sprachzweifler. Die gewiss untergehende Welt, die er schildert, deren Protagonisten die Katastrophe des Ersten Weltkrieges, wenn schon nicht herbeigeführt, so zumindest nicht verhindert hatten, geht subjektiv immer wieder unter. Die Helden darin können erfüllt, gelassen und geläutert zurückblicken wie Dubslav Stechlin, oder bis zuletzt nachzuholen trachten, was nicht mehr einzuholen ist. Aber ich habe dich unterbrochen."

Paul fuhr fort: „Wenn Großvater über der Schilderung der Gespräche von Rex, Czako und Woldemar – die Personen werden im ‚Stechlin' durch das, was sie sagen. charakterisiert, durch ihre Meinungen, sie agieren, indem sie sprechen –, eingeschlafen war, blätterte ich in den Schriften Senecas und las etwa den Brief an seinen Bruder Gallio ‚Vom glücklichen Leben'.

Ich sah den Sterbenden schlafend vor mir und konfrontierte sein Leben mit den Erkenntnissen Senecas. Hatte er glücklich gelebt, dem Ziel nach dem alle streben? War sein Leben mit der Natur im Einklang? War er tugendhaft oder hatte er sich der Lust verschrieben und wurde er damit unfrei, da von äußerlichen Dingen abhängig? Ist Freiheit und Lebensglück eines, bedingt eines das andere? Seneca meint, dass glücklich nur sei, dessen Lebenslage durch die Vernunft gebilligt werde, dass sich der Mensch vom Tier durch die Vernunft, den Verstand unterscheide. Die Vernunft im praktischen Leben heißt Tugend, und diese wird recht pragmatisch definiert als Zufriedenheit, in Eintracht mit seinen Verhältnissen lebend, weder von Begierden noch von Furcht getrieben, letztlich maßhaltend, Mäßigung.

Nicht der Wechsel von Küche und Bordell als Höhepunkt eines Lebens im Wohlstand ohne Arbeit sei Glück, Reichtum nur insofern Voraussetzung, als man nicht abhängig sei, aber auch nicht abhängig vom Reichtum, weder Herr noch Sklave des Reichtums. Warum gab er mir nicht diesen Brief zum Vorlesen, sondern den an Paulinus? Warum las ich ihm anstatt über ein tugendhaftes oder glückliches Leben darüber vor, wie man sich die Zeit am besten einteile, und nicht zu denen gehöre, die das Vergangene vergessen, die Gegenwart verträumen und vor der Zukunft Angst haben, indem man nämlich Muße finde, die Zeit der Weisheit zu widmen, was mein Großvater offenbar auch noch in seinen letzten Lebensstunden mit mir als Helfer realisierte.

Was hatte mein Großvater mir weitergegeben? Waren es die Erinnerungen an ihn, und wenn was charakterisierten diese? War es der Typus, den er darstellte, der gebildete Bürger, der sich der Weltläufigkeit bediente, der er doch seine Verachtung nicht vorenthielt? War es seine Lebensart, die er mir durch sein Auftreten veranschaulichte, oder waren es die Anstandsattitüden, die er meinte, mir beibringen zu müssen, da er sich insofern des Vertrauens in meine Eltern nicht gewiss war, wie dass der Herr aufstehe, wenn eine Dame sich nähere oder den Tisch verlasse, dass der Herr der Dame stets den Vortritt lasse mit Ausnahme des Betretens von Restaurants, Bars, Theater oder Kino. Dort gehe der Herr der Dame voraus, aber er halte ihr die Türe auf, geschuldet einer Zeit, in der man an öffentlichen Orten nicht sicher war und der Herr die Lokalität erst begutachten musste. Dasselbe gelte beim Treppensteigen. Der Herr enthebe sich der Verlegenheit, die Dame von hinten zu mustern, das bleibe einer intimeren Umgebung überlassen, wie er augenzwinkernd hinzufügte.

Es waren solche Formalitäten, die er bei seinen Söhnen vermisste, die er gepflegte Bürgerlichkeit nannte und die er mir eher beiläufig durch sein Vorbild anempfahl, nicht aufoktroyierte. So begrüßte er auch Damen regelmäßig mit einem Handkuss, den er formvollendet ausführte: Poth ergreift sanft die ausgestreckte Hand der Dame, führt sie behutsam leicht nach oben, beugt seinen Kopf ein wenig und haucht lediglich die Andeutung eines Kusses auf den Handrücken der Dame. Dabei hält er den Kopf leicht geneigt. Die Lippen berühren den Handrücken kaum. Wenige Frauen verstanden es, angemessen sich an diesem Ritual zu beteiligen, indem sie die Hand locker entgegenreichten."

Paul hielt inne und ich bemerkte: „Solche von dir geschilderte Höflichkeitsfloskeln, wie auch ein sprachlich gepflegter Umgangston, der Vulgaritäten und Fäkaliensprache vermeidet, bewahren eine Form der Humanität, eine Form der Distanz, die damit zu erkennen gibt, dass sie bewusst darauf verzichtet, zu sagen, was sie weiß, zu tun, was sie könnte, und damit den anderen schont."

38

Paul ging darauf nicht ein, sondern fuhr fort: „Ich dachte aber auch an die wenigen, gemeinsamen Unternehmungen, die wir außer den sonntäglichen Kirchenbesuchen gemacht hatten. In Erinnerung blieb und bleibt mir vor allem ein Ausflug nach Ettal, und damit in die Schulzeit meines Großvaters.

Ich war vielleicht schon fünfzehn oder sechzehn Jahre alt. Ich glaube, du machtest eine Party und ich wollte, da es spät werden würde, bei meinen Großeltern übernachten. Ich hatte meinem Großvater erzählt, dass ich in der Schule über die Benediktiner in Bayern referieren musste. Er hatte daraufhin angeregt, mir doch seine alte, ehemalige Schule in Ettal zu zeigen. Vor der Party fuhr ich mit meinem Großvater an diesem von einem frühen Wintereinbruch geprägten Novemberwochenende, von Kuglmüller chauffiert, Richtung Süden.

Ein kalter Westwind trieb die Schneeflocken vor sich her, in deren Wirbel gelegentlich braune Blätter daran erinnerten, dass es noch Spätherbst war. Auch manche Sträucher, wie die Forsythien, deren Blätter noch grün trugen, wirkten gänzlich deplatziert. Die Glocken der Kirche von Seeberg, die um zwei Uhr mittags den Sonntag einläuteten, kämpften gegen die Böen, deren unregelmäßiges Brausen ansonsten das einzige vernehmbare Geräusch an diesem so unwirtlichen Tag war, da die meisten Singvögel längst in wärmeren Gefilden weilten und die verbliebenen Krähen ihr Gekrächze eingestellt hatten. Das Laub wurde zunehmend von Schnee bedeckt, der aber noch nicht gänzlich obsiegt hatte. Die Weihnachtszeit kündigte sich an und damit Kindheitsglück und Familienseligkeit. Das Haus, das Heim wird zur Heimat.

Ein wolkenverhangener grauer Himmel – wie auf Helmut Newtons Bild ‚Frachter, Monte Carlo 92' –, der konturenlos den Bergen, der hügeligen Landschaft und dem See sich anglich, und nicht wie bei Newton das Meer unruhig, verstärkt durch den Himmel und Wasser verbindenden dunklen einsamen Frachter, Weite, Ferne, Unendlichkeit signalisierte.

Über Weilheim und Murnau gelangten wir bald nach Ettal. Mein Großvater, Dr. Müller und Fritz Liebknecht gingen dort gemeinsam auf das Internat, um humanistisch gebildet zu werden. Das Gymnasium basierte auf der 1710 gegründeten Ritterakademie, wie mein Großvater mir stolz erläuterte, edel und anständig wie Ritter und gebildet wie die alten Griechen, das war ihr Ideal.

Mein Großvater führte mich in die Klosterkirche, die wie das Kloster selbst nach dem Brand im 18. Jahrhundert nach Plänen von Enrico Zuccalli durch Joseph Schmutzer aus der Wessobrunner Schule wieder aufgebaut worden war.

Er erläuterte mir den Grundriss im Stil der Gotik von der Zahl zwölf bestimmt, zwölf Seiten und zwölf Kanten; er zeigte mir, wie in der Kuppel Gestuftes in Gemauertes und Stuckiertes in Gemaltes übergeht, wirklich Festes in Unwirkliches, ganz barock, Himmlisches bricht in die irdische Realität ein. Er demonstrierte mir die ‚Inszenierung' des Barocks anhand der großen Vorhangdraperien, die von den mittleren Altären zu beiden Seiten nach oben zurückgezogen sind und die typischen muschelähnlichen Rokokogebilde, die Rocailles, die Fensterbogen durchbrechen, das Hauptgesims überspielen und goldhinterlegt die Bogenfelder garnieren.

Er machte mich darauf aufmerksam, dass der Effekt des schönen Scheines, der auf echte Materialien verzichtet, das Vorübergehende des barocken Theaters sinnfällig machen soll:

Die Holzaufbauten, die sogenannten Retabel der Altäre sind in Marmorfassung gehalten, die Heiligenstatuen wie Alabasterfiguren weißgrau gefasst. Er verwies mich auf die andere Stilepoche des frühen Klassizismus im Hochaltarraum: Statt bewegter, vitaler Formen nun kühle, vornehme Strenge.

Mein Großvater führte mich dann noch ins nicht weit entfernte Schloss Linderhof, um mir zu demonstrieren, was Kitsch sei, obwohl schön gelegen.

Er resümierte den Ausflug mit in etwa folgenden Worten: ‚Ettal und Linderhof, beides ist bayerisch, beides ist deine Heimat, beides nebeneinander gelegen demonstriert es die Dichotomie dieses, unseres Volkes, das zwar Fontane im ‚Stechlin‘ seinen Grafen Barby den nettesten, weil natürlichsten deutschen Stamm heißen lässt, uns aber nicht verleugnen lassen kann, dass wir beides sind und haben. Hier die leichte, barocke, fromme, aber nicht bigotte Lebenslust, dort der verkrampfte, dumpfe, gestörte Pomp der Möchtegerns.‘

Ich dachte am Todesbett des Großvaters an diesen Ausflug weniger wegen der Belehrung zurück, sondern eher als gemeinsames Erlebnis, dankbar dafür, dass er es wert gefunden hatte, sich Zeit für den Heranwachsenden zu nehmen. So bleiben vielleicht Kinder entgegen der Ideologie des Laissez-faire den Eltern eher verpflichtet, die sich um sie kümmerten, möglichem kindlichen Widerstand trotzend.“

39

„Ich las meinem Großvater bis zum Tage vor seinem Tod vor. Er wurde immer schwächer, er stand nicht mehr auf, das Gesicht war ausgemergelt, die Augen traten hervor, sie waren gebrochen, müde. Er hielt den Kopf, um Luft zu bekommen, nach hinten gebeugt und atmete mühsam. Er schlief immer mehr. Einige Tage vor seinem Tode konnte man ihn nicht mehr verstehen. Ich las dennoch und er gab mir durch sein Nicken sein Einverständnis zu erkennen. Dann erklärte meine Großmutter, dass es keinen Sinn mehr mache.

Ich besuchte ihn still, hielt seine weiche, warme, ganz knochige Hand. Bei seinem Tod war nur mein Vater, der seinen Vater einmal in der Woche besuchte, anwesend. Mein Großvater richtete sich kurz auf, sah seinen Sohn groß an und atmete tief. Dann legte er sich zur Seite und war tot. Er hatte ausgeatmet."

Paul hielt inne, ergriffen von der Erinnerung und vielleicht an sein eigenes, drohendes Ende denkend.

Wir schwiegen, ich dachte: Eigentlich ein schöner Tod. Wie anders als bei Bergman in „Schreie und Flüstern". Diesen Film hatte meine Frau Sarah mich genötigt, auf DVD zu sehen. Ich solle mich doch mit dem Tod auseinandersetzen. Ich musste daran denken, wie dort die Schwestern Karin und Maria beim Sterben ihrer Schwester sich nur einmal nahekommen – eine Nähe, die die sich verabschiedende Maria wieder zerstört, indem sie sie verleugnet –, die Menschen sind für Schwäche zu schwach und damit für Liebe –, „Geliebt wirst du einzig, wo du dich schwach zeigen darfst, ohne Stärke zu provozieren." (TWA) – sie berühren sich und reden, der Zuschauer sieht Glück und hört ein Cello. Wenn sich im Tod das Leben resümiert, in Bergmans Film nur Konvention, Oberflächlichkeit, Hartherzigkeit, gegenseitige Verletzungen, Hass – allein das Dienstmädchen ist in seiner Animalität human –, so gab es in Konsul Dr. Poths Leben offenbar doch Momente des Friedens und der Liebe. Er konnte sich einigermaßen versöhnt verabschieden, vom Enkel vertraut begleitet (vielleicht auch von Dr. Müller), vielleicht auch zuletzt dem ältesten Sohn gegenüber, den er immer geringschätzig, verächtlich behandelt hatte und zu dem er, anders als zu seinem illegitimen Sohn, nie eine Beziehung gefunden hatte.

Ich wollte dies Thema jedoch nicht von mir aus ansprechen und, da Paul weiter schwieg, wechselte ich es.

40

„Ich kann mich an die Beerdigung erinnern. Dr. Müller hielt den Gottesdienst und predigte über das Leben deines Großvaters, aber auch über den Tod."

Paul nahm den Faden auf: „Die Predigt hatte mich tief beeindruckt. Es ging um die Frage wie man vom Tod zum Leben
kommt. Dr. Müller erinnerte daran, dass die heutige Zeit – es
war zu Beginn der siebziger Jahre, aber das galt schon damals,
wie mehr denn heute –, Jugendlichkeit, Gesundheit, Reanimation über alles stelle, im Gegensatz zum Christentum, das
den Kreuzestod, nach antikem Verständnis der schändlichste
Tod, im Mittelpunkt seiner Religion sehe. Der Tod lasse sich
nur aus dem Leben verstehen. Wer den Tod verstehen wolle,
müsse das Leben verstanden haben. Nur wer zu leben verstehe, wird auch zu sterben verstehen. Er zitierte Seneca über die
Kürze des Lebens und warnte vor dem gehetzten Karrieristen,
der das Leben auf die Zeit nach seiner Pensionierung verschie-
be. Dann sei es zu spät. Die Zeit ist abgelaufen, die Zeit wurde
verschleudert. Andere schlagen die Zeit tot. Auch das sei nicht
besser. Der bewusste Umgang mit dem Leben sei Lebenskunst.
Wer das beherrsche, sei auch für den Tod bereit, der letztlich
zu neuem Leben führe, der Anfang eines neuen Lebens sei, wie
Montaigne ausführe. Für die Christen sei der Ostermontag entscheidend: Es gebe eine Beziehung, die der Tod nicht beende,
die Beziehung zu Gott. Durch die Wiederauferstehung sei das
Individuum unverfügbar, über den Tod hinaus.

Ich kann mich auch deshalb noch so gut an die Predigt erinnern, weil Dr. Müller mit mir am Tage des Todes meines Großvaters in der Bibliothek gesessen hatte und wir dort den Inhalt der künftigen Predigt thematisierten. Der Jesuit hatte
eine Schallplatte mit dem Requiem von Mozart aufgelegt, dirigiert von Herbert von Karajan und gespielt von den Berliner
Philharmonikern. Wir lauschten betroffen und ergriffen diesem ‚Opus summum viri summi‘, Mozarts letztem Werk, das
nicht mehr von ihm fertiggestellt wurde und deren Gesangs-
probe er noch am Abend seines Todestages hörte. Wir schau-
ten auf die Zugspitze und den Gebirgszug der Alpen, die den
Horizont beschränkten, fern und doch nah, da vertraut, die
Erscheinung einer Ferne, so nah sie sein mag, könnte man
sagen, um Benjamin zu zitieren. Das hieße, der Blick auf die
Zugspitze aus dem Bibliotheksfenster meines Großvaters ver-

mittelte eine Aura, wäre somit Kunst, oder sagen wir besser Schönheit, Naturschönheit. So fühlte ich jedenfalls in diesem Augenblick. Mozarts Requiem, die ruhige, selbstgewisse Anwesenheit Dr. Müllers, der vertraute und begrenzende Blick auf Deutschlands höchsten Berg, oben der verstorbene Großvater, das ganze Haus in ehrfürchtiger Ruhe und Demut dem Tod gegenüber – es war, als begleiteten wir die Seele des Großvaters ein wenig ins Jenseits. Wir saßen lange, nur unterbrochen durch das Wechseln der Schallplatte, und verharrten auch noch, nachdem der Chor längst mit dem bestimmenden, hoffnungsfrohen und gewissen ‚quia pius es‘ – vielleicht am besten übersetzt mit: Denn du bist mild – geendet hatte.

Ich erinnerte mich an diesen ergreifenden Moment einer Koinzidenz von Kunst, Natur, Leben, Tod und Gemeinsamkeit, als ich vor einigen Monaten in St. Michaelis in Hamburg die Matthäus Passion von Bach hörte: Die Chorgesänge lösten sich in herrlicher Akustik auf, sie führten in den Himmel in der Barockkirche, die keine Bilder zulässt und deren Raumgefühl durch die allzu protestantischen Einbauten von hölzernen Emporen empfindlich gestört ist. Und doch war es auch diese empfundene Gemeinsamkeit, diese Versöhnung von Kunst, Leben und Tod, die Versöhnung der menschlichen Existenz mit sich selbst als Moment. Das lässt sich nur steigern in bayerischen Barockkirchen, wie der Aufführung des Requiems von Bernstein in der Dießener Klosterkirche, diesen Prachtbau Johann Michael Fischers, dem Vollender der süddeutschen Kirchenbaukunst auf altbayerischem Boden.

Dr. Müller beendete schließlich die ‚Andacht‘, indem er mir die Anekdote des Auftraggebers Mozarts erzählte, Graf Walsegg, der auf Schloss Stuppach in der Steiermark lebte und der bei Musikern Kompositionen bestellte und bezahlte, um diese als eigene Werke auszugeben. Er dirigierte auch die Uraufführung und ließ sich als Komponist des ‚Requiems‘ bewundern. Von Mozart stamme aber nur das Kyrie und das Requiem aeternam, den Rest habe sein Schüler Süßmayr ausgeführt nach Skizzen und Ideen von Mozart. Das zeige wieder einmal, dass für große Kunstwerke die grundlegenden Ideen entscheidend seien, die technische Ausführung sei delegierbar, wie wir auch von Michelangelo oder Leonardo wüssten.

Er fragte mich, was ich meinem Großvater in seinen letzten Tagen vorgelesen hätte.

Als ich unter anderen auf Fontanes Stechlin verwies, meinte er, dass es vielleicht eine gute Idee wäre, in der Trauerpredigt meinen Großvater mit dem alten Stechlin zu vergleichen. Ich sollte ihm doch den Gefallen tun und mir einige Charakteristiken von Stechlin heraussuchen. Wir könnten dann darüber diskutieren, ob diese auf meinen Großvater zuträfen oder nicht.

Ich tat wie geheißen und wir saßen zwei Tage später wieder in der Bibliothek und stellten die Unterschiede und Gemeinsamkeiten meines Großvaters mit Dubslav Stechlin fest.

Mein Großvater war kein Militär, er war nicht adelig und nicht märkisch, sondern bayerisch. Eine von Herzen kommende Humanität würde man ihm auch nicht zusprechen können, er war eher arrogant, allerdings hasste er wie der alte Stechlin-Dünkel und Überheblichkeit bei anderen. Er war nicht lieber im Sattel als bei Büchern, eher als Jäger im Walde, liebte aber zumindest die Kunstliteratur. Er war auch ,eigentlich kirchlich', wenn auch eigentlich katholisch, nicht protestantisch, und beide hatten durchaus gemeinsame Ansichten wie ,Courage ist gut, Ausdauer ist besser' oder ,fromm ist wie eine untergelegte Hand', über die Farce der Umgangsformen, die der Mensch als erstes durchbreche – in der Ehe wahrt kein Mann die Formen, wenn die Frau ihn ärgert –, der richtigen Kindererziehung: Frei, aber nicht frech, und den alten Familien, die an der Vorstellung krankten, dass es ohne sie nicht gehe. Die Hauptgemeinsamkeit war aber, dass beide von einer anderen Welt waren, einer aussterbenden Gattung angehörten: Stechlin den Junkern, die liberal und weltoffen, auf ihrer Scholle sitzend und doch weder prätentiös noch provinziell waren. Mein Großvater ein Unternehmer, dem, gebildet und charmant, das Unternehmertum Mittel zum Zweck eines Lebens nach seinen Vorstellungen war und nicht Selbstzweck, der sich nicht dadurch definierte, welchen Marktanteil seine Firma erobert hatte oder ob seine Kapitalverzinsung diejenige des Branchenprimus bei Weitem übertraf, dem gesellschaftliche oder geschäftliche Veranstaltungen nicht dazu dienten, weitere Geschäfte anzubahnen oder sich von Höflingen huldigen zu lassen. Er nahm die Verantwortung für das ererbte Geschäft seiner Familie, den Mitarbeitern und den Kunden gegenüber wahr, aber das sich daraus ergebende Kapital akkumulierte er nicht in weiteren Firmenexpansionen, sondern investierte es in einen Lebensstil, der gebildeten und kultivierten und nicht neureichen und luxuriösen Ansprüchen entsprach, wie etwa der Aufrechterhaltung seines Hausstandes in Seeberg, der Subvention seines Kunsthandels oder seiner Sammlung von Zeichnungen von Parmigianino.

Mein Großvater war gewiss auch kein Programmedelmann, er betete nicht das Goldene Kalb an, aber er hatte Feinde, geschuldet eher seiner Haltung, seiner fast solipsistischen Arroganz als konkreten Handlungen.

Jedoch hatte er ein Herz, war ihm nichts Menschliches fremd, weil er sich seiner eigenen menschlichen Schwäche jederzeit bewusst war, war er friedfertig, barmherzig und lauter. Gewiss lag sein Leben nicht aufgeschlagen da, da er nichts zu verbergen hatte. Im Gegenteil, er hatte ein ausgesprochenes Doppelleben geführt.

Dr. Müller war der Vergleich mit Stechlin dann doch zu prätentiös und er unterließ den Hinweis in seiner Predigt. Aber er erwähnte den Roman als Lieblingsroman meines Großvaters mit der Anmerkung, dass sich mit dem Sterben ein ewig Gesetzliches vollziehe, weiter nichts, das nicht schrecken dürfe und in das man als sittlicher Mensch sich ruhig zu schicken habe. wenn auch gelte ‚Das Leben ist kurz, aber die Stunde ist lang'.

Es war eine riesige Trauergemeinde: Meine Großmutter hatte Mozarts Krönungsmesse aufführen lassen. Beim Agnus Dei im Blick auf das Tiepolo-Bild des Hochaltars der Kirche von Seeberg fühlte ich nicht nur durch den klaren Sopran in der Fülle der neubarocken Kirche eine wohlige Versöhnung mit der ganzen Trauergemeinde, sondern mich vielmehr in andere Regionen versetzt. Das Bild meines Großvaters wurde mir in allen seinen Facetten deutlich. Der gebildete, herrische Herr, der für den Jungen nicht nur körperlich so groß, ihm doch gelegentlich willkommene Aufmerksamkeit schenkte und dessen Präsenz gleichzeitig die Gewissheit unbekümmerter kindlicher Existenz garantierte bis zum darniederliegenden Greis, dessen Geist immer noch wach und behend war, die Naturerlebnisse auf der Jagd und die Bildungserlebnisse in der Alten Pinakothek, all das wurde mir gewärtig.

Ich dachte an die Tage zwischen dem Tod und dem Abtransport meines Großvaters ins Leichenschauhaus. Es war eine einzigartige Atmosphäre in der Villa Seeblick. Das Wissen, dass ein Toter unter dem Dach lag, bewirkte, dass alle mehr Rücksicht nahmen, nicht so laut redeten und aufgeregt waren. Es war wie eine Zeitenwende, die gewiss, aber noch nicht vollzogen war. Mein Großvater war schon weg und dennoch noch da. Der Seele wurde die Zeit gegeben, drei Tage meinen die Anthroposophen, die sie benötigte, den Körper zu verlassen. Erst die Beerdigung besiegelte den endgültigen Abschied. So schaffen sich die Menschen Übergangszeiten zur Gewöhnung an qualitativ neue Lebensumstände.

Es ist Zeit, wir müssen enden, ich danke dir für deine Geduld, machen wir erst nächste Woche weiter. Es strengt mich doch an. Außerdem werde ich morgen wieder bestrahlt. Danach ist mir Ruhe lieber.

Übrigens, wir haben doch am Samstag Theater."

„Was gibt es denn?"

„Ich glaube Beckett, ‚Endspiel. Was hältst du davon, wenn wir uns vorher ausführlich zum Essen treffen?"

„Gute Idee. Wo?"

„Ich kenne einen Italiener, direkt am Dom, er bezeichnet sich, ganz unitalienisch als Guido. Sagen wir 18.00 Uhr, das Theater beginnt um 20.00 Uhr, so haben wir ausführlich Zeit, zu reden. Ich hätte nur eine Bitte, reden wir nicht über meine Krankheit."

„Einverstanden."

41

Zu Hause diskutierte der Literaturkreis meiner Frau. Dieser Kreis, einer der vielen Literaturkreise, die sich zur Freude der Literaten, deren Nachkommen, sofern sie noch Tantiemen berechtigt waren, aber vor allem der Verlage und Buchhändler in unserem Umfeld etabliert hatten, bestand aus drei Ehepaaren, einem einzelnen Herrn und einer Dame sowie meiner Frau. Die Idee stammte von meiner Frau. Ich war ausgeschlossen worden, da ich diese Idee mit der Bemerkung kommentiert hatte: „Warum sollte ich mir von Mathematiklehrerinnen, Ärzten, Hausfrauen oder Bankern, die in ihrem Beruf erfolgreich nach Abschluss der Kindererziehung nun meinten, den von der Schule offenbar versäumten Bildungskanon dadurch nachholen zu wollen, dass sie willkürlich ausgewählte Romane dilettierend besprechen und mit eigenen Gefühlen oder Erfahrungen konfrontieren, Erkenntnisse hinsichtlich Literatur erhoffen?" Die Bücher könnte ich auch so lesen und Rezeptionen ließen sich ebenso besorgen wie Biographien, wenn sie nicht ohnehin in der jeweiligen Ausgabe vermerkt seien. Damit hatte ich mich disqualifiziert.

Als die Angehörigen des Kreises, der in unserem Bekanntenkreis sehr angesehen, und dessen Erweiterung von der Mehrheit stets abgelehnt worden war –, „Man traut sich dann nicht mehr, sich so unbefangen zu äußern" – gegangen waren –, manch einer sagte mir beim Abschied, ein Zusammentreffen ließ sich nicht vermeiden, „wie schade, dass du nicht dabei bist, wir hatten heute wieder eine sehr lebhafte Diskussion" – fragte ich Sarah nach dem Inhalt der Diskussion. Es stellte sich heraus, dass der „frauenlose" Teilnehmer – seine Frau, eine Hobbymalerin, bevorzugte einen anderen, nur aus Frauen bestehendem Literaturkreis – „das ist repressionsfreier, man ist nicht der einschüchternden Geltungssucht der Männer ausgesetzt" – und referierende ehemalige Bankvorstand, der vor fünfzig Jahren im Nebenfach Germanistik studiert hatte, Sauls Bellows „Ravelstein" der durchaus im Sinne der Verdurins als kleinen Kreis zu bezeichnenden Runde nahezubringen versucht hatte. Dieses Buch wurde von der moderat feministischen Ärztin, die „schöne Formulierungen" vermisste und den angeblichen Humor überhaupt nicht zum Lachen fand, vehement abgelehnt. Jede Sekunde sei Zeitverschwendung. Ihr wurde sekundiert von dem geschäftsführenden Gesellschafter eines Private Equity Fonds, der Saul Bellow als Autor denunzierte, da er es offenbar darauf angelegt hatte, zu demonstrieren, was Leute wie er alles nicht wüssten, das brauche er sich aber nicht sagen zu lassen, er finde es gestelzt und an den Haaren herbeigezogen, lateinische und gar griechische Zitate lesen zu müssen, noch dazu von amerikanischen Autoren. Auf den Einwand des Vortragenden, dass es in Amerika eine Bildungselite gebe, das zeige allein das wöchentliche Literatursupplement der ‚New York Times‘, das in Europa seinesgleichen suche, und dass etwa die Rede des Studenten auf der jährlichen Abschlussveranstaltung in Harvard in lateinisch gehalten sei, hatte der andere repliziert: Er habe drei Jahre in Boston gelebt und wisse, wie ungebildet die Amerikaner seien. Er habe diese Elite nicht getroffen, was aber auch an ihm gelegen haben mag, und eine lateinische Rede zu halten sei doch genauso aufgesetzt wie die Wiederzulassung der lateinischen Liturgie durch die Katholische Kirche. Unser gebildeter Banker hatte es noch mit dem Argument versucht, dass Latein eben die Weltsprache sei, also übernational, sich in dieser Form ein Anspruch ausdrücke, und dass Bellow gerade die europäische Hochkultur zitiere und nicht amerikanische Autoren. Er hatte jedoch konzedieren müssen, dass für denjenigen, der nicht Proust gelesen habe der Verweis auf die Verdurins oder die „Jeunes filles en fleurs" unverständlich sei, abgesehen von den vielen anderen Verweisen. Aber es sei eben auch Ausdruck und Notwendigkeit unserer Zeit, mit nicht Bekanntem umzugehen, wie ja auch die moderne Physik gelehrt habe, dass vermeintlich allgemeingültige physikalische Gesetze nicht überall gelten. Es gebe eben keine Gewissheit, Wahrheit oder literarisch klar strukturierte gute oder böse Charaktere mehr, wenn es auch verständlich sei, dass unbedarfte Leser sich das von einem Autor erwünschten.

Als meine Frau mir das geschildert hatte, merkte ich süffisant an, das sei der Grund, warum ich dem Kreise ferngeblieben sei. „Warum muss ich jemand zu von mir für richtig angesehen literarischen Erkenntnissen verhelfen. Warum soll ich mich mit ungebildetem Dilettantismus auseinandersetzen?"

Sarah ärgerte sich. „Du bist arrogant und elitär. Es ist auch eine gesellschaftliche Veranstaltung. Wir essen gemeinsam und unterhalten uns noch über andere Dinge. Das Ganze ist ein Anlass, doch meist gute Bücher zu lesen. Auch lernt man die Teilnehmer kennen. Man muss auch ein Interesse an den Menschen und seiner Umgebung haben und nicht nur an Theorien oder Gedankenkonstruktionen."

Das ärgerte wiederum mich. Ich ließ es aber dahingestellt. Vielmehr widersprach ich umso heftiger, als meine Frau nach einer Pause meinte, man könne die Kritik in der New York Times an Saul Bellow dahingehend, dass bei ihm das Philosophieren die Erzählung ersticke, nachvollziehen. Meine Aggressivität äußerte ich so: „Es zeigt doch ein naives Kunstverständnis oder dem Nachgeben kleinbürgerlich romantischer Bedürfnisse ungebildeter Schichten, die doch lieber beim Privatfernsehen bleiben sollten, wenn man von Romanen nur Erzählung verlange. Wer will das x-te Mal hören, was Meister schon so dargebracht haben, dass die meisten Schriftsteller angesichts der eigenen Produktionen nur erröten können sollten. Nein, Kunst, und als solche Form versteht sich wohl auch der Roman, müsse nach Wahrheit suchen, wenn auch in subjektiver Form, eben dem zeitlich und örtlich beschränkten Erfahrungshorizont des jeweiligen Autors folgend. Wenn dieser aber seine Darstellung mit philosophischem Gehalt, also mit zumindest dem Anspruch nach übersubjektiver Wahrheit oder Wahrheitssuche, würze, so könne das per se nicht verkehrt sein, wenn gewiss auch mancher Feuilletonist sich dadurch überfordert sehe."

Nun war meine Frau nicht mehr bereit zu replizieren. Sie schwieg. Wir waren verstimmt.

Die Folge war eheliche Disharmonie und eheliche Disharmonie am Abend hat die unangenehme Konsequenz, dass die gelegentliche eheliche Pflicht entweder wenig befriedigend war oder ganz ausbleibt, dass jedenfalls das Ehebett mit unversöhnt, schwer Schlaf findenden Gatten belegt ist.

Ich frage mich, warum differierende Meinungen so oft mit den Personen als solchen verbunden werden, also Meinungsstreit zu Personenstreit führt und umgekehrt, persönliche Aggressivität die Wortwahl in sachlichen Auseinandersetzungen diktiert.

42

Wir, Paul, seine Frau Anja und ich mit meiner Frau Sarah, trafen uns Samstagabend um 18.00 Uhr beim Italiener „Guido Al Duomo" in Münchens Innenstadt. Ich hatte Sarah instruiert, das Thema Krankheit auszuklammern. Sie meinte, das wäre schade, da sie sich eigentlich dafür interessiere, wie sich Paul fühle, wie er seine Situation erlebe. Wir hätten doch immer ein sehr gutes, inniges Verhältnis gehabt, wären sehr offen zueinander gewesen und hätten uns vertraut. Gerade sie hätte mit Paul lange und sehr intime Telefonate geführt, als ihn seine erste Frau verlassen hatte.

Ich erwiderte: „Ich glaube, Paul, konfrontiert mit einer Krankheit, die nach allen zugänglichen Prognosen unweigerlich zum absehbaren Tod führe, ist nicht mehr interessiert an den Personen seiner Umgebung als solchen, an deren Interessen und Problemen, sondern nur mehr an diesen als Erinnerung oder Teil eines Lebens, das sie zu ihm holen.

Er will sein Sterben anscheinend nicht mit dir oder mir teilen, sondern allenfalls mit Anja und selbst das wissen wir nicht genau. Ich spiele den Konterpart bei seinen Erinnerungen und des sich Rechenschaft-Ablegens, wir gemeinsam als Unterhalter, als illusionäre Mitspieler eines Alltags, den es nicht gibt. Aber tun wir ihm den Gefallen, wenn es uns auch beklemmend schwerfällt."

Wir waren zuerst in dem kleinen modernen Raum mit Blick auf dem Domplatz und setzten uns auf den vorreservierten Platz in der Ecke.

Kaum saßen wir, schon erschienen Paul und Anja. Ich bemerkte, wie Sarah, die Paul schon länger nicht gesehen hatte, ihn musterte. Konnte man die tödliche Krankheit erkennen, waren seine Gesten, seine Blicke anders?

Der Kranke merkt eine solch kritische Musterung wohl und es entsteht eine eigenartige Distanz. Der Kranke, der darum weiß, dass er keine Heilungschancen besitzt, dessen Lebenszeit sich nach Monaten bemisst, der sich gewiss ist, dass er bald stirbt, er ist, wie an einem anderen Ufer, schon auf dem Übergang in das Reich des Todes, er ist schon zu Charon eingestiegen.

Anja, die eigentlich Anika heißt –, Paul gefiel jedoch dieser Name nicht und so gab er ihr einen neuen gleichklingenden, den bürgerlichen Rechtsvorschriften trotzend und in der Tradition seiner Großmutter – war groß, hatte blonde lange Haare, ein eher scharf geschnittenes, aber durchaus wohlproportioniertes Gesicht, eine schlanke Figur mit üppigem Busen. Sie trug teure Kleidung, ein wenig im Stile der Demimonde. Sie war Anfang fünfzig, erfolgreiche, vielleicht deshalb kinderlose Geschäftsführerin eines gossen Modehauses in München. Sie hatte Paul vor zehn Jahren kennengelernt. Paul war damals ziemlich erschüttert dadurch, dass ihm seine erste Frau zunächst eine Affäre gestanden hatte und als er darüber hinwegsehend mit ihr einen Neuanfang machen wollte, ihm offenbarte, sie wollte lieber die Scheidung, es wäre ihr auch ganz recht, wenn die beiden, damals zehn und zwölf Jahre alten Mädchen bei ihm blieben. Paul heiratete Anja schnell. Kinder wären für sie noch möglich gewesen, er fühlte sich jedoch zu alt und meinte, die Erziehung der beiden Töchter würde genug Engagement verlangen. Anja schaffte mit viel Geschick den Einstieg in die neue Familie und wurde von den Stieftöchtern bald akzeptiert, soweit Kinder je eine Stiefmutter akzeptieren können. Sie behielt ihren Beruf bei und hatte sich eine Familie sozusagen ‚erheiratet'. Seit Pauls Situation klar war, hatte sie sich beurlauben lassen, um Paul die letzten Monate beistehen zu können.

Während ich Bewunderung für diesen Schritt äußerte und meinte, die Diagnose von Pauls Krankheit muss doch ein arger Schock auch für Anja gewesen sein, die gewärtig sein könne, mit Anfang fünfzig Witwe zu sein und all das, nachdem sie doch mit Paul spät dauerndes Glück erhofft hatte, auch sei ein neuer Job in diesem Alter sicher nicht ohne Weiteres möglich und der alte möglicherweise zwischendurch anderweitig besetzt, somit gefährdet, meinte Sarah, zu bedauern wäre doch nicht die Frau, sondern Paul. Er müsse sterben und es sei doch selbstverständlich, dass sie das Zusammensein mit Paul ihrem Job vorziehe. Er hinterlasse ihr sicher genug Vermögen, um im Falle, dass eine Rückkehr in ihren Beruf nicht möglich, sie dennoch abgesichert sei. Fast stritten wir uns deswegen.

Die Frage, wie Anjas Verhalten zu beurteilen sei, wurde quasi zum Platzhalter für die Frage, wie würde man sich selbst in einer vergleichbaren Konstellation entscheiden. Sarah erwartete von mir offenbar, dass ich ohne Weiteres meinen Job ihrer Pflege hintanstellen würde, während ich zumindest Anerkennung hierfür reklamierte.

Wir begrüßten uns, wie es seit mehreren Jahren nun üblich war mit Küsschen – eine allgemeine Sitte, die die Deutschen von den Franzosen übernommen haben oder die sich dem Ausbreiten der Bussi-Bussi-Gesellschaft verdankt. Die Galanterie des Handkusses wird abgelöst durch die unangemessene Nähe des Wangenkusses.

Wir verbrachten den frühen Abend bei vorzüglichem Essen und gutem Wein damit, uns gegenseitig zu berichten, in welchem Stadium der Schul- bzw. Hochschulbildung sich unsere Kinder befänden, wie unsere Eltern, sofern sie noch lebten, ihr immer beschwerlicher werdendes Alter regelten oder vielmehr noch nicht geregelt hatten, darauf vertrauend, dass das Leben immer so weiter gehe. Wir berichteten von unseren letzten Theater- und Opernbesuchen und welche Aufführungen uns im Sommer in Bayreuth und Salzburg erwarteten. Paul und Anja ergriffen Partei für die Wagnerurenkelin als mögliche neue Intendantin in Bayreuth, während ich darüber räsonierte, dass im deutschsprachigen Raum nur in zwei Städten ein wirklich gebildetes breiteres Kulturpublikum einheimisch sei, nämlich in München und Wien. In Hamburg reduziere es sich auf eine Elite und in Berlin und Frankfurt auf die vielen Ausländer. Dies liege wohl an der Tradition und der Beamtenschaft, die in München und Wien relativ verbreitet seien. Allerdings musste ich zugeben, dass im Vergleich zum Ausland die deutsche Provinz doch erhebliche Kulturleistungen in Form von Opern, Konzerten und Theaterstücken dem Publikum präsentierte. Dennoch sei es – gewohnt an Münchener Qualität sowohl der Vorführungen wie des Publikumsverständnisses – wie in einer andern (Kultur)-Welt, wenn man Theaterstücke oder Opern in anderen, angeblich gar nicht so provinziellen Städten Deutschlands besuchte.

„Was seht ihr in Salzburg?", wollte Paul wissen. Ich wusste es nicht, aber Sarah, die alle unsere kulturellen Veranstaltungen organisierte, informierte unsere Freunde, dass wir Mozarts „Die Hochzeit des Figaro" mit Diana Damrau und Dorothea Röschmann, inszeniert von Claus Guth und dirigiert von Daniel Harding, gebucht hatten.

Es entspann sich eine Diskussion über diese Oper, die alle schon, teilweise des Öfteren gesehen hatten.

Paul erzählte: „Ich habe die Oper erstmals 1972 im Todesjahr meines Großvaters auch in Salzburg gesehen. Mein Großvater lag schon im Sterben und meine Großmutter wollte die Aufführung keinesfalls versäumen. Daher durfte ich sie begleiten. Es war eine Neuinszenierung von Jean-Pierre Ponnelle, Herbert von Karajan dirigiert, mit Walter Berry als Figaro, Teresa Berganza als Cherubino und Teresa Stratas als Susanna, die, ich kann mich noch gut erinnern, in einem Dirndl auftrat. Ich hatte mich gut vorbereitet und viel über die Oper nachgelesen. Es war der Anfang meiner auch theoretischen Beschäftigung mit Mozart, den ich sonst nur bei meiner Großmutter gehört hatte. Damals interessierten mich vor allem die sozialkritischen Aspekte: Der Graf, der von einem Bedienten düpiert wird, der seine Zielsicherheit in strahlendem C-Dur zum Ausdruck bringt."

Paul fing an zu intonieren „Bravo, Signor Padrone" und „Se vuol ballare, Signor Contino". Und fuhr dann fort: „Mozart wird völlig falsch gesehen, er ist keine Rokoko-Ikone und er wird in Salzburg zu lieblich kommerzialisiert, die Vereinnahmung von Mozart durch Salzburg, das Mozart ja hasste, ist geradezu grotesk. Mozart war kritisch. Die Hochzeit des ‚Figaro' war in Wien, anders als in Prag, nicht erfolgreich. Die Wiener Aristokratie mochte die Handlung, die einen Klassengenossen düpierte, nicht. Nach dem Adel begann dann auch bald das Bürgertum Mozart zu meiden. Erst ‚Die Zauberflöte', die dank Schikaneder gezielt dem Wiener Geschmack angepasst war, machte Mozart wieder populärer."

Anja warf ein: „Die Handlung ist doch ziemlich verwirrend, aber es kommt ja mehr auf die Musik an."

Hier widersprach Paul, der meinte, es wäre die perfekte Opera buffa, eine sublime Mischung von Esprit und Melancholie.

Wir diskutierten nun allgemein über Mozart. Wir knüpften an die Bemerkung von Paul an, Mozart sei keine Rokoko-Ikone. Wir fragten, was das Typische für die Rokokozeit sei, die Ornamentik, die Betonung des Unterschiedes Träger/Dekoration, während das Barock auf die Einheit setzte. Jedenfalls war es sicher eine Reaktion auf die Klassik des Barocks wie der Art déco auf den Klassizismus. Mozart war aber gewiss mehr als Ausschmückung des klassischen Barocks, wiewohl seine Musik die Gesellschaft des Rokokos voraussetzt und sich mit ihr auseinandersetzt.

Sarah, die Psychologin, wusste, dass Moribunde lieber Mozart als jede andere Musik liebten, sie gelte als Sedativum. Sarah, obwohl Psychologin, hatte etwas unbedacht ihr Wissen kundgetan – ich hatte beim Wort „Moribunde" innerlich gezuckt und Sarah erschrocken angeschaut. Sie war auch sofort verstummt. Paul überspielte die Situation und vermied eine peinliche Stille, ohne auf eine indirekte, fast süffisante Kritik zu verzichten:. „Das ist aber nicht der Grund, warum für mich Mozarts Musik die von mir präferierte ist. Er ist für mich der Shakespeare der Musik. Ich schließe mich Nietzsche, den ich ansonsten nicht so mag, an, der ihn als Heros, als Gottheit der Geniereligion, als Götterkind, als verspielten Liebling der Olympischen, mit dem die gute Zeit sich ausgesungen hat, bezeichnete."

Sarah erzählte von ihrem Literaturkreis, dass sie gerade Saul Bellow abgehandelt hätten und dass sie sich als nächstes Fontanes ‚Stechlin' vorgenommen hatten. Sie hatte das Buch vorzustellen. Anja meinte, sie habe es seinerzeit zu lesen angefangen, aber sie könne damit nichts anfangen. Es passiere einfach nichts. Das rief Sarah auf den Plan. „Genau das sagt ja Fontane. Ein alter Mann stirbt und zwei heiraten. Aber das ist das Leben." Sarah hielt ein, ihr wurde erneut bewusst, dass wir ja nicht vom Tod reden sollten. Wenn man aber nicht vom Tod reden kann, dann auch nicht vom Leben.

So lenkte sie ab: „Personen werden anhand ihrer Ansichten charakterisiert, weniger ihrer Handlungen und Taten, beziehungsweise wie tut man etwas, in und mit welcher Einstellung und warum, also nicht die Tat als solche ist zu beurteilen, sondern auch die Motivation."

„Wie im Strafrecht, Töten aus niedrigen Beweggründen wird härter bestraft, als Mord qualifiziert als das Töten als solches, der Totschlag", warf ich ein, froh, dass Sarah auf dieses Thema zugesteuert war, wenn es auch wieder vom Tod handelte, aber eben nicht vom natürlichen Tod. Ist es jedoch nicht für den Getöteten einerlei, ob er gewaltsam oder natürlich stirbt? Wir wissen zwar abstrakt, dass wir sterben müssen, aber nicht. wann. Ist man krank, wie Paul, dann weiß man auch noch nicht, wann man stirbt, aber man weiß die Ursache und ist sich bewusst, dass man den tödlichen Feind unbezwingbar in sich trägt.

Sarah, die sehr belesen war, und neben Psychologie auch Germanistik im Nebenfach studiert hatte, musste aber noch einiges loswerden. „Wenn man Literatur danach beurteilt, was passiert, so liegt man völlig falsch. Literatur ist, wenigstens für mich, die Darstellung von Sachverhalten im weitesten Sinne in der Form der Sprache. Durch die Art der Auswahl und die Form der Präsentation der unendlichen Sachverhalte des realen Lebens definiert sich der Schriftsteller. Gut ist für mich die Literatur, die in angemessener Form, also mittels anspruchsvoller, nicht banaler Sprache, mir Sachverhalte näherbringt im wahrsten Sinne des Wortes und mir damit zu neuen Einsichten, Erkenntnissen, Ansichten verhilft. Das unterhält mich und das bleibt auch. Ein Satz wie derjenige von Fontane: ‚Wie er zuletzt war, so war er wirklich‘, ist von einer derartigen Lebensweisheit, dass er mich beglückt."

Anja, die Betriebswirtschaft studiert hatte und im Laufe ihres Berufes in der Modeindustrie eher weniger mit Schriftstellern wie Fontane in Berührung gekommen war, die aber begonnen hatte, die in der Schule nicht vermittelte Bildung nachzuholen, indem sie vor Opernbesuchen ausführlich über die jeweilige Oper und den Komponisten ebenso gründlich studierte, wie sie die Rezensionen der „Süddeutschen Zeitung" aufbewahrte und dann vor dem Besuch der rezensierten Aufführung – einige Sätze sogar mehrmals, ohne sie dann verstanden zu haben – nachlas, meinte, sie habe jetzt die „Süddeutsche Zeitung Bibliothek" bestellt. Sie bekomme wöchentlich ein Buch und bemühe sich, es auch zu lesen. Süffisant merkte Sarah an, dass in der Reihe nur Bücher aufgenommen werden, die sich sonst nicht verkauften. Paul konterte jedoch, dass der Verkaufserfolg eines Buches nichts über seine Qualität aussage. Ich stimmte ihm lebhaft bei und verwies auf Marcel Prousts „Liebe von Swann", die in dieser Reihe erhältlich sei.

Wir diskutierten anhand des gerade aktuellen Falles „Esra", ein Roman von Maxim Biller, der verboten wurde, da er die Persönlichkeitsrechte einer Figur verletzen würde, die Frage, wieweit die Freiheit der Kunst gehen könne.

Paul meinte: „Die Verteidiger der Freiheit der Kunst stellen den Künstlern einen Blankoscheck aus. Wenn jemand bedauert, dass das große Kunstwerk ‚Esra' nicht gedruckt werden darf, was er an der Beschreibung von Schwabinger Szenen festmacht, so fragt es sich, ob diese Schwabinger Szenen der Beschreibung von Lebensumständen einer Frau bedurften, die diese im Umfeld des Schriftstellers eindeutig identifizieren ließ oder ob nicht eingebaute Verfremdungen der Kunst keinen Abbruch getan hätten. Wenn die Kunst für sakrosankt erklärt wird, warum eigentlich? Dann könnte man schreiben, was man wollte, also jede Art der Beleidigung und Herabsetzung, dadurch rechtfertigen, dass man eine solche als Roman bezeichnete. Das könne es nicht sein. Dieselben, die sonst die Individualsphäre stets schützen wollen, erkennen das nicht an, wenn der Angriff im Namen der Kunst erfolgt. Dabei haben die Deutungshoheit, was Kunst ist, diejenigen, die angreifen. Ähnliches wünschen sich die Sicherheitsbehörden, die nur auf bedrohte Sicherheit verweisen, um jeglichen Eingriff in die Privatsphäre zu rechtfertigen."

Während Anja zustimmte, ergriff Sarah die Partei der Kunstfreiheit. Ihr widerstrebe es, wenn Richter entscheiden sollen, wann Kunst beginne und wann nicht. Das wäre Zensur und grundsätzlich abzulehnen und als Tendenz gefährlich. Es gelte auch hier, wehret den Anfängen. Ich selbst, ganz Jurist, meinte, man könne das nicht pauschalieren, es käme auf den Einzelfall an. In Streitfällen müsste immer jemand zivilisiert entscheiden und diese Entscheider wären in unserem System nun die Gerichte.

Wir diskutierten politische Fragen. Paul bewunderte Angela Merkel und verachtete Joschka Fischer, während Sarah Fischer verteidigte, es eine einzigartige Lebensleistung nannte vom Taxifahrer zum Außenminister und noch Dozenten in Princeton aufzusteigen. Ich stimmte ihr zu, allerdings mit dem Argument, dass zum einen nur wenige Politiker Außenpolitik verstünden, da dies erfordere, sich mit anderen Dingen als dem persönlichen Machterhalt zu befassen und dass Joschka Fischer gewiss dazu gehöre. Außerdem erkannte ich in Joschka Fischer einen der wenigen wirklichen Typen des Politikbetriebes und machte eine Bemerkung über das, was man als Personenidentität verstehen konnte: Fischer ist sicher noch dieselbe Person, obwohl er seine Ansichten, Einstellungen und die Art, sein Leben zu gestalten, jetzt als Professor in Princeton grundlegend geändert habe. Aber vielleicht geht uns das allen so. Wir bleiben nicht die Gleichen. Wir ändern uns laufend und nur die physische Hülle, sowie unsere Erinnerungen, die nur wir haben, bestätigen uns unserer Identität.

Wir fragten uns, wie lange die USA die Hypermacht bleiben werde, die sie seit dem Zerfall der Sowjetunion 1991 geworden war. Hat die multipolare Weltordnung über die UNO organisiert eine Chance, die ihr die deutschen Rechtspuristen so gerne zugestehen würden?

Oder gilt noch immer die Antwort der Athener an die Vertreter des besiegten Volkes der Insel Melos, die, wie Thukydides berichtet, von Athen die Anerkennung der Gültigkeit des Rechtes forderten: Recht kann nur zwischen gleich Starken gelten.

Wir waren uns einig, dass es für Deutschland prekär wäre, die Westbindung aufzulockern und wieder in eine Mittelposition zu rücken, gar in einer Achse mit Russland zu spielen. Eine derartige Politik habe in der Vergangenheit nur Unglück über Deutschland gebracht. „Die USA haben jedenfalls nicht nur die militärische, sondern ebenso die kulturelle Hoheit, dank Hollywood und McDonald's, aber auch dadurch, dass sie ihre Masterabschlüsse der Elite der ganzen Welt aufnötigen", sagte Paul.

Wir sprachen über den Terrorismus und die daraus erwachsende Bedrohung für das tägliche Leben, aber insbesondere auch für die Freiheitsrechte, die, um tatsächlich Gefahren abzuwehren oder nur dem Machtstreben jeden Staates geschuldet, immer mehr eingeschränkt werden.

Paul meinte: „Ich bin skeptisch, der politische Radikalismus ist nicht auszurotten und ihm ist nicht mit Argumenten beizukommen. Es ist auch keine Frage intellektueller Einsicht. Hochgebildete Dichter und Philosophen sind ebenso der evident schwachsinnigen Ideologie des Nationalsozialismus verfallen gewesen, wie umgekehrt nicht weniger kluge Intellektuelle den Stalinismus bis zuletzt verteidigt haben. Der Islam lässt sich trefflich für aggressive politische Theorien missbrauchen und sozialtypisch werden ähnliche Schichten angesprochen wie seinerzeit bei den Nazis: Junge Menschen, begabt, aber unfähig, gewiss durch äußere Umstände, sei es seinerzeit wirtschaftliche Krisen oder heute ein latent rassistisches Umfeld, ihre Fähigkeiten in bürgerliche Bahnen und damit in gesellschaftlich nützliche Formen zu lenken."

„Ich las unlängst John Updikes Buch ‚Der Terrorist'. Dort ist dies vorzüglich beschrieben," warf Sarah ein. Anja meinte, sie verstehe nicht, wieso man so viel Skrupel bei Online-Überwachungen und anderen Maßnahmen habe. „Es ist mir doch egal, wenn ich am Bahnhof beobachtet werde oder mein Computer ausgeforscht wird. Es ist mir aber nicht egal, wenn ich in die Luft gesprengt werde. Die Amerikaner machen es richtig, man sieht auch, dort ist seit dem 11. September nichts mehr passiert."

Dies reizte mich zum Widerspruch: „So kann man es nicht sehen. Wenn es so wäre, dann müsste man den totalen Überwachungsstaat haben. Dort passiert am wenigsten. Es geht immer um eine konkrete Abwägung: Was hilft tatsächlich und ist die Maßnahme verhältnismäßig. Leider ist die Differenzierung im politischen Alltag unpopulär. Wenn ich gelegentlich zu politischen Veranstaltungen ins Bierzelt in Seeberg gehe, das jährlich eine Woche im Sommer aufgestellt ist, so ist wirklich auffällig, dass am meisten die größten Banalitäten oder Gemeinheiten beklatscht werden. Bei den Linken jubelt der Saal bei Sprüchen wie: Für anständige Arbeit muss anständiger Lohn bezahlt werden oder, für anstehende Aufgaben gehört den Reichen etwas weggenommen, denen tut das doch nicht weh. Bei den Rechten ist der Redner am erfolgreichsten, wenn er konstatiert, Deutschland ist unsere Heimat und darauf sind wir stolz und wer als Ausländer hier leben will, sollte doch zumindest die deutsche Sprache beherrschen."

Paul meinte, deshalb gehe er schon lange nicht mehr zu politischen Veranstaltungen und schaue sich auch die langweiligen, das immer Gleiche darlegende Talksendungen im Fernsehen nicht mehr an. Er wundere sich nicht über der Qualität der Politik, man müsse sich nur die Leute anschauen, die Politiker werden.

Ich entgegnete: „Die Politikverdrossenheit ist gefährlich, und wenn man sich selbst nicht einbringt, darf man sich auch nicht beschweren."

Wir erinnerten uns alter gemeinsamer Zeiten, dem Studentenleben, der Zeit an der Harvard-Universität in Cambridge und dass wir weder zu den Treffen der Ehemaligen gingen, noch den Spendenaufrufen nachkämen. Wir waren uns einig, dass wir damals unverhältnismäßig viel gezahlt hatten, eigentlich nur, um den Titel des Harvardabsolventen zu erhalten. Wahrscheinlich hätten wir in New York, Chicago, Washington, Berkeley oder Seattle genauso viel oder wenig gelernt und dieselbe schöne Studentenzeit verlebt. Warum sollten wir auch noch spenden? Zu unserer Zeit habe der Harvard-Abschluss doch noch nicht so viel bedeutet wie heute. Man sehe daraus, wie sehr die Markengläubigkeit sich auch auf Bildungsfragen erstrecke, und wie sehr die USA auch kulturpolitisch dominierten. Führende Kanzleien nehmen heute deutsche Harvardabsolventen ohne lange Prüfung, weil sie unterstellen, dass Harvard die Prüfung der Qualifikation für sie schon vorgenommen habe.

Paul beklagte, dass es zu wenig wirklich gute Publizisten gäbe, wie Sebastian Haffner einer gewesen wäre und auch Joachim Fest, von dem er gerade eine Aufsatzsammlung „Bürgerlichkeit als Lebensform" gelesen habe. Paul gab sich auch noch als Anhänger von Reich-Ranicki zu erkennen und ich stimmte ein Hoch auf das Feuilleton sowohl der FAZ wie der SZ, an: „Wenn man die Tageszeitungen FAZ und SZ, aber auch die Wochenzeitung ‚Zeit' und FAS zusammenfasst, so würde ich wie folgt werten: Politik, Wirtschaft, Regional und Sport sind mehr oder weniger Agenturgeschreibe, das Feuilleton ist intellektuell und sprachlich in FAZ und SZ deutlich über dem Niveau der politischen Korrespondenten im In- wie Ausland. In der ‚Zeit' ist das Feuilleton in der Regel vorhersehbar in der FAS oft überraschend, aber zu boulevardesk, während in den beiden Wochenzeitungen die sonstigen Artikel gelegentlich bemerkenswertes Niveau erreichen, wie sonst nur die FAZ bei Beiträgen fremder Autoren."

Die Zeit verrann. Als es auf 19.30 Uhr zuging, erinnerte Paul an das bevorstehende Theaterstück, das um 20.00 Uhr beginnen sollte, und bereitete den Kellner darauf vor, alsbald die Rechnung zu bringen. Er wollte offenbar uns unbedingt noch eine Mitteilung machen:

„Wer hat sich auf das ‚Endspiel' vorbereitet? Ich habe erneut Adornos Versuch, das ‚Endspiel' zu verstehen durchgelesen. Beeindruckend."

„Erzähl doch", forderte ich Paul heraus.

„Das lässt sich nicht erzählen, das muss man Wort für Wort lesen und dann kann man über den Versuch sprechen, Adorno zu verstehen. Aber gehen wir, wir kommen zu spät."

43

Nach der Vorführung in den Kammerspielen, dem Jugendstiltheater mit den schrecklich unbequemen Sesseln, gingen wir noch für einen kleinen Drink schräg gegenüber in den „Brenner", eher widerwillig, aber eben günstig gelegen.

Bevor wir gemeinsam versuchten, das „Endspiel" zu verstehen, gestanden wir uns gegenseitig flüsternd unsere Verachtung und Bemitleidung der uns an der Bar umgebenden

Gäste. Zu offensichtlich waren sowohl die Herren wie die Damen auf Abenteuer aus, die die tägliche emotionale Tristesse im kurzen Rausch, der meist eher der Versuch des Rausches war, vertreiben sollten oder doch den erhofften Lebenspartner endlich zuspielen lassen würde, was so wahrscheinlich war wie die endgültige Entschlüsselung des „Endspiels". Wir waren gemeinsam froh, dieser vergeblichen Jagd nach vermeintlichem Glück, lächerlich aufgestylt, nicht ausgesetzt sein zu müssen. Wir konnten uns in Ruhe der Interpretation des „Endspiels" überlassen, elitäre Behäbigkeit und Ruhe ausstrahlen gegen das rastlose Treiben und die Aufgeregtheit der anderen.

Wir konstatierten, dass der Sinn des Stückes die universelle Sinnlosigkeit sei, das Nichts-Bedeuten die einzige Bedeutung. Paul steuerte Adornos Bonmot bei, wonach Becketts Mülleimer Embleme der nach Ausschwitz wiederaufgebauten Kultur seien. Anja, die vor der Heirat mit Paul durchaus in ähnlicher Situation wie die meisten Brennergäste gewesen war und deren Kleidungsstil auch denjenigen der Brennerbesucher in nichts nachstand – nun war sie ja auch Geschäftsführerin eines Modehauses und insofern schon verpflichtet, der Uniformität der neuen Mode zu folgen, auch waren die Modekonformisten und damit das Brennerpublikum ihre beste Kundschaft –, hatte für sich die Bedeutung der Kultur entdeckt und war eifrig bemüht, auch aus für sie zunächst völlig absurden Texten, wie das „Endspiel", durch Sekundärliteratur Sinn zu rekurrieren. Beckett war so sehr Kulturkanon, dass Besucher wie Anja schon allein dadurch zutiefst beeindruckt waren. Würde man ihnen das „Endspiel" vorspielen und würde man es als Versuch eines jungen neuen Autors deklarieren und sie um Beurteilung bitten, so hätte sie gewiss gemeint, dieser Autor solle sich weiter versuchen, aber sie damit nicht belästigen. Da das „Endspiel" von Beckett war, war sie beeindruckt und bemerkte sogar, dass Beckett den Verlust der Mitte parodierte, indem er, nachdem Clov den Sessel Hamms ein wenig herumgeschoben hatte, Hamm sagen lässt, er sei doch genau in der Mitte gestanden. Unsere zustimmenden und ihre Aufmerksamkeit anerkennenden Bemerkungen bestätigten Anjas Erfolg in ihren

Bemühungen, das Stadium der Mitgäste, die sich doch äußerlich so gar nicht unterschieden, hinter sich gelassen zu haben.

Paul sagte zum Abschied zu mir: „Wir treffen uns am Montag in deiner Kanzlei um 17.00 Uhr", und zu Sarah, „Es tat so gut, mit euch nicht über meine Krankheit zu reden." Sarah war dennoch enttäuscht. Sie meinte, nachdem wir uns verabschiedet hatten: „Es war beim Essen und nach dem Theater an der Bar eine beliebige Konversation, die wir so, bis auf eure Erinnerungen, mit jedem anderen zufälligen Tischnachbarn bei einer gesellschaftlichen Veranstaltung hätten führen können. Das stelle ich mir nicht unter Freundschaft vor. Wir wissen, dass Paul stirbt, mich hätte interessiert, was er fühlt. Es ist doch klar, dass ihn das beschäftigt und nicht die Frage, wie Europa auf die Supermacht Amerika reagieren soll."

„Vielleicht will er aber das gerade nicht mit uns besprechen, sondern will mit uns eine vertraute Alltagssituation herstellen und genießen, so als wüsste er nicht um seine Krankheit. Wir können ihm doch den Gefallen tun. Wir alle wissen, dass wir sterben müssen. Der einzige Unterschied zu Paul ist, dass er weiß, dass er bald stirbt. Wann beginnt das Sterben? Dann, wenn ich eine Krankheit diagnostiziere, die mit gewisser Wahrscheinlichkeit zum Tod führt? In unserem Fall begänne das Sterben mit der ärztlichen Feststellung des Gehirntumors. Das wäre jedoch ein subjektives Element, das Wissen um einen objektiven Vorgang. Ich könnte also, indem ich diesen Sachverhalt nicht zur Kenntnis nehme, mein Sterben hinauszögern, also später sterben, würde mich damit aber um mögliche Heilungschancen begeben. Oder beginnt das Sterben erst, wenn es objektiv keine Heilungschancen mehr gibt? Wann ist das der Fall? Wie oft sich ein aufgegebener Patient wieder erholt hat, ist wieder gesundet? Irgendwann ist er dann aber doch gestorben. Oder ist das ganze Leben eigentlich nur ein Sterben, denn sterben wird jeder. Wohl kann man nur retrospektiv erkennen, dass das nun der Sterbeprozess war. Man kann auch mit wissenschaftlicher Wahrscheinlichkeit arbeiten und den Kranken als wahrscheinlich sterbend bezeichnen. Wichtig ist gewiss die Meinung der Umgebenden. Aber wer oder was bestimmt diese Meinung? Man kann einen Krebskranken heute nicht mehr als sterbenskrank ansehen und doch gehen die meisten Menschen davon aus. Der Patient wird vielleicht zunächst geheilt, aber der tödliche Tumor kommt nach Jahren wieder. War dann die Zwischenzeit nur ein vorübergehendes Aufflackern des Lebens? Diese Frage ist relevant für das praktische Leben vieler. Wer sich als Sterbender fühlt. lebt anders, er wird auch anders von seinen Mitmenschen behandelt. Aber vielleicht ist das das Problem. Vielleicht sollten wir so leben, als seien wir ständig sterbend. Der Tod verliert auch dann seinen Schrecken. Das Leben mit dem Tod ist qualitativ anderes Leben. Wenn dem so ist, was macht den Unterschied zwischen uns und Paul, wir wissen abstrakt, dass wir sterben werden, er weiß, dass er eine Krankheit hat, die voraussichtlich, aber auch nicht gewiss zum Tode führt?", erwiderte ich.

„Ich meine, es macht einen gewaltigen Unterschied. Durch das Gespräch über Alltägliches soll das Leben noch einmal zurückgeholt werden und die Erinnerung an dasselbe, obwohl man doch mit dem Tod ganz konkret konfrontiert ist. Man hat damit schon eine Schwelle überschritten und sich von den normal Sterblichen, die nur abstrakt wissen, dass sie sterben müssen, entfernt."

„Wie der Fährmann Charon in der Antike, der Gondoliere ohne Konzession, der Aschenbach umsonst gondelt in dem Gefährt, das an den Tod erinnert", warf ich ein, nicht bedenkend, dass meine Frau und nicht Paul der Gesprächspartner war.

Sie reagierte auch prompt: „Was soll das? Durch die Transponierung eines aktuellen Themas in einen Bildungskanon wird man diesem nicht gerecht. Solches ist eine Form der Tabuisierung, denn wir tabuisieren das Thema Tod. Wir tabuisieren es vielleicht generell, aber dann erst recht, wenn es real wird. Krankheit, Tod wird verdrängt. Wir sprechen überhaupt nicht gerne vom Tod, umso weniger gerne, wenn wir ihn vor Augen haben. Aber die mutmaßliche Zeit bis zum Tod kann kein Kriterium sein."

Jetzt war ich gefordert: „Ich sehe das anders. Die Mythen der Antike haben schon verallgemeinert, was wir konkret am

Einzelfall erfahren und große Schriftsteller wie Thomas Mann haben diese Mythen in ihren Werken eingebaut. Das Zurückblicken, die Reflexion, die Enttabuisierung führt vielleicht doch nicht zum Erfolg, wie gerade die mythischen Geschichten erzählen. Denke nur an Orpheus, der dank seines Flötenspiels, wie später Pamino in der ‚Zauberflöte', Persephone bezirzen kann, die am Schlangenbiss verstorbene Eurydike freizulassen. Dass er zurückschaut, dass er nicht sich selbst gewiss ist, ist das Verhängnis von beiden."

Sarah antwortete: „Ich will darauf jetzt nicht eingehen, man kann in der Mythologie, ebenso wie in der Bibel für alle möglichen Theorien Beispiele und Argumente finden. Bleiben wir aber beim Thema. Hast du, gebildet wie du bist, mir nicht neulich einen schönen Gedanken eines deiner Schriftsteller über den Tod mitgeteilt?" Sie hatte geschickt – geschulte Psychologin, die, was selten ist, ihre Kunst auch im Privatleben zur Anwendung bringen konnte –, mich wieder beschwichtigt.

„Gerne. Montaigne zitiert Thales, den Philosophen, mit dem die Philosophiegeschichte beginnt, der gelehrt habe, dass Leben und Sterben gleichgültig, gleich gültig sei. Und er zitiert Sokrates, der darauf angesprochen, von den dreißig Tyrannen zum Tode verurteilt zu sein, erwiderte: ‚Und sie von der Natur.' Klar, wenn wir vom Leben sprechen, so müssten wir auch immer vom Tod reden, dies bedingt einander, wie schon in Hegels Logik das Sein das Nichts. Aber es bleibt eben dann auch nicht beim Nichts, sondern geht über das Werden zum Dasein. Daher bleibt es auch nicht beim Tod, sondern geht in eine andere Daseinsform über."

„Womit wir beim Glauben wären und der möglicherweise großen Illusion", warf die ihren Freud kennende Psychologin ein.

„Ich möchte dir in diesem Zusammenhang noch etwas von Montaigne zu Bewusstsein bringen, der, weil Paul heute auf die Publizisten verwiesen hatte, eigentlich ein solcher war und weniger ein systematischer Philosoph. Den Gedanken von Montaigne hat, wie mir Paul neulich berichtete, sein Großvater ihm als Junge gesagt und er hat ihn sich gemerkt. Montaigne sagt: ‚Die Nützlichkeit des Lebens liegt nicht in seiner Länge, sondern in seiner Anwendung.' Dies ist für Paul ein wahrhaft tröstlicher, für manch anderen, vielleicht der Mehrzahl unserer Mitbürger, ein vernichtender Satz. Ich werde nächsten Montag, wenn ich Paul wieder treffe, darauf zurückkommen."

IV

44

Am Montagnachmittag saßen Paul und ich uns wieder in der
Brienner Straße gegenüber. Ich erinnerte Paul nicht an die Erkenntnisse von Montaigne. Ich konnte nicht. Dem Sterbenden
zu sagen, dass der Zeitpunkt seines Todes eigentlich eher belanglos sei, wäre vielleicht schriftlich möglich gewesen, aber
nicht Auge in Auge mit Paul. Das ist der Unterschied von The-
orie und Praxis, dachte ich. Der Satz von Montaigne ist gewiss
richtig und kosmologisch gedacht, ist der Zeitpunkt des Sterbens eines Individuums völlig irrelevant. Aber für dieses konkrete Individuum ist es doch alles. Ein allgemein gültiger Satz
kann doch hier und jetzt, ganz konkret falsch sein. Paul hatte sicher sein Leben besser als manch anderer gemeistert, er
hat sich nützlich gemacht. Und doch wollte er deswegen nicht
schon bald sterben. Was tröstlich klingt, hilft dem Sterbenden
nichts. Er will weiterleben, selbst wenn er nicht mehr „nützt".

Paul nahm einen Schluck Tee und begann: „Ich fand unser
Abendessen herrlich. Es lenkt mich ab, es spiegelt mir einen
Alltag vor, den es eigentlich nicht mehr gibt. Ich kann doch
nicht nur ständig über den Tod reflektieren, in Erinnerungen
schwelgen oder darüber nachdenken, was ich falsch und richtig gemacht habe, welche Entscheidungen ich anders hätte treffen sollen, ohne doch zu wissen, was das für Folgewirkungen
wirklich gehabt hätte. Wer ständig mit seinen Lebensentscheidungen hadert, der hadert mit dem Leben. Das Leben erfor-
dert Entscheidungen, die auch immer anders ausfallen können,
sonst wären es ja keine Entscheidungen. Keiner kann gewiss
sagen, welche Folgen die alternativen Entscheidungen gehabt
hätten. Ob sich eine nicht erwünschte Folge der tatsächlich
getroffenen Entscheidung dann nicht eingestellt hätte, weiß
man ebenso wenig wie, ob nicht ein noch viel unerwünschte-
res Ereignis die Folge gewesen wäre."

„Ich finde auch, dass ein Rückblick mit ob und wenn unergiebig ist. Machen wir uns doch lieber das Ist klar. Wir waren stehengeblieben bei der Mitteilung des Arztes, dass dein Großvater nicht mehr lange lebe und dass dir klar wurde, dass die Ordnung, die dir als Kind in der Beziehung deiner Großeltern so viel Sicherheit und Wohlbehagen verschaffte, auf brüchigen Füssen stand, eine äußerliche durch Konvention und Disziplin erzeugte Ordnung war, die unseren Vorstellungen einer glücklichen Ehe, die sicher auch romantisch verklärt und historisch gewachsen ist, widerspricht."

„Ich sprach das Verhältnis meiner Großeltern auch gegenüber Dr. Müller an. Er war ein alter Schulfreund meines Großvaters und musste einiges wissen. Die Frage war nur, inwieweit er sein Wissen mir offenbaren würde.

Die Gelegenheit bot sich, als Dr. Müller mich fragte, ob ich nicht mit ihm mit dem Motorboot auf den See fahren würde. Er würde zwar einen Kahn bevorzugen, der Lärm und der Ölgeruch des Motorbootes widersprächen der Ruhe des Sees und seiner Bewohner, aber es sei eben nur ein Motorboot verfügbar und wir könnten ja am See den Motor ausschalten und uns auf dem Wasser treiben lassen. So geschah es.

Es war ein typischer später Septembertag in Seeberg. Die Berggipfel waren dank eines frühen Wintereinbruches schon schneebedeckt, die Bäume begannen sich zu verfärben, meist zunächst in Gelbtönen, die roten würden bald folgen. Einzelne verwelkte Blätter mischten sich mit dem nicht mehr recht wachsen wollenden Gras. Das Licht war herbstlich, klar die Farben konturierend. Einzelne Vögel zwitscherten, die Rosen verblühten ein zweites Mal, die Astern und Dahlien zeigten die wahre Herbstpracht. Weitestgehende Windstille, am glatten See spiegelten sich die Uferbäume, der Himmel und ein paar Wolken, kaum gab es Segelboote, die im Wasser standen und zwischen denen der Dampfer dahinglitt. Es war die Zeit des Oktoberfestes mit dem dankbaren Septemberhoch, fern manch Autogeräusch oder Hundegebell. Im Garten oder am Balkon des großelterlichen Hauses vernahm man das sanfte Zischen des Zuges, langsam lauter werdend bis zum Höhepunkt und schneller entschwindend als gekommen. Libellen am Teich und Wespen in den Erika, ein Motorroller machte auf sich aufmerksam, Friede. Anders als am Morgen, als es galt die Sphären abzugrenzen, jetzt nur vereinzeltes Vogelgezwitscher zur Machtsicherung, gelegentliche Wortfetzen von Spaziergängern neben dem Knarzen der Tritte verursacht durch die Steine des Weges, manch Kinderstimme war in der Ferne zu vernehmen, kleine Sportflugzeuge bewegten sich am Himmel unwirklich, die Kirchenglocken kündeten die Zeit, erst die tiefe, volle, katholische, gleich anschließend die flachere, leicht blecherne, evangelische, leiser, wie es sich in Oberbayern gehört.

Dr. Müller bat mich, den Motor abzustellen. Er trug stets ein schwarzes Priestergewand und hatte einen Strohhut aufgesetzt, um sich gegen die Septembersonne zu schützen.

Er fragte mich nach dem Stand meines Studiums und was ich denn vorhätte. Ich erklärte ihm, dass ich begonnen hätte, auch Betriebswirtschaft zu studieren. Ich hätte nun jedenfalls so viel Philosophie studiert, dass ich den entscheidenden Satz von Sokrates, ich weiß, dass ich nichts weiß, mir zu Herzen genommen hätte. Ich wollte nicht Zeit meines Lebens, diese wahre Philosophenerkenntnis mit immer mehr angereichertem Wissen immer wieder verifizieren und zum Überleben mich dazu akademischer Grabenkämpfe ausliefern. Ich hätte daher beschlossen, das Studium zu wechseln, in das elterliche Geschäft einzusteigen, aber dank des zu erwerbenden Diploms nicht gänzlich davon abhängig zu sein und mir mittels der dort sicher zu erwerbenden Mittel, ein möglichst unabhängiges Leben zu sichern, das mir die Freiheit gäbe, dann der Philosophie oder der Kunst mich ohne existentielle Nöte oder übermäßiger materieller Einschränkungen jedenfalls gelegentlich zu widmen. Insofern wäre ich doch wahrhaft Enkel meines Großvaters. Obwohl ich nicht vorhätte, seinen sonstigen Lebensmaximen zu folgen. Nun war ich dezent beim Thema. Dr. Müller ging auch sofort darauf ein. Was meinst du damit?'

Jetzt galt es vorsichtig zu sein, mein Großvater lag ja im Sterben und ich wollte doch Informationen von Dr. Müller und keine sinnlose Konfrontation. Ich begann damit, auszuführen, ich stellte mir eine Ehe anders als diejenige meines Großvaters vor. Offenbar sei die Pflichterfüllung, die noch dazu darauf reduziert war, die Ehe äußerlich aufrechtzuerhalten, gegenüber den Gefühlen dominierend.

‚Das kannst du nicht beurteilen. Du kennst nicht die ganze Geschichte und musst sie auch nicht kennen. Kein Mensch ist vollkommen und wir Katholiken können vergeben.'

Meinem Wunsch, mir die ganze Geschichte doch zu erzählen, parierte er mit den Worten.

‚Das ist nicht meine Sache, worüber ich mich aber gerne mit dir unterhalte, ist die Verallgemeinerung dessen, was du möglicherweise an deinem Großvater festmachst. Wie lebe ich richtig?'

‚Gibt es ein richtiges Leben im falschen?', erwiderte ich, eingedenk des Adorno-Seminars im Sommersemester.

‚Wenn man dies verneint, so macht man es sich einfach. Da es kein richtiges Leben gibt, sondern nur ein falsches, so ist man auch nicht verantwortlich, verantwortlich sind die Verhältnisse, die gesellschaftlichen Zwänge. Nein, das ist für mich kein Standpunkt. Man braucht klare Grundsätze als Lebensmaximen. Wenn man diesen nicht immer gerecht wird, so steht das auf einem anderen Blatt. Man weiß dann, dass man fehlt, und kann es bereuen. Es ist dann vergeben. Das ist die einfache, gerechte und sehr versöhnliche Botschaft des Glaubens.'

‚Aber wer bestimmt diese Maximen? Die Priester, die Philosophen, das Herkommen? Wir wissen doch alle, dass unsere Erkenntnisse geschichtlich bedingt sind, dass die Eule der Minerva ihren Flug in der Dämmerung beginnt.'

‚Wenn du schon diesen Stuttgarter Philosophen, wer hätte gedacht, dass Hegel aus Stuttgart kommt und dass eine Weisheit von ihm dort ausgerechnet am Hauptbahnhof verewigt ist, zitierst, dann wirst du auch wissen, dass meine Grundansicht sich mit Hegel vollständig verträgt. Dass unsere Erkenntnisse geschichtlich bedingt sind, schließt doch nicht aus, dass sie Erkenntnisse sind. Und wenn ich Erkenntnisse habe, also konkret, wenn ich erkenne, wie ich richtig lebe, so muss ich das umsetzen.'

‚Warum?'

‚Weil ich dadurch Mensch und frei bin. Durch das Denken, und Resultat des Denkens ist die Erkenntnis, unterscheidet sich der Mensch vom Tier. Wenn dem so ist, so handele ich wahrhaft menschlich, wenn ich das Ergebnis meiner Erkenntnis realisiere. Richtiges Leben heißt also, aus dem Denken gewonnene Erkenntnisse in die Lebenspraxis umsetzen.‘

‚Aber welche sind das? Mir ist das zu abstrakt.‘

‚Wenn ich gemein wäre, würde ich sagen, gut, dass du Betriebswirtschaft studieren willst, du wirst es nie lernen. Aber du bewegst dich in guter Gesellschaft: Marx hat Hegels spätem Minerva-Flug geantwortet, dass es darauf ankomme, die Welt zu ändern und nicht, zu interpretieren. Was daraus geworden ist, können wir sehen. Wir bewegen uns in einer abstrakten Frage, wie soll das Ergebnis anders als abstrakt sein. Und Abstraktionen verwirklichen wollen, heißt Wirklichkeit zerstören, was wir doch in diesem Jahrhundert mehr als leidlich erlebt haben. Es ist doch naiv anzunehmen, dass aus allgemeinem Philosophieren konkrete Handlungsanweisungen resultieren. Für die naiven Alltagsgemüter haben wir sehr einfach hierfür die zehn Gebote oder früher die Sieben Todsünden.‘

Das dumpfe Hupen des Dampfers schreckte uns auf. Er signalisierte damit, dass wir in seiner Fahrtrinne waren. So startete ich den Motor und Dr. Müller schlug vor, an das andere Ufer nach Ambach zu fahren und dort beim Bierbichler einzukehren.“

45

„Wir saßen unter den Kastanienbäumen vor unserer Radlerhalben als mir Dr. Müller eröffnete: ‚Ein Geheimnis will ich dir anvertrauen. Es wird sich dir vielleicht später, vielleicht auch nie erschließen. Du kennst doch das Bild deiner Großmutter im Barockzimmer, das sie als junge Frau in einer etwas eigenartig gekünstelten Pose in einem weißen langen, anscheinend aus Taft bestehendem Kleid zeigt. Ihr Gesicht, das zur rechten und abgewinkelt nach oben gehaltenen Hand blickt, ist nur im Profil zu sehen. Die linke Hand, wie die rechte mit einem langen weißen

Handschuh bedeckt, hält, völlig unmotiviert und sehr geheimnisvoll, einen Apfel. Dieses Bild schenkte dein Großvater deiner Großmutter nach der Geburt ihres zweiten Kindes, deiner Tante. Er verriet mir eines Tages, nachgefragt nach der eigenartigen Stellung der dargestellten Figur, deren Gesicht als dasjenige deiner Großmutter, wenn auch ziemlich idealisiert und wohl den Schönheitsmaßstäben klassizistischer Renaissance angepasst, zu erkennen ist, dass die Haltung einem Madonna-Bild von Michelangelo in den Uffizien nachgestellt ist, der ‚Tondo Doni‘, dass er jedoch bei dem Bild immer an ein ganz anderes Bild denke, das auch in Michelangelos Werk sein Vorbild gefunden hatte.‘

‚Welches Bild ist das?‘, wollte ich wissen.

‚Das verrate ich dir nicht. Du kannst dies aber herausfinden, wenn du dich mit der Dissertation deines Großvaters gelegentlich befassen würdest, was ohnehin nicht schaden kann, die bekanntlich Bronzino und mit ihm die italienische Malerei des Manierismus zum Gegenstand hatte. Das besagte Bild hängt in der Londoner National-Gallery. Aber lass uns aufbrechen, es wird sonst zu kalt zum Zurückfahren.‘

Als wir zurück waren, war es schon dämmrig. Wir gingen unverzüglich zum Abendtisch. Ich sehe noch heute den misstrauischen, von unten kommenden Blick meines Großvaters, wie er gebückt auf dem mit einem Tuch bedeckten Jugendstilstuhl saß. Auch Dr. Müller bemerkte die Sorge meines Großvaters vor Offenbarungen gegenüber seinem Enkel und versuchte diese zu zerstreuen: ‚Wir haben uns über philosophische Themen gut unterhalten.‘

Bevor ich ins Bett ging, bat ich Dr. Müller, ob ich mir in dem von ihm gerade bewohnten Barockzimmer das Bild meiner schönen, allerdings sehr kalt und stilisiert dargestellten Großmutter in jungen Jahren vor Augen führen dürfte.

Ich bemerkte auf dem Bild neben dem unmotivierten Apfel in der linken Hand, auf den Dr. Müller schon hingewiesen hatte, rechts am Bildrand zwei Masken.

Ich empfand keine Sympathie für das Bild. Die dargestellte Großmutter war mir fremd, es war ein Artefakt. Wie angenehm, wie sympathisch war mir doch die warme, inzwischen runzlige lebendige Hand der Großmutter. Gewiss war die aufgetragene Schminke oft leicht grotesk, sie konnte dem alternden, wenn auch immer noch erstaunlich straffen Gesicht die Jugend nicht wiedergeben, aber dennoch war mir ihr Gesicht soviel näher, soviel sympathischer als die stilisierte Ikone des Gemäldes."

Paul nahm einen Schluck Wasser und entschuldigte sich, um die Toilette zu benutzen.

Meine nächste Frage, als Paul sich wieder gesetzt hatte, war klar: „Nun, um welches Bild, welches Vorbild, welches Urbild hat es sich gehandelt?"

Paul erwiderte: „Ich habe es bald herausgefunden dank eines Bildbandes über die Malerei des Manierismus aus der Bibliothek meines Großvaters und dessen Dissertation – eine bessere Seminararbeit, aber damals offenbar ausreichend für eine Promotion – aus dem Jahre 1925, die mir Dr. Müller gab. Bronzinos ‚Allegorie der Liebe' hat mein Großvater ausgiebig beschrieben. Ich weiß nicht, ob du das Bild kennst?"

„Ich verbinde mit Bronzino viele schöne Porträts, deren oft leicht dekadenter Eindruck mir so gut Prousts Morel, den Künstler und Geliebten von Baron de Charlus, der nicht weniger die Frauen liebte, wie die die dazugehörten, diesen Prototyp aus Sodom und Gomorrha, vorstellen ließ. Das von dir angesprochene Bild ist mir aber fremd."

„Ich will es kurz beschreiben. Es zeigt die nackte Venus mit Amor. Amor, Sohn der Venus, streichelt zärtlich ihre Brüste und küsst sie auf den Mund. Tauben unter Amors Fuß unterstreichen die leidenschaftliche Liebe. Venus hält in der linken Hand den goldenen Apfel der Hesperiden, von Paris als Preis für ihre einzigartige Schönheit überreicht, in der rechten Hand einen Pfeil, offenbar aus Amors Köcher.

Auf dem Bild sind weitere Figuren, kleine Amoretten, zu sehen, die als Darstellung von Nebeneffekten der Liebe, Vergnügen, Spiel, Betrug und Eifersucht gelten. Oben sieht man einen alten Mann, der als Gott Saturn, als Chronos und damit Allegorie der Zeit, gilt. Er öffnet den Vorhang, enthüllt die Wahrheit oder zieht ihn zu, verdeckt die Wahrheit. Was es ist, kann man nicht erkennen, aber beides ist richtig, die Zeit bringt die Wahrheit ans Licht aber verdeckt sie auch. Es ist das Spiel zwischen Verhüllen und Enthüllen, zwischen Klarsicht und Verschleierung, das Spiel der Liebe, der Erotik, des Lebens.

Mein Großvater hat dieses Bild in seiner Dissertation ausführlich beschrieben als Werk, das typisch für den Manierismus sei. Es hatte aber offenbar noch viel größere Bedeutung für ihn – wie die Liebe als ambivalente menschliche Erfahrung in all ihrer Widersprüchlichkeit, die Freuden und Leid bereitet, Betrug, Eifersucht und Kummer bedeutet, aber zeitbedingt ist.

Er hat gleich Bronzino, einem gebildeten und belesenen Mann, der Hofmaler der Medici war, mit der Vorgabe an den von ihm beauftragten Maler meiner Großmutter zum Ausdruck bringen wollen, dass die von ihm in seiner Doktorarbeit dargestellten Eigenschaften des italienischen Manierismus des 16. Jahrhunderts für ihn gültige Lebenswahrheiten enthielten.

Bronzino variiert die Madonnafigur in Michelangelos ‚Tondo Doni‘. Indem er ein berühmtes Kunstwerk zitiert, betreibt er die Spätkultur des Déjà-vu und Déjà-lu, bedeutet er jedoch auch: Kunst ist aus Kunst gewonnen. Bronzino kommentiert durch die Einfügung seiner Figuren Michelangelo, er zeigt das Leben, das doch nicht so ideal ist, aber er macht dies wieder so stilisiert, so manieristisch, dass man weiß, es ist nicht das reale Leben, sondern, wie kann es im Kunstwerk auch anders sein, Kunst. Das Verfahren des Zitierens, Replizierens, Repetierens und Variieren älterer Kunst ist damals längst üblich. Neu und ‚maniera‘ gemäß ist die Häufung solcher Replikate.

Die ‚Idea‘ ist am Modell verifiziert, dem Modell ist die Kunstfigur inhärent. Das Renaissance-‚Naturo in arte‘ ist gesperrt, die Individualität entschwindet: Köpfe sind reine Ovale. Die Venus als Idol, makellos, unberührbar, weltenfern, aus dem Reich der Iden. Der Preis ist der Verlust an Vitalität, an Lebenswärme, an Eigenart. Es wird der Arm aller Arme, die Hand aller Hände, das Profil aller Profile geschaffen: Die Haut als Opal, der Arm als Spolie, das Gesicht als Maske. Ein ästhetisches Phantom, das die Humanität der Hochklassik verloren hat. Das Bild als Prototyp klassizistischer Gestaltung, manieristisch, statt Vitalität und Individualität der Hochrenaissance, Eiseskälte, die Emotion ist ästhetisiert, die Leidenschaft sterilisiert, ein raffiniertes, intellektuelles Konstruktum, ein Artefakt, das aus lauter Artefakten besteht."

Ich unterbrach Paul. Als regelmäßiger Leser des FAZ-Feuilletons erinnerte ich mich anlässlich einer Besprechung eines klassizistischen Werkes (oft ist der Reiz der Besprechungen von Ausstellungen, Theaterstücken, Opern oder Filmen, die zu lesen, ohne die Werke gesehen zu haben an sich ganz sinnlos ist – und welcher Leser könnte alle die besprochenen Stücke auch nur annähernd Aussicht haben, je in Augenschein zu nehmen – die Auseinandersetzung mit dem Umfeld, der Zeit der rezensierten Darstellung und in diesem Zusammenhang mit interessanten Anmerkungen des Autors hierzu) an ein Zitat des Feuilletonisten: „Hat nicht ein Kunstkritiker oder Kunstgelehrter im 17. Jahrhundert behauptet, der trojanische Krieg sei nicht um Helena in Fleisch und Blut geführt worden, sondern um eine vollkommene Helena-Statue, die Paris nach Troja entführt habe."

Paul antwortete: „Das ist der Traum der Künstler, sie bewegten die Welt. In Wirklichkeit spielt dies keine Rolle, da die Geschichte des Trojanischen Krieges ohnehin Mythos, also Kunst, die Helena aus Fleisch und Blut eine Fiktion ist und sie in eine Statue zu verwandeln ein Akt der Aufklärung darstellt. Die Ilias nimmt einen fiktiven Anlass, um zu dichten, ob Helena real war oder ein Kunstwerk spielt nur insofern eine Rolle, als es über den Bildungsstand der Leser oder Zuhörer Auskunft gibt: Können diese das Wissen, dass sie Illusionen hören oder lesen, verkraften oder werfen sie das dem Autor vor und bestrafen ihn mit Nichtachtung?

All das hat mein Großvater vielleicht, wer weiß es schon, es gehört zum Spiel, es offen zu lassen, bedacht, als er das Bild meiner Großmutter in Auftrag gab.

Er schenkte es meiner Großmutter, die sich offenbar gut getroffen fand, denn wäre es nicht der Fall gewesen, hätte das Bild nicht nach der Geburt ihres zweiten Kindes im Gästezimmer überlebt."

Ich merkte an: „Es kann kein Zufall sein, dass dein Großvater über Bronzino geschrieben hat und dann die Großmutter nach einem Bildnis desselben Malers porträtieren ließ. Die Typen von Bronzino, dem es weniger auf die Charakterdarstellung oder psychologische Deutung als auf eine strenge Erfassung der Individualität ankommt, die Marmorkühle und Distanz seiner Porträts – hervorgerufen durch die Vorliebe für Lokalfarben, durch deren emailleartigen Glanz –, der Detailreichtum der Kleidung, des Schmuckes und des charakteristischen Umfeldes, die Brillanz der Farben, sein reicher Gebrauch kostbarsten Materials wie Lapislazuli, seine technische und formale, erfindungsreiche Virtuosität. all dies entspricht deinem Großvater. Dein Großvater war sozusagen wie eine der Figuren von Bronzino."

Paul erwiderte: „Mag sein. Dennoch dokumentiert dies Bild aber auch die Lebensdichotomie meines Großvaters. Was ich damals nicht wusste und den Enkeln erst nach dem Tod meiner Großmutter bekannt wurde, war, dass zur selben Zeit die alte Liebe meines Großvaters ihm einen Sohn geboren hatte, der demnach derselbe Jahrgang wie meine Tante ist.

Der Ästhetizismus und letztlich Zynismus des Großvaters trieb es mit diesem Bild auf die Spitze.

Aber alles hat seine Vorgeschichte. Ich habe diese erst vom unehelichen Sohn meines Großvaters erfahren, also meinem Onkel.

Meine Großmutter hatte meinen Großvater im Fasching kennengelernt und ward gleich schwanger. Der vom Großvater vorgeschlagenen Abtreibung widersprach der Vater der Geschwängerten, dankenswerterweise, sonst gäbe es mich nicht, heftig, der auf Heirat bestand, froh, die mit achtundzwanzig Jahren damals schon fast nicht mehr unterzubringende Tochter wohlfeil an den Mann gebracht zu haben. Mein Großvater liebte damals eine ältere Frau. Die Liebe war beidseitig. Die Eltern der Geliebten, deren Willen sie sich nicht zu widersetzen wagte, wollten jedoch keine Heirat.

Der Fakt der Schwangerschaft, der Druck des baldigen Schwiegervaters und die sehr katholische, deutlich ältere Schwester, die für den kleineren Bruder die Rolle der verstorbenen Eltern einnahm und ihn bedrängte, zu seiner Tat zu stehen, bewirkten die eiligst anberaumte Hochzeit.

Die Beziehung zu seiner Liebe endete nicht. Sie wurde wohl ständig aufrechterhalten. Der uneheliche Sohn zeugte davon.

Indem der Großvater das Bild so in Auftrag gab, dokumentierte er früh seine Einsicht in den Zustand seines Liebeslebens und das daraus folgende häusliche Familienleben. Aber er hat dies niemandem so offenbart. Ich habe mir es erschlossen."

Ich war einigermaßen erstaunt ob dieser Interpretation. „Eine Lebensform, die die Wahrheit, die ihr wohl bewusst ist, nur verschlüsselt mitteilen kann und derweil ein Leben im Schein, im Trug lebt."

„Aber vielleicht ist es auch eine Form der Humanität, der Zivilisation, der Kultur, das Elend des realen Lebens, das aus nicht erfüllten Wünschen und Leidenschaften, die sich nicht gänzlich verleugnen lassen und somit Spuren hinterlassen, in einer Form konventionellen Umgangs zu überdecken. Hätte ich die glücklichen Kindheitstage erlebt, hätten meine Großeltern sich ständig über gegenseitige Verletzungen auseinandergesetzt oder wären getrennte Wege gegangen? Die Unordnung der Gefühle wird durch eine Ordnung der Konvention überdeckt, die es ermöglicht, das Leben formell zu meistern, eine Ordnung, die dem Kind aber den Halt dafür gibt, die eigene Fantasie auszuleben, die nicht darauf beschränkt wird, sich mit der kruden Realität auseinanderzusetzen. So war die Kindheit, die ich in Seeberg genoss, bestimmt durch Spiele im Garten, in denen ich allein in den verschiedensten Rollen fantastische Abenteuer bestand, und seien diese nur darin, dass ich ein Reh war, das vom Großvater gejagt wurde und sich geschickt dem Kugeltod entzog."

„Du willst mir aber doch nicht sagen, dass das Muster der Ehe deiner Großeltern die Voraussetzung dafür ist, dass man glückliche Kindertage erleben kann. Noch viel weniger gilt wohl, dass deine Großeltern quasi aus Verantwortung für ihre Kinder oder Enkelkinder ein derartiges Leben gewählt haben."

„Wer handelt schon rein aus Gründen der Verantwortlichkeit? Meistens sind die Motive vielschichtig. Die Verantwortlichkeit der Eltern für ihre Kinder ist bekanntlich ein weites Feld."

„Du spielst auf den alten Briest an, der der alte Fontane ist.
Wer wagt zu urteilen?"

„Erkenntnistheoretisch urteile ich schon dadurch, dass ich
spreche, denn damit wähle ich schon aus und jede Auswahl impliziert das Urteil, das Ausgewählte ist dem nicht Ausgewählten vorzuziehen. Sonst hätte ich es nicht ausgewählt. Ich habe
also entschieden und damit geurteilt. Aber lassen wir das.

Wie in dem Bild ‚Allegorie der Liebe' enthüllt die Zeit Umstände, die dem unmittelbar Erlebenden verborgen bleiben.
Dinge, die ihm augenblicklich gewärtig sind, werden andersherum von der Zeit verhüllt, er vergisst oder verdrängt sie."

46

„Ich möchte dir noch ein wesentliches Erlebnis schildern, das
sich in der Zeit ereignete, in der ich in Seeberg dem Sterben
meines Großvaters beiwohnte. Es ist ein Geheimnis, das ich nur
dir enthülle, das auch indirekt mit dir zu tun hat."

„Wie das?"

„Kannst du dich erinnern, dass wir seinerzeit zusammen
‚Das Schweigen' von Bergmann angesehen hatten?"

„Stimmt, ich kann mich erinnern, es muss in unserer Studentenzeit gewesen sein, der Film hat mich sehr beeindruckt."

„Ich weiß es genau, es war in der Zeit, als mein Großvater
starb. Wir hatten uns verabredet, ins Kino zu gehen. Es gab
nichts Ansprechendes, nur im ‚Theatiner', das einzig verblie-
bene Filmkunsttheater Münchens –, das ‚Occam' gab es schon
nicht mehr, die Filme im ‚Türkendolch' waren doch ein wenig
zu primitiv, wie die Eddi-Constantin-Filme, oder banal revo-
lutionär und diejenigen im ‚Isabella' zu kommerziell – lief der
ehemalige Skandalfilm ‚Das Schweigen' von Ingmar Bergman."

„Richtig, es waren Semesterferien und wir gingen anschließend in eine Kneipe und diskutierten lange über den Film. Wir
deuteten ihn: Der Junge Johann, das Ich, die Mutter Anna,
das Es, die Tante Ester, das Über-Ich. Gott schweigt, daher der
Titel. Er gibt dem Ich zwischen Es und Über-Ich keinen Aus-

weg an. Für Anna ist Sex Flucht, Vergessen, antikommunikativ. Sie schätzt an ihrem Liebhaber, dass sie nicht miteinander sprechen können, die Reduktion auf das Tierische, gleichzeitig der Protest gegen das von Ester verkörperte Über-Ich, der Geschlechtsakt in der Kirche als größtes Sakrileg, nur erzählt, nicht bebildert. Der moderne Mensch hat seinen Glauben verloren, deshalb ist er allein, sein Leben bedeutungslos. Die zwei Schwestern als gescheiterte Versuche, mit den Resultaten einer strengen christlichen Erziehung zu leben. Die innere Zerrissenheit der beiden Personen. Die Hoffnung ist der Junge Johann: Die Sprachlosigkeit durch Beobachtung zu überwinden, die Kunst. Wenn Gott tot ist, bleiben andere Formen des Fragens, der Suche, nämlich die Kunst. Die Frage der Prüderie, warum war der Film so ein Skandal, man regt sich über die Zuckungen beim Masturbieren, nicht beim Sterben, auf."

Paul ging darauf nicht näher ein.

„An diesem Abend konnte ich nicht schlafen. Es gingen mir die Bilder des Filmes durch den Kopf: Der Anfang im Zug: Großaufnahmen der Gesichter, die Bahnfahrt des Lebens, eine Geisterfahrt; Leben, Liebe, Tod, sich einander bedingend; der Junge, Johann, wie er seine Mutter einseift und von dieser mit einem gewiss duftenden Wasser eingerieben wird. Das hat mich erinnert an meine eigene Kindheit, als ich im selben Haus, in dem nun mein Großvater im Sterben und ich unruhig, aufgewühlt im Bett lag, von meiner Großmutter, nachdem wir, meist sonntags vor dem Kirchgang, gemeinsam in dem mit heißem Wasser und durch Dufttabletten, die sich langsam auflösten, erzeugten Schaum gefüllten großen Marmorbad gelegen hatten, und ich mit grünem, in großen, gläsernen Flaschen aufbewahrten, herrlich erfrischenden und angenehm nach Fichtennadeln duftenden Franzbranntwein eingerieben worden war.

Als ich in der Nacht von der Toilette in mein Zimmer zurückging, traf ich auf Emma, die aus dem Zimmer meines kranken Großvaters kam, dort Wache haltend.

Emma, Tochter der Köchin Anni und aufgewachsen bei meinen Großeltern, war Mitte vierzig. Sie war mittelgroß, hatte blonde Haare und war recht üppig. Sie war mit einem Handelsvertreter verheiratet, hatte einen Sohn und ging regelmäßig in die Kirche. Sie hatte ein lautes Organ und war wenig rücksichtsvoll. Meinem Großvater ging sie mit ihren überlauten dümmlichen Kommentaren zu den Verrichtungen, bei denen sie ihm half, sicher sehr auf die Nerven, wenn sie etwa laut zu ihm, als wäre er schon gänzlich weggetreten, meinte:‚So und jetzt macht der liebe Herr Konsul fein sein Pipi und wir achten darauf, dass nichts daneben geht‘ oder als wäre er ein Baby, den Suppenlöffel haltend ihm die Suppe in den Mund träufelnd und nach jeden Löffel mit der Serviette den Mund wischend, damit nur ja nichts verschüttet wird und damit die Waschmaschine über Gebühr strapaziert würde, äußerte: ‚So macht es der Herr Doktor gut, immer essen, ist gut und wichtig, so bleibt man groß und stark.‘

Sie hatte immer eine Schwesternschürze an, die, wenn sie sich nach vorne beugte, die Ansätze ihrer großen Brüste offenbarte, was meinem Großvater für das demütigende Geschwätz ebenso entschädigte, wie der Blick auf die langen und durchaus noch schlanken Beine, die sichtbar wurden, wenn sich Emma im Bemühen, die Mahlzeiten mit den geringstmöglichen Verschmutzungen der Bettdecke abzuwickeln, auf das Bett setzte. Der Mensch passt sich schnell den Gegebenheiten an und ist dankbar für die Wohltaten, die die jeweilige Situation noch für ihn übrighat. Im Sterben reduzieren sich auch die körperlichen Wünsche auf Schmerzlinderung und Schmerzvermeidung. Der Sexualtrieb als der Lebenstrieb bleibt jedoch bis zuletzt wach. So genoss es mein Großvater auch, wenn Emma ihm bei seinen Bemühungen, aus der krebsverseuchten Blase Urin in den bereitgehaltenen Topf zu tröpfeln, gelegentlich seinen Penis hielt. Für Emma wiederum war es wohl ein ungeheuerliches Machtgefühl, wenn sie dem Herrn Konsul, der, so hatte es ihr ihre Mutter stets eingeprägt, allmächtig war und von dessen Gnade ihr Überleben und dasjenige ihrer Mutter einstmals abhing, nun behandeln konnte wie ein Kind. Außerdem wurde das von der Kirche immer behauptete und im realen Leben sich schwer verifizierbare Diktum doch offenbar, dass Gott alle Menschen gleich liebe, im Gegenteil, die Zöllner mehr als die Pharisäer, dass im Tode alle gleich seien. Sie, die uneheliche Tochter einer armen Köchin, hatte jetzt die Herrschaft über den großen reichen, weisen Konsul Dr. Poth, sie konnte entscheiden, ob sie ihm die kleinen Freuden bereitete, ihm ein wenig von ihrem großen Busen oder ihren schönen Beinen zu zeigen oder ihm gar an den Penis zu fassen. Das wäre im bisherigen Leben undenkbar gewesen. Für seine sexuellen Wünsche hatte der Konsul seine Mätressen oder Huren, jedoch war die Familie, und dazu zählten die Hausangestellten, tabu.

Es dauerte nicht einmal zwei Minuten. Ich kann dir nicht mehr sagen, wie und wer die Initiative ergriffen hatte, es passierte. Bedauere ich es?

Ich fühlte in den kommenden Tagen Scham. Anders als bei Ester im ‚Schweigen‘ war es weder deren kindliche, doch auch erotische Zärtlichkeit mit ihrem kleinen Sohn noch deren pure Sexualität mit dem Kellner, mit dem sie schläft und mit dem sie kein Wort spricht oder auch nur sprechen könnte.

Es war mir peinlich. Sobald ich Emma sah, sah sie mich ein wenig zu lang und ein wenig zu vertraut an. Ich blickte immer schnell weg. Wie den Ich-Erzähler in Prousts ‚Recherche‘ der Geschmack des Gebäckes mit dem Namen ‚Madelaine‘ seine Kindheit in Combray wiederauferstehen lässt, wie ich selbst die Arien aus den verschiedenen Mozartopern immer mit meiner Großmutter und deren Haus in Seeberg verbinde, so ist dieses Erlebnis und es war ein Erlebnis immer verbunden mit Bergmans ‚Schweigen‘, zu dem es ja auch passte: Tod und kommunikationsloser Trieb als solcher, das tierische Es, die Negation von Menschlichkeit, Liebe, Ehe und Gesittung. Heute bedauere ich es. Zwar war Emma älter als ich, aber ich kann mich nicht der Verantwortlichkeit entziehen. Mit Anfang zwanzig war ich nicht mehr der Jüngling, der sich verführen ließ und von den Hausangestellten in die Freuden der körperlichen Liebe eingeführt wird. Für den kurzen Augenblick schneller Lust habe ich nicht nur Emma beschädigt – für sie habe ich eigentlich nie etwas empfunden, sie war mir immer fremd, eher lästig in ihrer lauten, dümmlichen, anbiedernden Art, außerdem war sie älter und für sich selbst verantwortlich, was wiederum keine Ausrede ist – auch der Totschlag mit Einwilligung bleibt Totschlag, die Einwilligung kann nicht exkulpieren – schlimmer noch, ich habe mein Dasein, meine Erinnerungen, an die Kindheit in Seeberg, dieses ganze unmittelbare, kindliche Glück, diese Ahnung eines herrschaftsfreien Lebens, voller Zuneigung und ohne Anforderungen und Verpflichtungen, voll kindlicher, sensitiver, uneigennütziger, nicht besitzergreifender Erotik, voll Fantasie und unschuldiger Freiheit, negiert. Es war sozusagen mein Sündenfall in Seeberg."

Paul hielt inne. Derartige Geständnisse, selbst wenn sie einem intimen Freund wie mir gemacht werden, bewirken eine gewisse Pein des Zuhörers, man fühlt sich wie ein Priester, dem gebeichtet wird und damit, Marcel Proust hat darauf hingewiesen, wie ein Untersuchungsrichter. Man wagt es nicht, dem Gesprächspartner in die Augen zu schauen – die lebenskluge katholische Kirche hat nicht umsonst die Beichte durch die Einführung des Beichtstuhls zumindest vorgeblich anonymisiert. Ich lenkte daher ab: „Hast du Dr. Müller eigentlich nach dem Tod deines Großvaters wieder getroffen. Was ist aus ihm geworden?"

47

Paul, sichtlich froh, das Thema wechseln zu können, antwortete: „Ich sah Dr. Müller nach dem Tod meines Großvaters nur mehr gelegentlich. Er hatte auf Wunsch meiner Großmutter die Trauung mit meiner ersten Frau durchgeführt, du weißt es, du warst der Trauzeuge. Er war des Öfteren bei meiner Großmutter zu Besuch.

Ich kann mich, es muss Ende der siebziger Jahre gewesen sein, an ein gemeinsames Mittagessen bei meiner Großmutter erinnern. Denn wir machten am Nachmittag einen Spaziergang auf einem Höhenweg nahe Seeberg. Von dort hat man einen einzigartigen Blick über das Voralpenland. Es war ein typischer föhniger Dezembertag:

Der See war wie ein Spiegel, die Silhouette der Zugspitze zum Greifen nahe. Man fühlte sich wie im Frühling, nur stand die

Sonne allzu tief. Zu hören waren allenfalls vereinzelt Vogelstimmen, die sich täuschen ließen, die Laubbäume waren entlaubt, kahl die Äste, keine Knospen, kein sich abzeichnendes Leben, auf der Wiese gaben die fast schon kompostierten Blätter noch den Ton an, sie ruhte, sie dämmerte dahin, fernes Hundegebell dominierte, die nahen Berge waren weiß, die Luft klar, schon früh am Nachmittag versank die Sonne, sie ließ die verbliebenen braunen verwelkten Eichenblätter in vielen Nuancen schimmern und die Kreuze auf den Kirchtürmen leuchten. Die Kälte, die einzog, als die Sonne alsbald versunken war, offenbarte dann doch, dass es Dezember und nicht März war. An die verschwundene Sonne erinnerten violette Spuren sowohl auf den wenigen Wolkenfetzen wie auf deren Spiegelungen im ansonsten dunkelblauen See. Schließlich zeichneten sich die dunklen Berggipfel wie ein Scherenschnitt gegen den rötlichen, dann hellblauen, zuletzt vom Dunkelblau ins Schwarz versinkenden Himmel ab. Jetzt hörte man auch wieder das Gekrächze der Krähen irgendwo zwischen den schwarzen, blattlosen Ästen.

Ich kann mich heute besser denn je, an unser damaliges Gespräch erinnern. Der Jesuit thematisierte zunächst die Frage, ob die Landschaft, die so einmalig vor uns lag, so friedvoll, variationsreich und, obwohl winterlich so üppig, Einfluss auf den Charakter der sie bewohnenden Menschen habe und mit diesen auf die in dieser Landschaft hervorgebrachte Kunst, wie das bayerische Barock und Rokoko. Er erinnerte an seinen Lieblingsregisseur Ingmar Bergman, der in ‚Persona' einen einsamen Steinstrand mit Kieseln und flachen Klippen, einen Streifen karger Vegetation, struppiges Gras, Wacholderbüsche und ein Meer zeigt, das die Einsamkeit und endlose, bedrohende Beziehungslosigkeit suggeriert. War Bergman Produkt dieser Landschaft oder versinnlicht er nur die Seelenlandschaft der Protagonisten?"

Ich unterbrach: „Du musst mir aber jetzt kurz Bergmans Film in Erinnerung rufen, sonst verstehe ich es nicht ganz. Ich habe ihn zwar gesehen, muss es mir aber wieder bewusst machen. Sarah hat erst neulich eine Bergman-Kassette erstanden. Ich weiß jedoch nicht, ob ‚Persona' enthalten ist."

Paul erwiderte: „Der Film wurde Mitte der sechziger Jahre gedreht. Dr. Müller hätte dir den Film in etwa so geschildert:

Nach einer Aufführung von ‚Elektra' schweigt die Schauspielerin, Liv Ullmann. Die ihr zugeteilte Krankenschwester, Bibi Andersson, spiegelt sich in ihr. Es ergibt sich ein Identitätswechsel, ein Übergang der Identität, wer ist wer, die Geschichte der einzelnen ist Geschichte der Gattung und damit auch Geschichte der anderen.

Die Essenz der Lebenstragödie der Schauspielerin, von der betreuenden Schwester erzählt – das Problem der Mutter, die durch das Kind eingeschränkt wird, das ist aber das Problem jeder Beziehung, die immer auch Schranke ist –, wird erst mit Blick auf die Zuhörende und dann identisch mit (Kamera-) Blick auf die erzählende Schwester gezeigt. Das bezeugt zweierlei: Die Geschichte der anderen ist auch die eigene Geschichte und doch wieder nicht, dieselbe Geschichte aus wechselnder Perspektive ist doch eine ganz andere. Es ist aber auch Bergmans Ästhetik des Films. Was ist der Film? Bilder, es braucht keine Sprache, die Hauptdarstellerin sagt nur einmal: ‚Nichts'. Der Film als komponierte Bilder, die die Tragödie des menschlichen Seins darstellen. Dr. Müller hätte nun angefügt, und darum war Ingmar Bergman sein Lieblingsregisseur, wir müssen weiterfragen, wir können beim Nihilismus stehenbleiben oder der menschlichen Existenz Sinn zusprechen. Daraus folgt aber Gott. Nur Gott kann der menschlichen Existenz Sinn verleihen. Das ist der Trost und die Hoffnung.

Das Gespräch unseres Spazierganges hatte jedoch eine etwas andere Richtung. Nach der Beziehung des Charakters der Landschaft zu den Menschen ging es um meinen Großvater, um seine Lebensmaximen, aber auch um den Tod und die Tröstung, die das Christentum bietet.

Dr. Müller kritisierte heutige Tendenzen der Reanimation, der Jugendlichkeit der Gesundheit über alles. All dies könne doch nur kurzen Aufschub bieten. Er stellte dagegen den Tod und das Weiterleben danach. Auf meinen Einwand, das möge sein, sei aber nur eine Hoffnung, erwiderte Dr. Müller: ‚Das wissen wir Christen. Unser Wahlspruch ist eben Glaube, Hoffnung, Liebe. Letzteres, weil wir das Leben verstehen. Wer den Tod verstehen will, muss das Leben verstanden haben. Nun sage nicht, du willst Gewissheit, die gibt es nicht. Auch nicht in der Philosophie. Als studierter Philosoph hast du vielleicht schon von Theophrastos von Eresos auf Lesbos, dem Schüler des Aristoteles, der nach dessen Tod den sogenannten Peripatos, die Philosophenschule des Aristoteles nach deren Wandelhalle (Peripatos) benannt, leitete, gehört. Er klagte in seinen letzten Worten, dass die Kürze des Lebens verhindere, dass der Mensch zur Vollendung des Wissens kommen könne. Er sterbe in dem Moment, in dem er an der Schwelle der Erkenntnis stehe. Letzteres ist eine Illusion. Der Mensch als endliches Wesen wird diese Erkenntnis nie erlangen, er muss sich mit Teilerkenntnissen begnügen, deren wichtigste die Begrenztheit aller Erkenntnis ist und die führt zum Glauben. Das nimmt die Angst vor dem Tod, eine Angst, die sich, weniger christliche als praktische Philosophen wie Montaigne –, ich nenne ihn, da wir über deinen Großvater begonnen hatten zu reden – glauben, nehmen zu können, wenn er ausführt, ‚Nach dem Leben seid ihr Tote, solange ihr lebt, Sterbende. Der Tod betrifft euch weder als Tote noch als Lebende. Als Lebende nicht, weil ihr seid, als Tote nicht, weil ihr nicht mehr seid.‘ Was Montaigne jedoch nicht sagen kann, was nach dem Tod ist. Hier bleibt wiederum nur der Glaube oder die Hoffnungslosigkeit.“

Ich schwieg damals, ich war weder überzeugt, noch wollte ich widersprechen. Ich war vielleicht noch zu jung. Heute neige ich den Ansichten von Dr. Müller zu. Angesichts realer Todesgefahr gibt einem der Glaube tatsächlich Hoffnung und Stärke.

48

Viel später, es muss Ende der achtziger Jahre gewesen sein, traf ich Dr. Müller erneut. Er war schon fast neunzig und hatte meine Großmutter und mich zur Aufführung des ‚Requiems' von Mozart in der Klosterkirche Dießen, dirigiert von Leonard Bernstein und gewidmet dem Andenken seiner Frau, eingeladen.

Ich holte Dr. Müller vom Bahnhof ab. Dr. Müller war unverändert, ein wenig magerer, aber immer noch mit schlohweißem, dichtem Haar. Bis meine Großmutter sich fertig gemacht hatte, saßen wir erneut in der Bibliothek und sahen gemeinsam auf das Land.

Es war ein Tag im schon weit fortgeschrittenen Januar. Der trübe Himmel in wolkigen grauen Einheitsbrei drückte auf die Stimmung, die Sonnentage waren vergangen, die die ersten Frühlingsvögel animiert hatten, ihre Stimmen zu erheben, die uns so wohltun und doch eigentlich kriegerischen Zwecken dienen, nämlich der Verteidigung ihres Reviers. So erfreut der harte Kampf in der Natur das menschliche Gemüt, das doch alles andere als im Einklang mit der Natur allein sein Glück finden kann. Der einzig im privilegierten Südbayern wärmende, dem Föhn geschuldete Sonnenschein hatte die letzten Schneereste vertilgt, so dass das Grau des Himmels nur durch ein trübes Braungrün der übrigen Natur ergänzt wurde, dem sich der See und das leicht ansteigende in Nebel verhangene Ufer anpassten. Ein kalter Wind und Regen, der sich nicht entscheiden konnte, in Schnee überzugehen und damit vor allem Matsch und nasse Füße verursachte, summierten sich zu einem Wetter, das den Daheimgebliebenen die Trübnis ins Wohnzimmer trug.

Ich bedankte mich für die Einladung. Dr. Müller lächelte: ‚Erinnerst du dich noch?‘

Es war mir unvergessen. ‚Wie geht es, bist du zufrieden?‘

Ich hatte als kleines Gegengeschenk für die Einladung für Dr. Müller einen Band von Montaignes ‚Essais‘ gekauft und ihn mit der Widmung versehen: ‚In Erinnerung an ein unvergessliches Beisammensein in der Bibliothek in Seeberg mit dem wahren Freund meines Großvaters, der mir stets anregender Gesprächspartner war‘. Nun war die Gelegenheit, das Buch zu überreichen und die Frage von Dr. Müller mit einem Montaigne-Zitat zu beantworten: ‚Zufrieden ist nicht der, von dem man es glaubt, sondern wer es von sich selbst glaubt.

In diesen Dingen erschafft sich allein der Glaube Wahrheit und Wirklichkeit.'

Der Jesuit schmunzelte. ‚Das hätte deinem Großvater gefallen. Ich danke dir, es ist eine wirklich nette Geste. Das Buch wird mich an deinen Großvater, meinen Freund, erinnern. Gleichwohl bleibt Montaigne für mich gelehriges Räsonnement, nicht mehr und nicht weniger. Ich hoffe, das verdenkst du einem alten Jesuiten nicht, zumal du ja selbst die Frankfurter Schule genossen hast.'

Ich antwortete damals, was ich auch heute noch vertreten würde: ‚Wie du weißt, habe ich in der Zwischenzeit mich geschäftlich mehr oder weniger erfolgreich betätigt. Ich habe gutes Geld verdient und viele Menschen kennengelernt. In dieser Lebenspraxis erscheinen einem doch oft die Erkenntnisse von Montaigne weiser als die Dialektik Hegels oder die gewiss weisen und gebildeten Assoziationen Adornos, wenn Montaigne etwa auf Epikur verweisend sagt, dass Reichtum nicht unsere Mühsal verringere, sondern nur verlagere, dass nicht der Mangel, sondern der Überfluss zu Habsucht führt oder dass Reichtum sei, ohne Geldgier zu sein, dass die Frucht des Reichtums Fülle, die sich im Genug haben zeige, sei.'

Meine Großmutter hatte sich zurecht gemacht. Wir mussten aufbrechen und konnten den Dialog nicht fortsetzen.

Das ‚Requiem' in der Dießener Kirche war ein unglaubliches Erlebnis: Die barocke Raumgestaltung, der intensive kleine Bernstein, die ihn überragenden Sängerinnen Marie McLaughlin und die farbige Maria Ewing mit ihrem eindringlichen Sopran, dem Chor und dem Orchester, dessen Töne in den Sphären des himmlischen Friedens verhallten. Ist derartiges wirklich düsterer Ernst und finstere Melancholie, wenn am Ende die Bassetthörner und Fagotte verstummen, die Streicher sich nicht mehr im pulsierenden Unisono befinden und die Stimmlagen des Chores fallen und nur mehr die jeweils unteren Töne umspannen, wenn ein langsamer chromatischer Abstieg den Satz zu einem unvermittelten Ende führt, wie die Worte Hobbes, die er auf seinem Sterbebett gesprochen hat: Ich breche zu meiner letzten Reise auf, einem großen Sprung in die Finsternis. Klingt das ‚Quia pius es‘, weder wie eine Bitte noch wie eine Überzeugung, sondern eher wie die Konstatierung überlieferter Gewissheit, die ihre Existenz mehr der Überlieferung denn der Gewissheit verdankt? Oder muss man das Werk romantisch sehen als Trost über den Tod des Schöpfers, sein Werk lebt, das erbärmliche Leben wird, durch sein Werk, auf eine höhere Stufe gestellt?

Derartiges Erlebnis ist einmalig. Es ist und war und bleibt nur in der Erinnerung. Ich assoziierte dabei aber auch, nicht nur wegen der Begleitung Dr. Müllers und meiner Großmutter, meinen Großvater. Über die Erinnerung an seinen Tod, dem gemeinsamen Hören des ‚Requiems‘ in der Bibliothek mit dem Blick auf die Alpenkette, wurde mir in der Kirche in Dießen mein Großvater bei ‚Pie Jesu Domine, dona eis requiem‘ gegenwärtig und nah. Näher als er mir je in der Zeit seines Lebens gewesen war. Ich sah ihn vor mir, als naturverbundenen Jäger, als Repräsentant selbstbewussten Lebensstils, als gelungene Inkarnation der Verbindung von Geld und Geist, als volksnahen Kartenspieler, als zynischen Gesellschafter, als gelegentlich charmanten Unterhalter und Bonvivant, als belehrenden, gebildeten Großvater, als altersweisen Ratgeber, der Fontane zitierend vom Leben ‚mal viel, mal wenig‘ hält, ‚mitunter ist es recht viel und mitunter ist es recht wenig‘, als Herr eines Hausstandes, der mir Sicherheit und dauerhaftes unbeschwertes Glück versprach.

Er war mir unmittelbar nah, in der Vorstellung, die ich als Kind hatte, ohne das heutige Wissen über die Verwerfungen und Verletzungen seines Lebens, als Rahmengeber einer unbeschwerten Welt voller Fantasie, Freundlichkeit und Zuneigung. Bernsteins Inszenierung in Dießen, wahres barockes Welttheater, brachte mir meinen Großvater auf die Bühne, der nicht minder ein barocker Unternehmer und Gentleman war. Das Leben war im Sinne Kierkegaards rückwärts verstanden, nachdem es vorwärts gelebt ward.

Es ist spät und wir wollen es für heute gut sein lassen. Morgen zur selben Zeit am selben Ort!“

49

Wir bestiegen gemeinsam den wunderbaren alten Lift mit der hölzernen Schiebetür und dem Holzdielenboden, der beim Betreten leicht nachgibt. Wenn man auf einen der wie Zapfen hervorstehenden Knöpfe drückt, die die Stockwerke bezeichnen, so setzt sich der Lift nicht sofort in Bewegung, er wartet vielmehr und kündigt die Fahrt mit einem Geräusch, gleichsam einem Stöhnen, einem Ach an, einem leisen Protest dagegen, dass wieder zu arbeiten sei, bevor er sanft niedergleitet, um dann sehr ruckartig anzuhalten. Paul hatte im Hof seinen Wagen abgestellt und bot mir an, mich nach Hause zu bringen. Doch ich wollte die knappe halbe Stunde von der Brienner Straße ins Glockenbachviertel zu Fuß gehen.

Wir verabschiedeten uns. Es war schon recht kalt und mein Lodenmantel – als Bayer, Anwalt und traditionsgeleiteter Verächter kurzfristiger Modetrends war mir dieses Bekleidungsstück eine Selbstverständlichkeit – war gerade recht.

Ich ging die Brienner Straße bis zum Odeonsplatz, vorbei am erleuchteten Wittelsbacherplatz mit dem Reiterstandbild Maximilians, des Kurfürsten von Bayern, seinem Volk entschlossen in die Zukunft weisend. Beim Anblick der Feldherrnhalle, dieses Denkmal für die bayerische Armee und deren ruhmreichen Feldherren Tilly und Graf Wrede, die dann zur Kultstätte der dort 1923 kläglich gescheiterten Nazis wurde, das von Friedrich von Gärtner als südliches Ende oder Auftakt der Ludwigstraße vom gleichnamigen bayerischen König in Auftrag gegeben als Kopie der Loggia dei Lanzi konzipiert wurde, und die ich links liegen ließ in die Theatinerstraße einbiegend, dachte ich mir: Besser gut kopiert als schlecht kreiert, wäre es nicht oft sinnvoller, man würde gelungene Gebäude einfach nachbauen als neue schlecht zu gestalten? Das wusste der Klassizismus und offenbar auch die Münchener Architekten und ihre Auftraggeber, die das Stadtbild geprägt haben.

Ist nicht auch bezeichnend, dass Hitler zwar seine ersten Erfolge im Sumpf Münchener Bierhallen und bayerischen Stumpfsinnes feierte, aber in München gescheitert ist und seine Macht erst dank der Überzeugung vor allem der protestantischen Bevölkerungskreise und westdeutscher industrieller Unterstützung erringen konnte? München war zwar Stadt der Bewegung und ein Gebäude, wie die Feldherrnhalle, bayerischen Militärs gewidmet, die keine Bayern oder militärische Dilettanten waren, wurde trotz ihrer florentinischen Eleganz als besonderer Ort nazistischer Propaganda missbraucht, auch kam Hitler aus dem ehemals bayerischen Braunau und doch widerspricht das ganze nationalsozialistische Gehabe und die Ideologie zutiefst der Münchener Leichtlebigkeit und der bayerischen Toleranz des „Leben und Lebenlassens". München und Bayern haben sich letztlich stets damit abgefunden, im Konzert der Mächtigen eine Nebenrolle zu spielen, die ihnen aber ermöglichen sollte und weitgehend ermöglicht hat, die eigene Identität zu wahren. Dem komplexbeladenen Österreicher wurde zwar gestattet, seine Allmachtsfantasien und Verschwörungstheorien in Münchens Bierkellern zu propagieren. Als er aber meinte, damit ernst machen zu müssen, wurde er schnell, wenn auch allzu kurz und zu komfortabel, eingekerkert.

Bei meinen Gedanken über München gelangte ich zum neugotischen Rathaus am Marienplatz, wie Gärnters Ludwigskirche, dem Gemisch aus frühchristlich-byzantinischen und italienisch-romanischen Stilelementen, Ausdruck romantischer Architekturauffassung, die von England ausgehend die Gegenwart ablehnte, sei es die Frivolität des Rokokos, die Fantasielosigkeit der Aufklärung, die Individualisierung und Kommerzialisierung. Entstanden sind diese Gebäude nahezu gleichzeitig mit ihren Antipoden, den klassizistischen Bauten Klenzes, sei es dem ersten deutschen Neurenaissancebau, dem Leuchtenberg Palais oder den neugriechischen Propyläen und der Staatsbibliothek. War dieser Stileklektizismus Ausdruck von Toleranz oder Beliebigkeit? War sie vielleicht schon die Vorwegnahme heutiger Münchener Gesellschaft, die inhaltlos alles akzeptiert, was „Event"-Charakter hat, ob Oper, Schlager, Techno oder Fußball, der Gesellschaft, die jeden mit Bussi akzeptiert, der in den Medien zumindest erwähnt wurde, gleichgültig ob als Schauspieler, Sänger, Dichter, Banker, Politiker, Steuerflüchtling, Erbe, Immobilienhai, Modezar, Fotomodell, Fernsehmoderator oder Sportler?

Ich passierte die Asamkirche, diesen winzigen, hohen Raum, von der Straße kaum beachtbar mit dem dunkelgoldenen bis braun und tiefroten Inneren, in dem malerisch illusionistische und reale architektonische Mittel einzigartig zusammenwirken, und wurde mir einmal mehr bewusst, wie die Umgebung, das Umfeld doch auch die schönsten architektonischen Kunstwerke beeinträchtigen können. Eine Kirche muss einfach für sich stehen und wirkt eingekeilt in Häuserreihen nicht. Die Asamkirche hat gewiss dieselbe künstlerische Qualität wie die Wieskirche, und doch hat die Wieskirche eine ungleich gewaltigere Wirkung als die Kirche in der Sendlingerstraße dank deren Platzierung und der damit einhergehenden Möglichkeit, durch das Licht den Raum erstrahlen zu lassen.

50

Meine Frau war schon zu Bett gegangen. Bevor ich mich anschickte, ihr zu folgen, suchte ich noch im Bücherregal, angeregt durch die Erzählung von Paul, nach der Edition von zehn Ingmar Bergman Filmen in Form von DVDs. Meine Frau las regelmäßig das Feuilleton der „Süddeutschen Zeitung" und der „Frankfurter Allgemeinen Zeitung". Wir konnten uns immer problemlos über die Zeitungslektüre einigen. Ich las als erstes den Sport – wollte schwarz auf weiß lesen, was ich schon im Radio gehört oder im Fernsehen bildhaft gesehen hatte – das ist der Glaube, dass das, was man nicht schriftlich wahrnimmt, nicht wahr ist (*quod non est in actu, non est in mundo*) – eine Attitüde, die von einer neuen Fernsehgeneration abgelöst wurde, die nur das glaubt, was über das Fernsehen, inzwischen über das Internet, verbreitet wird – nämlich, warum die Bayern nun wieder einmal gewonnen hatten. Meine Frau las als erstes das Feuilleton und war bestens informiert über aktuelle, gute Filme, Inszenierungen von Theaterstücken und Opern und neuen Büchern. Um dies gleichsam zu adaptieren, kaufte sie viele der gut rezensierten neuen Romane, deren Schicksal es meist war, vom Eingangstisch auf den Wohnzimmertisch über das dortige Fenstergesims ins Bücherregal zu wandern. Gelesen wurde der Titel, die Umschlagseiten und öfters einige Eingangsseiten, selten das ganze Buch. Neben den Büchern füllten unsere Bibliothek sämtliche Kataloge aller Ausstellungen – und das waren nicht wenige – die meine Frau je besucht hatte. In jüngster Zeit kam, dem technischen Fortschritt geschuldet, eine weitere Kategorie, allerdings noch in weit geringerem Umfang, hinzu: Hörspiele, neue CD-Einspielungen und DVDs.

Da der Tod des vor kurzem verstorbenen Ingmar Bergman ausführlich in sämtlichen Feuilletons gewürdigt worden war, hatte meine Frau eine DVD-Edition erworben. Ich fand sie glücklicherweise, ordentlich abgelegt, in dem DVD-Regal neben der Serie der „Sopranos" und der kompletten Bibliothek der „Süddeutschen Zeitung" von auch annähernd hundert DVDs. Die Edition enthielt „Das,Schweigen", wie ich erwartet hatte, auch „Persona". Ich nahm mir vor, beide DVDs mit ins Wochenende zu nehmen.

Ich sah mir auch beide Filme an, Filme, die mich an andere Filme erinnerten, die Einsamkeit und Kommunikationslosigkeit thematisierten, Filme, die für mich seinerzeit, Mitte der sechziger Jahre, die ersten Filme der Filmkunst, also Filme, die nicht nur unterhielten, sondern Erkenntnisse transportieren sollten, waren, wie Antonionis „Liebe 1962", Fellinis „Das süße Leben", Louis Malles „Das Irrlicht" und die Filme Godards. So waren die Bergman-Filme nicht nur Reflexion der Erzählung von Paul, sondern auch Wiedererstehen einer Zeit, die mir als Jugendlicher die Kunstform des Filmes erstmals als mögliche sinnliche Darstellung von Wahrheit erscheinen ließ.

Unter dem Eindruck des Geständnisses von Paul, ein sehr intimes Geständnis, das die Intensität und das sich gegenseitige Vertrauen unserer Freundschaft zeigt, das aber auch der außerordentlichen Situation geschuldet war, beeindruckte mich beim „Schweigen" vor allem die Masturbationsszene mit Anna – nachdem sie sich mit Alkohol enthemmt hatte. Anna, physisch nicht lebensfähig, aber über geistige und

kulturelle Werte verfügend wie die Musik von J. S. Bach, die
für ein humanistisches, auch christliches Erbe steht: Man
sieht es nicht, aber man stellt es sich vor. Sie verdreht die Augen wie eine Sterbende, so nahe ist höchste Lust und der Tod,
der Film auf den Begriff gebracht: Bilder als Zeichen, die sich
selbst dechiffrieren.

V

51

Am Folgetag begann Paul ohne große Einleitung: „Ich will dir vom Tode meines Großvaters berichten. Er starb an einem Sonntag. Ich war nicht dabei. Denn Dr. Müller sollte in der Michaelskirche in München anlässlich der 9.00 Uhr Morgenmesse die Predigt halten. Ich hatte mich erboten, ihn nach München zu fahren. Auf meine Frage hin gab er mir zu verstehen, dass er predigen könne, was er wolle, er müsse sich mit niemanden absprechen, die Jesuiten seien sehr liberal und weltoffen. Ich sollte doch geduldig abwarten und zuhören.

Ich saß schon um 8.30 Uhr in der Jesuitenkirche St. Michael und betrachtete den Bau der Gegenreformation nach Il Gesù in Rom von Miller und dem Niederländer Sustris: Ein einfaches lichtes Schiff, von gewaltigem Tonnengewölbe überdeckt, statt Nebenschiffe isolierte Seitenkapellen, die, anders als in Il Gesù zweistöckig angelegt sind, so dass die Quertonnen des über das Hauptgesims aufsteigenden Emporen-Geschosses tief in das Gewölbe des Hochschiffes einschneiden. Außer den Altarbildern keine Malerei, eine wuchtige Atmosphäre, der Glaube, der seiner gewiss ist, der in sich ruht, nicht des Theaters oder der Versinnbildlichung bedarf, fast protestantische Architektur. als deren Gegenpol sie gedacht war. So wirkt das, wovon man sich abgrenzen will, was man negieren will, in eben das Abgegrenzte hinein, Stein gewordene Dialektik.

Die Messe war gut besucht und Dr. Müller, ganz traditioneller Jesuit und ganz angemessen dem heiligen Ort, benannte den Unterschied des Protestantismus zum Katholizismus – den Unterschied, den mein Großvater an den Priestern so festmachte: Die katholischen Priester dürfen nicht und tun's trotzdem, sie werden in der Beichte exkulpiert, die evangelischen sind, wie Koselegger im ‚Stechlin', ‚Halbe, wie eine Baisertorte, süß, aber ungesund'.

Die Predigt weiß ich noch. Denn es war recht ungewöhnlich, wie der Pater an seinen Gegenstand heranging. Er nahm den Pastorensohn Ingmar Bergman und den in seinen Filmen dargestellten Protestantismus zum Ausgangspunkt: In der evangelischen Religion werde der Mensch zum Glauben an Gott nur befähigt über die Erkenntnis, dass er in sich selbst immer schwach, schuldhaft, mit Sünde behaftet sei. Nur in dieser Selbsterkenntnis und in dem Eingeständnis der eigenen Unzulänglichkeit liege die Chance der Vergebung durch Gott. Das protestantische Gutsein setze die Einsicht in das gegebene Boese-Sein voraus. Das Ich muss immer in der Angst vor einem starken Über-Ich leben. Eine latente schizoide Grunddisposition sei die Folge. Das Leben sei eine ständige Bedrohung für das Individuum, das nur zu leicht fehle.

Anders der Katholizismus, für ihn gelte: Fürchtet Euch nicht. Der Unterschied ist Maria. Die Katholiken haben das Ave-Maria am schönsten dargebracht in den Vertonungen von Mozart und Rossini. Bergman zeige, wohin der männliche, christliche Purismus führe, der den Bibelanfang allzu wörtlich nehme, und das Weibliche, damit die Gefühle, das Sinnliche ausklammere. Die Katholiken wüssten, dass die Menschen schwach seien, sie leugneten ihre Schwächen nicht, sondern versuchten sie mittels der Hilfe sinnlicher Elemente wie der Malerei oder der Musik oder der oft als naiv angesehenen Fürbitten zu allerlei Heiligen, die eben auch Menschen waren, abzumildern. Wenn alles nichts hülfe, so bliebe immer noch die Möglichkeit der Beichte."

Paul nahm einen Schluck Wasser, Gelegenheit für mich. anzumerken: „Der Vergleich Bergman, Protestantismus hie und Katholizismus, Bayern da, ist gewiss aufschlussreich.

Bergmann ist der Regisseur des Menschen, der sich in seinem Gesicht dokumentiert, des Leidens des Menschen durch den Menschen, nicht physisch, sondern psychisch, der den Menschen im Alltag, scheinbar in vertrauter Umgebung und doch verlassen zeigt, die Hoffnungslosigkeit der Leidenschaft, deren Erfüllung doch nur wieder von vorne beginnen lässt und der Liebe, die ganz Proust, vor allem Leiden ist. Die Darsteller sind Alltagsmenschen, keine Heroen, aber der Alltag bedarf des Heroismus. Die Natur ist karg und fremd wie der Mensch sich selbst. Die Hoffnungslosigkeit des Menschen, der ein Hiob ist, ist so groß, dass als Hoffnung allein das schimäre Jenseits verbleibt. Allen Glücksmomenten – wie dem in der Schlussszene von ‚Schreie und Flüstern‘ als die einzig Humane, das Dienstmädchen Anna, in dem Tagebuch der verstorbenen Agnes liest und alles in weiß dargestellt wird: Das Glück, auf der Schaukel mit vertrauten Personen zu sitzen – bleibt das Bewusstsein der Zeitlichkeit und damit der Vergänglichkeit, was ihnen per se widerspricht, und so sind sie schon keine Glücksmomente mehr. Das ist auch das Ergebnis des Filmes, nachdem man weiß, dass diese vertrauten Personen doch nur Hass und Schrecken gegeneinander empfinden.“

„Und so“, ergänzte Paul, „war mein Großvater anders als die Bergmanschen Personen, er war doch katholisch und süddeutsch, kein protestantischer Nordländer, der alles wörtlich und von Gewicht nimmt. Dr. Müllers Predigt führte mir indirekt die Hoffnung meines Großvaters vor Augen, der ein Leben gelebt hatte, das weder den kirchlichen Geboten noch den zwischenmenschlichen Anforderungen genügte, aber auch nicht in Bergmanscher Verzweiflung geendet und eine solche bei anderen verursacht hatte.“

52

„In Seeberg zurück wurde unsere Ankunft gleich bemerkt und Emma kam uns aufgeregt entgegen: ‚Der Herr Konsul ist verstorben.‘

Wir eilten in das Zimmer meines Großvaters. Er lag friedlich in seinem Bett, das Gesicht war schneeweiß, das Kinn wurde mittels einer weißen Serviette, die um den Kopf geschlungen war, daran gehindert, schlaff herabzusinken. Dr. Müller spendete ihm die heiligen Sakramente und sprach ein Gebet.

Wo war mein Großvater? War von ihm nur der leblose, abgemagerte Körper, der bald verwesen würde, übriggeblieben? Wo war sein Ich, wo seine Person, wo seine Seele? Der Tod ist zweifellos ein qualitativer Sprung, aber wohin? Ins Nichts? Oder in eine andere Existenzform, jenseits von Raum und Zeit? Aber was für eine Rolle spielt dabei die hiesige, die vergangene Existenz, die Existenz des hier und jetzt, das gelebte Leben? Ist für die künftige Existenz das Wie des vergangenen Lebens von Relevanz? Wenn nicht, wäre das doch ungerecht, aber ist die menschlich vorgestellte Gerechtigkeit überhaupt ein Kriterium im ‚Danach'? Nehme ich die Stimmung, in der ich entschlafe, in die neue Existenzform mit, so dass ich friedlich oder in Unfrieden anders existiere? Wäre dies das Gericht? Oder ist das Ich nur eine Funktion von Gehirnströmen und chemischen Elementen, die sich nun erübrigt haben? War dann das Wie des hiesigen Lebens völlig belanglos, all die Gedanken, Vorgaben, Bemühungen um richtiges Leben Makulatur, geschuldet dem Nachlaufen von Illusionen oder dem Nachwirken in der Kindheit dem Über-Ich eingepfropfter Normen und Verhaltensweisen? War es jetzt völlig gleichgültig, ob mein Großvater sich zu seiner Ehe mit der damaligen Faschingsbekanntschaft entschlossen hatte oder ob er erfolgreich darauf gedrungen hätte, meinen Vater abzutreiben und damit auch meine Existenz, zumindest so, wie sie war, niemals Realität hätte werden lassen, ob er seine Liebe geheiratet hätte und ein Leben ohne Huren, Affären und damit einhergehenden Verletzungen meiner Großmutter in Glück und Zufriedenheit geführt hätte? War die Tatsache, dass er mit seiner Liebe nach dem Eingehen der Ehe noch einen unehelichen Sohn gezeugt hatte, nur im Hier und Jetzt relevant oder relevant für den Sohn, für ihn aber nicht mehr, anders ausgedrückt, war Vergangenheit, gelebte Zeit mit dem Tod vorbei, ausgelöscht oder komprimierte sie sich vielleicht, von Zeit und Raum und allen körperlichen Äußerlichkeiten befreit, in anderer Weise neu, wurde auf einmal zeitlos, gegenwärtig? War das das Jüngste Gericht?

Sind die Bilder nun für ihn stehengeblieben, wie Saul Bellow meint? Hat er mit seinen gut siebzig Jahren lang oder kurz gelebt oder spielt das nun keine Rolle mehr, da kurz oder lang Dinge misst, die mit dem Tod nicht mehr sind, wie uns Montaigne lehrt.

Glaubte er noch, er könne noch was erleben oder meinte er, wie Effi Briest, doch nichts mehr zu versäumen? Wie sah er selbst den bevorstehenden Tod? Oder hat er ihn, wie die meisten, verdrängt? Wie hat er sein Leben bewertet? Hat er es überhaupt bewertet? Hat er sich Rechenschaft abgelegt? Wenn ja, auch gegenüber Dritten, vielleicht gegenüber Dr. Müller?

Mein Großvater lag vor mir, er war es und er war es doch nicht. Er lebte für mich nur mehr in der Erinnerung als Teil meines Lebens, nicht mehr seines. Was ist mit meinem Tod oder dem Versterben anderer, die ihn gekannt haben? Verbliebe er dann vielleicht noch im Gedächtnis Nachgeborener aus Erzählungen oder beschrifteter Bilder? Möglicherweise könnte er im Zuge einer Familiengeschichte eine Rolle spielen, gleichsam als familiärer Mythos. Aber auch Mythen oder Personen aus Mythen werden oft nur durch Dichtungen im kollektiven Gedächtnis bewahrt, wie Penthesilea. Wer wüsste ohne Kleist heute noch von der Amazonenfürstin, deren Liebe zu Achille diese nicht hinderte, jenen mit ihren Amazonen zu zerreißen? Insofern müsste er Gegenstand eines Romans werden. Aber wäre als solcher Gegenstand er selbst oder er doch nur Romanfigur? Der alte Stechlin hatte gewiss Züge seines Autors, aber er war nicht Fontane.

Der Tote fällt aus allen Verhältnissen heraus, es ist die Verhältnislosigkeit, das Ende der Beziehung zum Verstorbenen, es bleibt die Anonymität des in seine Materie zerfallenden Körpers.

Ist der physische Tod das tatsächliche Ende oder stirbt der Mensch nicht, wenn ihn das Bewusstsein vor seinem Tod verlässt. Bei Proust heißt es, glaube ich, anlässlich der Schilderung des Todes der Großmutter, diese sei nur ein ‚tierhaftes Lebewesen‘ gewesen und der Autor fragte, wo war sie?

Hast du im Kopf, in welchem Band die Stelle war? Ich weiß ja, du kennst Proust und er ist einer deiner Lieblingsschriftsteller, du gehörst sozusagen zu den Getreuen."

Ich war froh, einen Beitrag leisten zu können: „Es ist im Band über die Welt der Guermantes, in dem die Geschwätzigkeit, der Hochmut, die Eitelkeit und die Banalität der angeblich führenden Gesellschaftsschichten so eindringlich, wenn auch ein wenig langweilig, aber dank der Sprache doch wieder genussvoll für den Leser, geschildert wird. Was interessiert mich die Welt französischer Adeliger am Ende des 19. Jahrhunderts, deren Attitüden, ihr Antisemitismus und ihre hohle Geschwätzigkeit, kann man sagen. Doch heute ist der Gesellschaftspalaver auch nicht anders, wenn auch das Vokabular wie die Vorurteile der dort Agierenden sich im Laufe der Zeit gewandelt haben, und der Antisemitismus teilweise einem Antiamerikanismus gewichen ist. Gleich ist das Bewusstsein geblieben, man vertrete als europäische gesittete Elite die Werte, deren sich die ganze Menschheit befleißigen sollte, um aus ihrem Elend herauszukommen, wenn man sich auch klar ist, dass derartige Bemühungen, trotz aller Entwicklungshilfe geistiger und materieller Art, vergeblich bleiben würden.

Ich weiß noch, dass Proust die Großmutter so schildert, dass sie im Tod wieder jung wurde.

Lass uns doch nachschauen."

Ich hatte einige meiner Lieblingsbücher im Original und der Übersetzung immer im Büro, so auch Marcel Prousts „Recherche". Ich nahm die Pléiade-Ausgabe, diesen wunderschönen Dünndruck mit einer durchsichtigen Folie geschützt, auf dem weißen Titel mit dem kleinen Bild des jungen Autors und seinem Blick des Flaneurs oder Dandys, der er ja auch war. Ich las die Passage vom Tod der Großmutter in der Welt der Guermantes am Ende des ersten Kapitels des zweiten Teils.

«La vie en se retirant venait d'emporter les désillusions de la vie.
Un sourire semblait posé sur les lèvres de ma grand-mère.
Sur ce lit funèbre, la mort, comme le sculpteur du Moyen Age,
l'avait couchée sous l'apparence d'une jeune fille.»

Paul meinte: „Das sind in der Tat die Stellen, und es gibt viele, allzu viele, die einem das oft weitschweifig ausgebreitete gesellschaftliche Gehabe der Welt der Guermantes erträglich werden lassen.

Im Tod wurde die Großmutter des Proustschen Erzählers, der er selbst war und doch auch nicht, wieder jung. Das Leben ging und nahm die Enttäuschungen des Daseins gleichfalls mit sich fort. Das war bei meinem Großvater nicht der Fall. Er war bleich, aschfahl, es war nicht die Schönheit, die blieb. Aber er hatte auch anders gelebt als die Großmutter in Prousts Roman."

53

„Ich denke an das letzte Gespräch mit meinem Großvater.

Ich hatte mir vorgenommen, über den Tod zu reden. Ich wollte wissen, wie er darüber dachte, er, der immer alles kühl und klar analysierte und stets trockene Kommentare abgab, musste sich über seine Lage im Klaren sein.

Er meinte, der Tod sei unfassbar, man könne nicht darüber reden und wovon man nicht reden kann, solle man, wie wir alle seit Wittgenstein wüssten, schweigen. Er wolle mir auch keine Altersweisheiten mitgeben, zwar wisse man im Alter mehr, allein durch die längere Lebenszeit ergebe sich das automatisch, ob es allerdings weiser sei, was man wisse, sei ungewiss. Er glaube an die Kunst, und zwar an die Malerei und dort vor allem an den Manierismus. Der Manierismus, über den er bekanntlich promoviert habe, wenn zu seiner Zeit auch die Promotionen heute nur Seminararbeiten entsprochen hätten, sei Kunst aus Kunst. Kunst, die wisse, dass sie Kunst sei, antiklassisch, nicht als Verfall eines absoluten Stils, sondern Zeugnis neuen Denkens, das mit voller Absicht auf die organische Natürlichkeit verzichte, der Inhalt, der sich von der Form löse, dissonant – aber Dissonanz bedürfe der Harmonie, sonst mache sie keinen Sinn – und dabei doch eine neue, eine intellektuelle Form gewinnt. Um das Werk zu verstehen, reiche es nicht, es nur zu sehen. Der Betrachter müsse mehr wissen, er sei eingebunden. Das Werk kommuniziere mit ihm. Der Manierismus sei Reflexion, Verlust der unmittelbaren Unschuld, der vollendeten Form, der formalen Schönheit bei Raffael oder der Bewältigung der Körper bei Michelangelo – aber war der nicht eigentlich ein ‚Manierist'? – oder der Schönheit der Farben bei Tizian, auch dieser des Manierismus verdächtig. Parmigianinos Selbstbildnis, das sei das Programm des Manierismus, sich reflektierend, aber in Pose, mit Stil.

Der Manierismus bedürfe der Interpretation, er lasse Raum dafür. Er sei nicht wie der Schriftsteller, der jedes Detail beschreibe und damit die Fantasie töte. Ein Schriftsteller solle beschreiben, was die eigene Fantasie nicht so ohne Weiteres sehe, aber Platz für die Fantasie des Lesenden lassen.

Der Manierismus sei so widersprüchlich wie das Leben, die darunter substituierten Künstler oder gar noch Architekten wie Vasari oder Palladio so unterschiedlich, so divergent wie das Leben des einzelnen. Und doch lasse sich auch das Leben eines jeden von uns zusammenfassen, auf den Punkt bringen und wir könnten nur hoffen, dass derjenige, der das vollbringe, gnädig sei.

Solche Ausführungen waren mir gegenüber seitens meines Großvaters ganz ungewöhnlich und ich kann mich an keine anderweitigen erinnern. Er war auch bald erschöpft und meinte, ich solle das Dilettieren eines alten Mannes, der gewiss akademisch gebildet und auch einiges sich angelesen habe, nicht allzu wörtlich, sondern vielleicht als Anregung nehmen, mich selbst mit diesen Themen zu beschäftigen. Im Übrigen hoffe er, dass ich ein tüchtiger Mensch werde und sicher nach der Philosophie noch ein für den künftigen Lebensunterhalt günstigeres Studium absolvieren werde und die bürgerliche Gesinnung und Gesittung, die er auf seine Art immer vertreten habe, weiterlebe. Er hätte auch nichts dagegen, wenn ich, nach meinem Vater und meinem Onkel das Familiengeschäft weiterführen würde und es nicht in andere Hände gelangen oder liquidiert würde, dann würde ein Teil von ihm, das sich darin materialisiert hätte, insofern erhalten bleiben."

54

„Nach dem Tod meines Großvaters änderte meine Großmutter an dem Haus, das sie bis zu ihrem Tod zwanzig Jahre später bewohnte, nichts. Sie balsamierte es sozusagen ein. Gleichzeitig wurde mein Großvater für sie quasi sakrosankt. *De mortuis nihil nisi bene* wurde zum unverrückbaren Dogma. Es durfte nicht der Hauch einer Kritik geäußert werden, er hatte alles richtig gemacht, ihr Leben, das von so schweren Demütigungen durch meinen Großvater gezeichnet war, war nahezu ideal verlaufen, sie waren das perfekte Paar.

Sie behielt die Köchin Marian – Anni, die alte, langjährige, mit dem Haus verbundene Köchin hatte sie schon längere Zeit vor dem Tod meines Großvaters, da ihre Arbeitskraft allzu sehr dem Alter Tribut zollte, an deren Tochter Emma abgegeben, bei der sie inzwischen verstorben war – und die Hausdame, Frau Runde, die die Einkäufe tätigte und die Hausreinigung vornahm. Sie hielt sich auch den Chauffeur, der allerdings bald in Pension ging, aber auf Anforderung und gegen Barzahlung weiterhin zur Verfügung stand. Die sonntäglichen Kirchgänge hatten sich schon in letzter Zeit auf die Kirche in Seeberg reduziert, mein Großvater hatte nachgegeben und nicht mehr darauf bestanden, umgebende Kirchen, ausgesucht nach deren kunstgeschichtlicher Bedeutung, zu besuchen.

Statt Mozarts ‚Requiem‘ von den Berliner Philharmonikern unter Herbert von Karajan, das sie in der Zeit des Todeskampfes meines Großvaters bei ihrer Toilette am Morgen, die mindestens zwei Stunden andauerte, wenn sie schon nicht auf Mozartgesang verzichten wollte, für angemessener hielt, als etwa das ganz naive und unvoreingenommene, an die Zeiten von Liebe in Schülertagen erinnernde Duett von Tamina, das diese mit Papageno, dem Naturburschen, und wohl gemerkt nicht mit Tamino singt – ‚Wir leben durch die Lieb allein‘ –, Ferrandos schwärmerische Arie im ersten Akt von ‚Cosi Fan Tutte‘, ‚Un' aura amorosa del nostro tresoro‘, erklang aus ‚Figaros Hochzeit‘ wieder Cherubinos Anruf an die Frauen, die angeblich wüssten, was Liebe sei, seine Arietta ‚Voi che sapete che cosa e amor‘, in Teresa Berganzas wunderbarer vollen Stimme, mehr Mezzosopran als Sopran, oder Don Giovannis Verführungskanzonette ‚Deh, vieni alla finestra ...‘, zwar immer noch in deutscher Interpretation von Dietrich Fischer-Dieskau, aber nicht mehr, wie in früheren Jahren von Heinrich Schlussnus mit dem im Stil des deutschen Singspiel eher absurden Text ‚Horch auf den Klang der Zither‘, klingend, als wäre es ein Schubert Lied.

Meine Großmutter besuchte regelmäßig, meist mit mir, aber auch mit ihrer älteren Schwester oder einer älteren Bekannten, die Salzburger Festspiele. Dort sah und hörte sie ausschließlich Mozart.“

Ich unterbrach: „Wie schön für dich, was hast du denn alles gehört und gesehen? War Sophia auch eingeladen?“

„Sobald wir verheiratet waren, wurde Sophia mit eingeladen. Meine Großmutter wollte immer am Abend sofort nach Hause fahren. Ihr war tatsächlich an der Musik und der Aufführung gelegen und nicht an der Gesellschaft. Wir fuhren zeitig von Seeberg weg und gingen vor den Aufführungen noch in das Café Tomaselli. Meine Großmutter genoss es, durch die Altstadt von Salzburg zu den Spielplätzen zu gehen. Ein einziges Mal ließen wir uns mit einer Pferdedroschke kutschieren. Es war zur romanischen Stiftskirche St. Peter, in deren mit grünem und weißem Rokokostuck gestaltetem Innenraum Mozarts ‚Große Messe in C-Moll‘ aufgeführt wurde. Meine Großmutter trug stets ein festliches, ziemlich stilechtes, hochgeschlossenes Dirndl – jedes Jahr ein anders –, was sich für Salzburg ihrer Meinung nach gehörte und für ihr Alter auch angemessen sei. Sie verachtete ältere Damen, die allzu viel ihrer nicht mehr frischen Haut preisgaben.

Wir mussten uns für die Karten sehr frühzeitig festlegen. Meine Großmutter als Mitglied der Freunde der Festspiele hatte einen bevorzugten Zugriff. Sie wollte vor allem Neuinszenierungen und Premieren sehen. Wenn wir uns nicht entscheiden konnten oder wollten –, etwa, wenn Sarah schwanger war und wir das bis zur Aufführung voraussichtlich geborene Baby nicht allein zurücklassen wollten –, wurde Großmutters Schwester oder eine der wenigen älteren Freundinnen eingeladen und Kuglmüller, schon längst in Pension übernahm den Fahrdienst, was er in den Anfangsjahren auch mit uns als Gästen tat. Obwohl ich hätte fahren können, zog es meine Großmutter vor, nach Salzburg mit einem Chauffeur vorzufahren.“

„An welche Opern kannst du dich noch erinnern?"

Paul überlegte kurz: „Ich muss mir die Opern vergegenwärtigen. Kurz nach dem Tod des Großvaters kann ich mich an ‚Die Zauberflöte' erinnern, ich erwähnte es schon. Es dirigierte Karajan, was ja schon ein Ereignis an sich war, und ich kann mich noch an erstaunliche Lichteffekte auf einer Bühne mit kubistisch angehauchten voluminösen Formen erinnern in einer Inszenierung, ich glaube von Giorgio Strehler.

Bei ‚Don Giovanni' ist mir ein riesiges, dunkles, bedrohliches Kreuz vor einem hellen, lichten Hintergrund in Erinnerung, während ich ‚Die Entführung aus dem Serail' mit Osmin mit einem übergroßen Turban, zwischen dünnen Säulen und vor ihm, ganz in weiß, Pedrillo mit Pumphosen assoziiere. Als Dirigenten oder Sänger sind mir verbunden mit einer einzelnen Aufführung eigentlich, neben Karajan, nur Ricardo Muti mit seiner italienischen männlichen Eitelkeit und Kathleen Battle als wunderbare Despina in ‚Cosi fan tutte' in Erinnerung, kontrastierend zu der lächerlichen Verkleidung von Guglielmo und Ferrando als Muselmane aus dem Morgenland, denen in solchen Kostümen die erfolgreiche Verführung kaum glaubhaft darstellbar gelingen kann."

Ich wollte mich nun wieder mit einer verallgemeinernden Bemerkung einbringen: „Es ist doch interessant, dass man sich in erster Linie an Bilder erinnert. Ein Kunstwerk wie eine Oper bedarf also der Darstellung, nicht nur des Gesanges, sondern auch der Inszenierung. Dies ist dem Werk nicht äußerlich, sondern immanent. Das Werk als solches ist daher ohne die Darstellung nicht komplett. Das Ereignis der Aufführung vollendet erst das Werk. Die Aufführung ist jedoch örtlich und zeitlich begrenzt. Sie wird konserviert in Fernsehaufnahmen und Platten oder CDs zum Abhören. Das ist aber nicht das Gleiche wie die Aufführung hier und jetzt. Insofern ist diese Art der Kunst nur im Moment da. Eine gelungene Aufführung, oder Teile davon, sind momentanes Glück, das sich sofort wieder auflöst und nur in der Erinnerung als solches festgehalten wird. Die Erinnerung lebt aber in Bildern."

„Und in Melodien", warf Paul ein. „Auch in der Melodie, die uns im Kopf bleibt, materialisiert sich das Kunstwerk. Denke an das wehmütige ‚Dove sono' der Gräfin in der ‚Hochzeit des Figaro', diesem lieblichsten Intermezzo, in welchem sie ihr Schicksal beklagt. Übrigens wird dasselbe Thema im Agnus Dei der ‚Krönungsmesse' intoniert. Ich weiß das, da ich ja im Nebenfach auch Musikgeschichte seinerzeit in Frankfurt studierte und ich ein Seminar in einer herrlichen alten Villa zusammen mit vielleicht sieben oder acht Studenten besuchte, in welchem der Professor Beziehungen und Wiederholungen im Werk Mozarts dartat, so wies er Fiordiligis ‚Come scoglio' im Kyrie der ‚Krönungsmesse' nach, und das Terzett von Fiordiligi, Dorabella und Don Alfonso als Zitat aus einer vergleichbaren Szene von ‚Idomeneo'. Ich finde noch heute, dass diese Art der Beschäftigung, eigentlich klassisches L'art pour l'art, dennoch utopischen Charakter hat, vorweggenommenes Menschheitsglück. Stell dir die Menschheit vor, die sich über die Komposition von Don Giovannis und Zerlinas A-Dur Duett ‚Là ci darem la mano' unterhält und in dem die Diskutanten die Komprimierung der Form als musikalische Chiffre für die kontinuierliche Annäherung der beiden – die Vokaleinsätze werden von acht auf zwei Takte Abstand, schließlich überlappend gesungen – dartun, die Menschheit, die darüber streitet, ob Zerlina noch eine Rokokoschäferin oder schon eine Citoyenne ist oder keines von beiden."

Ich erwiderte: „Diese Diskussion kenne ich doch. Kann man Solches diskutieren in einer Welt, die fern jeder Utopie grausam und schrecklich ist oder gibt man durch den Verzicht auf derartige Diskussionen auch den Anspruch auf Humanität, auf Erkenntnis auf. Ist die Beschäftigung damit das Privileg Gebildeter, die auf Kosten darbender Massen sich vergnügen an Erkenntnissen, die wahrhaft nur sich selbst nützen und damit eine amoralische Verschleuderung produktiver Kapazität, die zum materiellen Nutzen der Menschheit dienlich eingesetzt werden könnte? Oder ist die Realität so destruktiv, so vereinnahmend, dass derjenige, der sich auf sie einlässt, zwangsläufig schuldig wird, dass er sich die Hände schmutzig machen muss? Wird nicht durch die Beschäftigung mit Kunst, also mit einer Welt, die den Anspruch auf Alternative zur bestehenden, will sie ihrem Begriff entsprechen, nicht aufgeben kann, die gerade so definiert ist, zumindest die Möglichkeit einer Alternative zur kruden Realität im Bewusstsein der Menschheit aufrechterhalten?"

Paul sagte: „Damit wären wir aber wieder bei meinem Großvater, der in gewisser Weise genau diese Haltung vorlebte, allerdings ohne den Anspruch auf Aufrechterhaltung einer, wenn auch nur denkbaren, Alternative zum Bestehenden. So hielt er sich auch von der Politik fern gemäß Epikur und nicht Zenon und dem ansonsten von ihm verehrten Seneca: Der Weise hält sich von den Staatsdiensten fern, außer bei einer Zwangslage."

„Das entspricht", antwortete ich, „der traditionellen deutschen Politikenthaltung, die sich auch Hitler zunutze machte, der die Deutschen trotz notwendigem Händeheben und manchem Marschieren von der Politik befreite. Aber Hitler hat das auch abgebaut, durch die totalitäre Mobilisierung, die zwangsläufig alle erfasst und durch den Schock von Ausschwitz, dem Fiasko der privaten deutschen Welt und ihrer autistischen Selbstvergessenheit. Die Verdrängungsneigung der Deutschen nach 1945 hat darin ihre Ursache. Erst die 68er Generation hat dies geändert."

„Hat sie es wirklich oder ist sie nicht in eine romantische Realitätsverweigerung geflüchtet?"

„Jedenfalls haben ihre späteren Ausläufer durchaus konkret Politik gestaltet, denke an Joschka Fischer. Aber bleiben wir doch bei deinen Großeltern. Du schildertest, wie deine Großmutter nach dem Tod deines Großvaters ihr Leben weiter gestaltet hatte."

Paul lehnte sich zurück. Ihm wurde wohl gewahr, dass unsere Diskussion vom Anlass unseres Treffens sich entfernte, sie war eine der Diskussionen, die wir nun schon seit Jahren, seit Jahrzehnten immer wieder führten, sie war Ausdruck unserer Normalität. Unser aktuelles Beisammensein war jedoch dem Einbruch in die Normalität, der Krankheit Pauls geschuldet und dem Sich-Vergegenwärtigen vergangenen Lebens zur Meisterung des gegenwärtigen.

55

Paul fuhr fast ein wenig verstört fort:

„Wie zu meines Großvaters Zeiten gab es jeden Sonntag ein festliches Mittagsmahl, zu dem wechselweise einzelne Familienmitglieder geladen wurden.

Auch Dr. Müller kam anfangs regelmäßig, obwohl meine Großmutter ihn früher nie hatte leiden können. Er wurde sozusagen mit konserviert. Er verbrachte noch gelegentlich die Ferien in Seeberg.

Er hatte sich mit meiner Großmutter so gut wie nichts zu sagen, doch beide begegneten sich mit äußerstem Respekt, Distanz und Rücksichtnahme. Obwohl Dr. Müller vom Leben meines Großvaters und damit der Konstruktion der Ehe – Dinge, die mir erst sehr viel später durch den unehelichen Sohn meines Großvaters klargemacht wurden – wusste, verlor er nie eine Andeutung meiner Großmutter oder gar einem Dritten gegenüber. Er akzeptierte und respektierte die Vorstellung meiner Großmutter, die sie sich wohl selbst einredete, uns gegenüber, als wäre die Ehe und das Leben mit meinem Großvater für sie die ideale Ehe gewesen. Für mich hat es daran unmittelbar keinen Zweifel gegeben, außer gelegentlich Hinweisen meiner Mutter, die ich jedoch ihrer Aversion der Großmutter geschuldet sah. Denn in meiner Kindheitserinnerung hatten die Großeltern nie ein böses Wort gegeneinander geäußert. Ihr Leben war klar geregelt, ihre Interessen abgegrenzt, es gab kaum Konflikte und diese wiederum wurden durch immer gleichartige Rituale gelöst. So kostete nachgewiesene Untreue des Großvaters für die Großmutter Schmuck. Für mich war nur klar, dass Oma Schmuck bekam. Ich sah es als Ausdruck der Verehrung und Liebe meines Großvaters, nicht den Anlass, der das Gegenteil war. So wie ich empfand, meinte meine Großmutter, dass alle anderen auch empfinden müssten. Sie wusste nicht, dass etwa die Funktion des Schmuckes meiner Mutter klar war. Sonst hätte sie nicht so stolz und demonstrativ die vielen Schmuckstücke getragen, die doch immer nur Ausdruck vergoldeter Demütigung waren. Ich höre noch heute das Geräusch, dass die großen Armreifen meiner Großmutter, die mit übergroßen goldenen Kugeln behangen waren, ständig verbreiteten. An den Festsonntagen – diese gab es wöchentlich – war meine Großmutter wie ein Schmuckmuseum, das sie präsentierte mit den Halsketten, Ohrringen, Armbändern und Ringen aus allen möglichen Edelsteinen. Die Diamanten glitzerten und blinkten und es klirrte bei jeder Bewegung der Arme durch die aufeinandertreffenden Gehänge der Armreife.

Aus den persönlichen Dingen meines Großvaters schenkte meine Großmutter mir seine Uhr und verteilte die Krawatten und Manschettenknöpfe an ihre männlichen Enkel. Mir bot sie – und das war eine besondere Auszeichnung – an, aus dem Jagdzimmer meines Großvaters ein Geweih auszusuchen. Mein Großvater war Jäger gewesen. Da meine Großmutter jedoch die Jagd verschmähte, durften die Trophäen nur in einem eigenen Zimmer aufbewahrt werden. Dort hingen an der Wand die Geweihe von Rehböcken, Hirschen, Gämsen, Steinböcken, Elchen, Kudus, Antilopen, Büffel und anderen exotischen Tieren. Es lagen dort Bären- und Tigerfelle mit den Köpfen der erlegten Tiere. Es gab einen vorschriftsmäßig verschlossenen Jagdschrank und eine Ablage mit alten Dolchen, Pistolen und Gewehren."

Paul unterbrach. Er nahm einen Schluck Tee und ging ans Fenster.

„Du warst doch als Kind auch ein großer Jäger", warf ich ein, „ich weiß noch, gelegentlich durfte ich auch mit, vor allem zu Treibjagden."

„Es war mein Großvater, der mich schon als kleines Kind auf die Jagd mitnahm. Daran habe ich so manche Erinnerung: Es war ein warmer Junitag. Wir saßen schon früh auf dem Hochsitz. Mein Großvater bezeichnete mir die Blumen der bunten Wiese, deren Farben vor uns blühten, das Blau des Wiesensalbeis und der Vergissmeinnicht, das Lila der Kugelblumen, das Weiß der Margueriten und das Gelb der Dotterblumen. Er erzählte mir von den heimischen Schmetterlingen, die vor uns und um uns flatterten, dem weißgrauen Aurorafalter mit den Vorderflügeln von Gelb ins Orange gehend, dem Großen Fuchs mit dem geheimnisvollen Namen Nymphalis polychloros; dem

Trauermantel, braun mit bläulichen Punkten am Rande und gelb eingefasste Flügel; dem gelbschwarzen Schwalbenschwanz und dem Admiral. Im Garten der Villa hatten bei unserer Abfahrt – mein Großvater chauffierte selbst eine Art Geländewagen, den er nur für die Jagd verwendete – die Schwertlilien, die ‚Iris germanica‘, im Wappen der Bourbonen veredelt, violett geglänzt neben den gelben Iris, nach der griechischen Göttin des Regenbogens benannt, mit ihren zwittrigen, dreizähligen Blüten, von denen jede unabhängig voneinander vor allem von Hummeln angeflogen wurde, den roten und weißen Pfingstrosen und den vielfarbigen Lupinen – von ziegelrot über dunkelgelb bis terrakotta. Es duftete der weiße Jasmin und die Rhododendron verbreiteten Exotik. In der Ferne hörte man Donnergrollen. Irgendwo gewitterte es, reinigender Regen, angekündigt von Wolken, die zunächst noch friedlich weiß sich kumulierten, dann immer dichter und dunkler wurden, plötzlicher Wind und am See Leuchtzeichen, die Segler warnend, in neuer Zeit öfter große Hagelkörner, Eis in warmer Umgebung, unpassend, zerstörerisch gegen die Blüten des Sommers, entlaubend.

Es wurde langsam Abend auf dem Hochsitz. Die Dämmerung brach herein. Der Natur lauschend, in Gedanken versunken fand ich mich schon damit ab, dass heute das Jagdglück versagt war, als das plötzliche Greifen meines Großvaters zum Fernglas signalisierte, das Ansitzen war möglicherweise nicht vergebens. Das leise Auflegen des Gewehres auf den mitgebrachten Rucksack, das Knacken der Entsicherung, das bange, zittrige Warten auf den ohrenbetäubenden Knall, der Knall und die sofort wieder einsetzende Ruhe, als wäre nichts gewesen. Der Bock sprang hoch und fiel sofort in sich zusammen – ein Blattschuss. Zufriedenheit machte sich breit. Es folgte reges Treiben, beim Abstieg vom Hochsitz wurden unnötige Geräusche nicht vermieden, der Hund wurde in freudiger Erwartung losgebunden und wir marschierten zügig Richtung totem Rehbock. Er wurde schnell gefunden, er war noch ganz warm und lag doch so friedlich, seiner Bestimmung nachgekommen. Der Großvater langte dem toten Tier ins Maul, die Zähne prüfend und damit das Alter und somit die Berechtigung des Waidmanns zum Abschuss sich bestätigend, es war ein starker Sechsender. Das Tier wurde aufgebrochen, Leber, Herz und Nieren mitgenommen, die restlichen Innereien dem Fuchs der Gegend überlassen. Ich nahm einen Tannenzweig, tauchte ihn in die tödliche Wunde des Bockes und überreichte ihn meinem Großvater, der ihn auf den Lodenhut steckte. Der Hund wedelte unentwegt und lief aufgeregt hin und her, ganz stolz, als hätte er etwas zum Jagderfolg beigetragen. Inzwischen war es dunkel und es folgte die mühevolle Arbeit, das Tier zum Auto zu schleifen. Es wurde zum Jäger, Herrn Meier, gefahren. Er gratuliert und bestätigt, dass der getroffene Bock der richtige wäre. Er werde das Geweih absägen und auskochen, den restlichen Kadaver zerwirken und an eine Metzgerei verkaufen.

Das ist das Jagen in die Dunkelheit, aber es gibt umgekehrt das Jagen im Morgengrauen, vom Dunklen ins Helle, wenn auch wesentlich seltener praktiziert.

Neben diesem Individualjagen gab es die Treibjagden, das kollektive Schießen auf Hasen, Enten, Rebhühner, Fasane oder Wildschweine. Ich war dabei regelmäßig Treiber, in der Kette der Bauernjungen und sonstigem Fußvolk, das den Herren das Wild vor die Büchse trieb. Als Treiber kommt man dem Wild oft sehr nah. So rennt manches Reh auf einen zu und weicht in letztem Moment behende aus. Die Treibjagd ist eine gesellschaftliche Veranstaltung, die festen Regeln folgt."

„Warum bist du kein Jäger geworden, wie hast du die Jagd empfunden?"

„Die Jagd war für mich rückblickend zweierlei, Gemeinsamkeit mit meinem Großvater, dessen stolzer Assistent ich war, und Naturerlebnis. Das stundenlange Sitzen auf dem Hochsitz, aber auch das lange Wandern in den Bergen bei einer Gamsjagd, ist Verbundenheit mit der Natur und gleichzeitige Muße, seinen Gedanken, Fantasien nachzugehen ohne Zeitdruck, völlig unbeschwert. Man wartet auf etwas, das Erscheinen des Rehes, das man schießen will, ohne sich gewiss sein zu können, dass das Warten von Erfolg gekrönt sein muss. Und plötzlich ist das gewünschte Ereignis da, das Reh steht auf der Wiese, lautlos und ohne Vorankündigung.

Ich bin kein Jäger geworden, da mir die Voraussetzungen dem nachzukommen viel zu mühsam waren, Jagdschein, Gewehr, eine Jagd, das hatte für mich alles keine Priorität. Es war nicht das Unverständnis meiner Großmutter, Spaß daran haben zu können, unschuldige Tiere zu ermorden. Das könnte man schon nachfragen, aber andererseits hat der Mensch seinen Fortschritt immer wieder dadurch dokumentiert, dass er Verrichtungen, die einst, in der Zeit als er noch Jäger und Sammler war, zu seinen unbedingten Lebensnotwendigkeiten gehörten, nun, da solche Art Tätigkeiten nicht mehr zum Überleben notwendig waren, weil die Entwicklung der Zivilisation zu effizienterem Broterwerb übergegangen war, als sein Freizeitvergnügen deklariert, die Jagd wurde gar zum hochherrschaftlichen, privilegierten Vergnügen. Nun könnte man einwenden, dass es inhuman, gar pervers sei, wenn, da der Mensch der Notwendigkeit des Jagens, also des Tiere-Tötens enthoben sei, dies gar zum Sport zu machen. Dagegen argumentieren die Jäger, dass die Wildpflege im Interesse des Wildes sei und diesem ein gesichertes Leben gewährleiste und es ‚humaner' sei, alte und schwache Tiere zu schießen als sie elend verenden zu lassen. In Wirklichkeit ist das jedoch nicht das Motiv des Jägers. Es ist der Triumph des Menschen über die Natur, der Mensch hat als Gattung gesiegt, der einzelnen Jäger vollzieht das für sich als Individuum nach und ist insofern eins mit seiner Gattung. Während im Alltagsleben die Siege rar und ungewiss sind, ist der Erfolg des Jägers, wenn auch nicht an jedem Abend, so doch auf Dauer gewiss. Und wie der Mensch oft dann am zufriedensten ist, wenn er sich als Individuum im Einklang mit seiner Gattung weiß, also seiner Gattungsbestimmung nachkommt, wie das etwa im Geschlechtsakt der Fall ist, so wiederholt der Jäger für sich den Sieg der Gattung über die Natur und kann sich bei dieser Gelegenheit noch mit der Natur einlassen, sich mit ihr versöhnen. Das ist der wahre Triumph des Jägers."

Paul hatte sich fast ein wenige in Rage geredet, er war fast dozierend geworden.

Ich merkte an: „Ich sehe, du bist kein Ideologe der Jagd: Jagen als einseitige, nicht reziproke Gewalt, das Tier, das einwilligt zu sterben und dem Jäger ebenso wenig böse sein kann wie das von der Antilope gefressene Gras, das Töten als Augenblick des Mitleidens und der Verehrung, der Dankbarkeit gegenüber dem Tier, dem Gegenüber."

Paul lächelte: „Das ist mir zu spekulativ, zu metaphorisch, wenn ich solch einem Gedanken durchaus einen Reiz abgewinnen kann." Paul sinnierte, um dann abrupt fortzufahren.

„Unser Jagdsystem ist noch nicht, wie in anderen Ländern gänzlich demokratisiert. Dort kann jeder jagen, wichtige Errungenschaften bürgerlicher Revolutionen, an denen es bekanntlich in Deutschland gemangelt hat. Allerdings ist Geld, wie überall, an die Stelle der Adelsprivilegien getreten. Der Jagdherr, der die Jagd meistbietend von der Jagdgenossenschaft, also dem Zusammenschluss der grundbesitzenden Bauern, pachtet, hat noch etwas Feudales an sich. Gleichwohl ist den Bauern heute wohl bewusst, dass sie die Grundherren sind und der Jagdherr sich mit ihnen arrangieren muss, was er durch hohe Pacht und großzügigen Ersatz von Wildschäden, für die er sich ja versichern kann, tunlichst darzutun habe.

Mein Großvater hatte gleichwohl ein gutes Verhältnis zu ‚seinen Bauern'. Einmal im Jahr lud er drei der Bauern zu sich nach Hause zum Schafkopfspielen ein. Dann kamen der Hagerbauer, ein großer vierschrötiger Mann, der mit einer kleinen rundlichen Bäuerin sechs Kinder, immer schwarze Fingernägel und in seiner Wohnstube neben dem hölzernen Kruzifix im großen Bauernhaus mehrere, mit toten Fliegen übersäte Klebebänder als einzigen Zimmerschmuck hatte. Der andere Spieler war der Bergbauer, da sein Hof auf einer Anhöhe lag. Er war schon älter, etwas gedrungen und ich verstand seinen oberbayerischen Dialekt kaum. Sein Hof lag neben dem Haus des Jägers, Herrn Meier, dem er es vermietet hatte. Daher trafen wir ihn regelmäßig vor oder nach der Jagd und meistens gab es in seiner Wohnstube, von seiner scheuen, unscheinbaren Frau selbstgebackenes, kräftiges Bauernbrot. Der dritte Spieler war der Jäger, Herr Meier. Er sprach ein mir schwer verständliches schwäbisch. Er war kräftig gebaut, hatte ein breites Gesicht und war schon mit seinen fünfzig Jahren Witwer. Die Folge war eine ungeheuerliche Verschmutzung seiner selbst, seiner Wäsche und des Wohnhauses, das schlecht beheizt und nur mit kaltem Wasser ausgestattet war, das ehemalige Knecht-Haus des Bergbauern. Dennoch stank er nicht.

Für meine Großmutter waren die jährlichen Schafkopfabende stets Anlass meinem Großvater sein Hobby, das sie, da mit Tod, Schweiß, Blut, Dreck und roher Gewalt verbunden, ohnehin verachtete, vorzuhalten und anzuregen, diese ‚Saufabende' doch in einer Wirtschaft abzuhalten. Wenn er schon unschuldige Tiere abmurkse, so wisse sie nicht, wieso er dann auch noch dreckige, primitive Bauern einladen müsse, er bekäme doch die Jagd auf alle Fälle, wenn er nur genügend Geld böte und wenn er sie nicht bekäme, spare er sich viel Geld. In der Tat wurde viel getrunken, zumeist Bier und Schnaps, und mein Großvater spendierte den Mitspielern jeweils ein Taxi, das sie holte und wieder heimfuhr. Es war immer lustig und ich durfte öfter zuschauen. Mein Großvater erklärte mir das Spiel, wer die ‚Alte', die ‚Pumpe' oder die ‚Blaue' war, was ein ‚Schuss' oder ‚contra', ‚Solo' oder ‚Wenz' bedeutete. Ich hörte die Sprüche, die den zögernden Spieler anfeuerten, wie ‚Karte oder Stück Holz', ‚Heute noch, morgen muss ich auf Weilheim', ‚Gestern haben's Einen beim Mischen erschossen'. Es wurde immer um ein Zehnerl gespielt. Es wurde aller Tratsch mitgeteilt – die Männer tratschen mindestens so viel und so ausgiebig wie die Frauen – und es wurde politisiert. Ich kann nur sagen, dass die sogenannte Politikverdrossenheit keine neuzeitliche Angelegenheit ist, für die bei meinem Großvater Karten spielenden Bauern waren die Politiker alle Verbrecher, dennoch wählten sie treu die CSU, die immer noch am ehesten die bäuerlichen Interessen vertreten würde. Die Bauern wären heute die Deppen der Nation, aufgerieben zwischen EWG-Bürokraten in Brüssel, die viel zu niedrige Preise festlegten, und profitsüchtigen Händlern. Die Bauern waren strikt antikommunistisch und traten alle für die Todesstrafe ein. In die Kirche schickten sie ihre Frauen, außer an Weihnachten, Ostern und zu Fronleichnam. An diesem Festtag demonstrierten sie fahnenschwingend ihren Glauben. Sie verehrten meinen Großvater als Herren, der sich nicht zu schade war, auch mit dem einfachen Volk Umgang zu pflegen.

Da mein Großvater auch immer angemessene Pacht zahlte und großzügig entschädigte, konnte er die Jagd, die in unmittelbarer Nachbarschaft zu Seeberg lag und sehr begehrt war, jahrzehntelang immer erneut gegen starke ‚geldige' Konkurrenz, die aber meist den Nachteil hatte, keine echten Oberbayern zu sein, pachten. Wenn die Gebote der neureichen ‚Preußen' deutlich diejenigen meines Großvaters überboten, wurde ihm diskret mitgeteilt, wenn er entsprechend aufbessere, stünde der Zuschlag für ihn außer Frage. Selbstverständlich tat er das. Erst kurz vor seinem Tod gab mein Großvater die Jagd ab."

Paul hielt inne.

Ich erwiderte: „Jetzt weiß ich, warum du ein so guter Schafkopfspieler warst."

Wir hatten als Jugendliche eine Freundesrunde in Seeberg, zu der auch Paul gehörte, der viele Wochenenden in Seeberg bei seinen Großeltern verbrachte, an welchen wir regelmäßig Schafkopf spielten. Ganz wie bei den Bauern, spielten auch nur die Jungs Karten, während die Mädchen sich derweil mit anderen Dingen beschäftigten. Das einzige Mädchen, das auch Karten spielte, war meine Schwester, Uscha. Sie hieß eigentlich Ursula, aber sie wurde Uscha gerufen.

56

Pauls erste Liebe war Uscha.

„Ich liebte das Schafkopfspielen, es war einerseits die Erinnerung an glückliche Kindertage mit meinem Großvater, zum anderen war es die Möglichkeit mit Rita, meiner ersten Liebe, wie du weißt, wenn auch in Größerem Kreise zusammen zu sein."

„Ich dachte Uscha, meine Schwester, war deine erste Liebe?"

„Ja das stimmt schon, aber mit Rita hatte ich die ersten körperlichen, durch geschlechtliche Leidenschaft getriebenen Kontakte, während meine Liebe zu Uscha immer, wie es so schön heißt, platonisch war und geblieben ist."

„Wie war das eigentlich mit dir und Uscha? Nachdem wir uns befreundet hatten, lerntest du auch meine zwei Jahre jüngere Schwester kennen. Ich weiß noch, wie wir uns eines Abends gestanden, wen wir eigentlich lieben würden, und sie mir dich als ihre Liebe bezeichnete."

„Das gilt vice versa auch für mich, ohne dass mir das jeweils bewusst war oder wurde. Ich erfahre eigentlich davon erst jetzt.

Es war ja ganz harmlos. Es war reine Kinderliebe. Und doch ist Kinderliebe auch Liebe, vielleicht noch mehr als Erwachsenenliebe, da nicht geschlechtsgetrieben und ganz unschuldig. Die Mechanismen, die Gefühle sind gleich, aber wir streben nicht den geschlechtlichen Besitz des geliebten Menschen an, sondern begnügen uns mit anderem, aber was ist das andere. Es ist jedenfalls auch sinnlich.

Es mag ein Augustsamstag gewesen sein. Wir waren am Vormittag gemeinsam beim Baden im See. Um zwei Uhr mittags, gerade nach dem Mittagessen, hatten wir das üppige Glockengeläut der Kirche gehört, den Sonntag verkündend. Aufgeregt und laut alle Vögel, die ohnehin sich rarmachten, übertönend, dann langsam verklingend, einzelne Töne hallten nach, leise vernahm man wieder den einen oder anderen Vogel, deren Mehrzahl aber offenbar in der sommerlichen Hitze leise ruhte, dagegen summten die Bienen und Wespen aufgeregt und die Libellen schwirrten über den Teich. Die Berge, in den Gipfeln verhüllt durch weiße Wolken, ungewiss, ob Reste des nächtlichen Regens, der eine schwülwarme Hitzeperiode beendete und notwendige Abkühlung brachte oder Vorboten erneuter Gewitter. Die Wiese hatte nicht mehr rechte Kraft zu sprießen, die wenigen Blumen dösten vor sich hin, sie blühten jetzt dauerhafter, wurden nicht gleich übertroffen von neuen Blumen oder sprießenden Gräsern bedroht. Auch die Natur machte Urlaub, sie genoss das bloße Dasein, sie hatte ihre

Pracht verblühen lassen, die Obstbäume und Sträucher bogen sich im Garten unter den Früchten, seien es Kirschen, Birnen, Äpfel, Pflaumen, Johannisbeeren, Himbeeren oder Rangloden. Das Grün der Bäume und Büsche war nicht mehr frisch, sondern eher dunkel und matt, hin und wieder schon ins gelbliche oder rötliche verfärbt. Zu solcher Zeit versammelten wir uns bei beginnender Dämmerung zum abendlichen Räuber und Gendarmspiel.

Ich weiß noch heute, wie Uscha und ich, beide als Räuber uns denselben Busch als Versteck ausgesucht hatten und ich, ganz Kavalier, Uscha meine Beine als Sitzgelegenheit bot. Sie nahm an und bereitete mir ein bis heute nicht vergessenes Glücksgefühl. Worin besteht so ein Gefühl? Warum erinnere ich mich an diese Situation und nicht an tausend andere, die ich ebenfalls gemeinsam mit Uscha erlebt habe? Warum wäre bei einer vergleichbaren Situation es mir heute eher peinlich und keineswegs berauschend wie damals? Diese zwei Minuten, in denen wir, um nicht entdeckt zu werden, nicht reden konnten, ja kaum uns rühren, war doch ein Erlebnis, das mir gewiss in Erinnerung bleibt, solange mein Ich der Erinnerung fähig ist und das ich später mir oft beim Einschlafen vergegenwärtigte, um von aus dem abgelaufenen Tag herrührende belastenden Gedanken Abstand zu gewinnen. Ist nicht eigentlich nur das erinnerte Leben, das wahre Leben? Was bleibt, wenn ich oder ein anderer sich an Handlungen, Gefühle nicht erinnern kann? Zwar mag die einzelne Handlung die Ursache für eine andere gewesen und diese wieder für eine dritte und so fort. Aber das ist eine belanglose Kausalkette, wie jedes Ding seine Ursache hat. Für mich als Person bleibt mir vom Leben nur, was ich im Bewusstsein behalte, nur das ist noch existent. Durch das Bewusstsein, das Sich Erinnern lebt es fort. Ist so ein Gefühl Liebe? Wohl ja, was sollte es sonst sein. Aber auch diese Liebe sehnt sich nach mehr.

Ich weiß noch, wie wir gemeinsam, du warst auch dabei, bei euch übernachten durften. Du, deine Schwester, eine Freundin von ihr und ich. Wir waren zu viert in einem Schlafzimmer und spielten ein Spiel, dessen Höhepunkt war, dass einer dem anderen einen Kuss geben musste. Dies war auch das Ende des Spiels, es gab also nur einen Küssenden und einen Kussempfänger. Glück im Spiel war insofern auch gleichzeitig Glück in der Liebe. Meine große Hoffnung war, dass das Spielergebnis Uscha und mich als Küssende und Geküsster auswies. Doch, wie es im Leben so oft geht, es kam anders. Der Spielgott wählte Uscha und ihre Freundin. Doch bereitete allein die Erwartung und die Möglichkeit, dass Uscha mich zart küssen könnte, mir als Siebenjähriger schon solches Glück und solches Herzklopfen, dass ich es bis heute nicht vergessen kann. Gelebte Wirklichkeit bleibt so erhalten und gibt uns durch die Wiederkehr als Erinnerung, auch bewusst hervorgeholt, die Möglichkeit, daran erneut zu partizipieren. Ähnliches ereignet sich beim Onanieren und doch ist die banale, tierische Lust, nicht vergleichbar der Süße der Erinnerung an kindliches Liebesglück."

„Wie ist es eigentlich heute, wenn du gelegentlich meine Schwester triffst?"

„Ich habe deine Schwester nie geküsst, die kindliche Liebe verflog und suchte sich andere Objekte. Und doch liegt in jeder zufälligen gesellschaftlichen Begegnung mit deiner Schwester ein Zauber, die Erinnerung an bewahrte Glückgefühle, die unmittelbar mit deiner Schwester gar nichts mehr zu tun haben und in die sich sicher auch die, je älter man wird, desto mehr, glorifizierte eigene Vergangenheit mischt. Ich sprach nie mit deiner Schwester darüber. Allerdings sehe ich deine Schwester ganz selten. Das letzte Mal in der Ausstellung von Helmut Newton: ‚Sex and Landscape' in der Kunsthalle der Hypobank. Das ist ja schon zwei oder drei Jahre her. Kannst du dich erinnern?"

„Gewiss. Landschaften, die niemand sehen will, werden mit härteren Erotikfotos konfrontiert, die bisher unter Verschluss blieben. Übrigens war ich just heute zu einer Newton-Ausstellung eingeladen, habe aber die Unterhaltung mit dir vorgezogen. Sarah ist hingegangen, ich bin gespannt, was sie erzählt. Sie mag Newton nicht so besonders. Man liebt Newton oder hasst ihn. Es gibt nichts dazwischen. Ich kann mich noch an das Titelbild der Ausstellung erinnern, das mit dem Thema wenig zu tun hatte."

„Genau. Es ist Monica Bellucci als perfekt geschminkte Darstellerin, deren Maske noch nicht vollendet ist: Das Tuch, das verhindern soll, dass die Lippenschminke andere Hautpartien als eben die wollüstigen Lippen grell rot färbt. Die Frau ist schon bekleidet mit einem zu erahnenden schulterfreien Pelz und einem modernen Halsband. Es ist weder Landschaft noch krude Erotik, insofern hat es scheinbar wenig mit der Ausstellung zu tun.

Ich traf Uscha vor dem schwarzweißen Landschaftsbild ,Lake Grunewald', welches die Düsternis des Sees, die umgebende Bewaldung als Umrandung und des wolkenverhangenen Himmels, der mit der Seeoberfläche kommuniziert, darstellt. ,Wie schön war doch die Landschaft im Garten deines Großvaters noch in der Dämmerung', sagte hinter mir eine Stimme und Uscha erblickend erstand mir die glückliche Stimmung der Kindheit. Mag die Fotografie suggerieren, die Erfüllung eines alten Traumes, die Fähigkeit eine illusorische Welt zu schaffen, die so glaubwürdig wie die Welt selbst sein könnte, Abbildung zu sein, sie ist es nie und gewiss nicht als Kunst. Der Fotograf als Künstler definiert sein Objekt und was es aussagt, ebenso wie unser Umfeld durch die Landschaft, in der wir leben und handeln, in der Erinnerung bestimmt wird. Die düsteren Buchen und Eichen im Garten meines Großvaters in der schon fast zur Dunkelheit gereiften Dämmerung, waren anders als das Bild von Newton nicht Bedrohung und Ungewissheit, sondern Rahmen des Glückes mit der Aussicht auf Nähe zu Uscha, meiner Kinderliebe."

57

Ich wechselt das Thema ein wenig: „Dieses abendliche Räuber und Schandi Spielen war zeitlich limitiert. Es ging nur in der Dämmerung. Denn bei Tag waren die Versteckmöglichkeiten zu gering und bei gänzlicher Nacht zu gut. Einmal hatten die Räuber, das andere Mal die Schandis keine Chance. Es war ein Dämmerungsspiel, ein Zwielicht Spiel und die Räuber verloren zuletzt immer, da alle gefassten Räuber zu den Schandis wechseln mussten. Welch schöne Utopie. Wie auch das Laufen, das Rennen, die Spannung des Sich-Versteckens und die Enttäuschung des Gefundenwerdens etwas Utopisches hatte: Es präsentierte eine Freiheit, die doch nur die des Spiels war."

„Was heißt ‚nur Spiel'? Vielleicht ist der Mensch nur dort ganz Mensch, wo er spielt, wie Schiller meint. Ein paar Strophen hat man wenigsten fürs Leben auf dem humanistischen Gymnasium gelernt:

Sanft und eben rinnt des Lebens Fluss
Durch der Schönheit stiller Schattenlande
Und auf seiner Wellen Silberrande
Malt Aurora sich und Hesperus
Aufgelöst in zarter Wechselliebe
In der Anmut freiem Bund vereint
Ruhen hier die ausgesöhnten Triebe
Und verschwunden ist der Feind.

Im Spiel und gerade im Kinderspiel löst sich die Zeit auf, Morgen, die rosenfingrige Aurora, und Abend, Hesperus, sind versöhnt. Klar meint Schiller die Kunst, die Schönheit, vor allem das Theaterspiel, aber unser Spiel hatte auch etwas von den genannten Zeilen."

Ich ging auf diesen Gedanken Pauls nicht ein, da mir Schiller nicht präsent war, sondern fuhr mit meinem unterbrochenen Gedankengang fort – so ist es oft, dass der Gesprächspartner nur Anlass ist, eigene Gedanken zu entwickeln und zu formulieren: „Das anfängliche Los legt, wie im Leben das Schicksal, fest, ob man Jäger oder Gejagter ist, wobei der Gejagte doch die Größere Freiheit hat, er bestimmt sein eigenes Versteck, während der Jäger der vom Gejagten definierten Spur zu folgen hat. Siegt so auch im Leben die Notwendigkeit über die Freiheit? Oder gilt Hegels Diktum, die Freiheit ist die Einsicht in die Notwendigkeit? Heißt das aber konsequent, alles ist notwendig, ich habe keine Freiheit? Meine Freiheit ist lediglich, dass ich es weiß. Dies ist sicher nicht im Sinne Hegels."

Paul antwortete: „Es wäre dann fast so, wie der Sohn des Professors Ewald in Bergmans Film ‚Wilde Erdbeeren' sagt, es gibt kein Richtig oder Falsch, der Mensch folgt nur seinen Bedürfnissen."

„Wann hast du diesen Film gesehen? Spielt dort nicht die schöne Ingrid Thulin mit ihrem breiten Mund?"

„Ich sah den Film neulich im Fernsehen erneut. Wahrlich Bergman. Aber er verheißt Hoffnung: Am Ende wagt das Paar einen neuen Anfang und bekennt sich zu seinem Kind, das nicht abgetrieben wird. Bergman ist der Existentialist unter den Filmemachern."

„Das mag sein. Wenn das einzig Positive, der einzige Sinn das Weiterleben als solches ist, also letztlich das Natürliche, das Sich-Fortpflanzen, so wäre das doch etwas dürftig für das menschliche Projekt."

„Könnte man nicht andersherum sagen, zumindest das, also das Sich-Fortpflanzen, macht einen Sinn, verbunden mit der Hoffnung, die Zeitdimension mit dem Tod nicht nur negativ zu überwinden. Wenn dem so ist, wenn also das zeitliche Dasein, das irdische Dasein nicht nur nicht das einzig Denkbare oder mögliche ist, sondern Vorstufe oder auch einfach Anderes zu Anderem, dann lässt sich nicht nur das Sich-Fortpflanzen als sinnvoller Akt denken. Man gibt damit anderen dieselbe Möglichkeit zu existieren, die man durch seine Eltern selbst erlangt hat. Dadurch rechtfertigt es sich auch, das zeitlich begrenzte Leben verantwortungsvoll, also nach gesitteten Regeln zu gestalten. Ansonsten könnten sich Moral, Ethik oder sonstige Verhaltensnormen, also das, was traditionell praktische Philosophie heißt, ja ausschließlich soziologisch oder psychologisch, als Folge gesellschaftlichen Zwanges oder gesellschaftlicher Opportunität oder aus individual- oder massenpsychologischen Bedingungen begründen.

Wir schweifen immer wieder ab."

„Aber wollten wir das nicht, hatten wir uns nicht zusammengesetzt, um dein Leben zu reflektieren?"

„Klar, im Augenblick des durch ärztliche Diagnose bestätigten alsbaldigen Todes muss man sich nicht nur fragen, war es das? Vielmehr heißt, was war es, wie war es, war es richtig oder falsch oder war es ohnehin sinnlos und belanglos. Allerdings ist es wohl illusorisch, zu glauben, dass man nun, nur weil man sich derartige Fragen wieder einmal bewusst macht, Antworten finden würde. Antworten, die die Klügsten der Menschheit seit Menschengedenken nicht schlüssig und überzeugend gefunden haben und die dann vielleicht doch dem Glauben überlassen bleiben. Glaube, Hoffnung Liebe. Das Christentum wertet Letztere als wichtigstes und zeigt sich damit als diesseitsbezogen."

58

„Bleiben wir beim Diesseits. Du sprachst über das Leben deiner Großmutter nach dem Tod ihres Mannes. Sie lebte doch noch viele Jahre?"

„Gewiss. Sie überlebte meinen Großvater fast zwanzig Jahre. Wie schon bemerkt, konservierte sie das Leben gemeinsam mit meinem Großvater sozusagen. Wiewohl ihr im gemeinsamen Leben mit meinem Großvater die gesellschaftlichen Veranstaltungen, sei es bei ihr zu Hause, bei Dritten oder in der Öffentlichkeit, die mein Großvater möglichst mied, und die sie sich seinerzeit bei ihrer Faschingseroberung mit Folgen eigentlich wesentlich ausgiebiger versprochen hatte, viel zu wenig waren, reduzierte meine Großmutter diese nach dem Tod ihres Gatten gänzlich. Sie fühlte sich ohne meinen Großvater unsicher und deplatziert. Daher beschränkte sie ihre kommunikative Welt auf die Familie, ihre Bediensteten, einige alte Verwandte und wenige Freundinnen, sowie Frau Seifert, die Sekretärin der Möbelfabrik. Öffentlich war nur der sonntägliche Kirchgang, der wöchentliche Friseurbesuch, monatliche Kleiderkäufe bei Loden-Frey in München und einmal jährlich der Besuch der Salzburger Festspiele.

Sie nahm ihre ältere Schwester, die Majorin, zu sich ins Haus. Tatte, wie sie im Familienkreis genannt wurde, gab damit zwar einen Teil ihrer Unabhängigkeit auf, verschaffte sich aber durch die Ersparnis der Miete und der täglichen Unterhaltungskosten einen größeren finanziellen Spielraum, den die dürftige Majorswitwenrente ihr bisher versagte. Diesen nutzte sie zur großzügeigen Unterstützung ihres Enkels, eines Dauerstudenten in Berlin, den sie einmal jährlich, Höhepunkt ihres Daseins, besuchte. Sie liebte diesen Enkel. Sie hatte nur einen Enkel. Er war der Sohn aus der ersten Ehe ihrer Tochter mit einem Juristen, den sie sehr präferiert hatte. Zu ihrem großen Leidwesen hatte ihre Tochter ihren Mann in Kriegszeiten zugunsten eines Skilehrers verlassen, der den Kriegsdienst offenbar umschifft und auch für die noch ehelich geborene Tochter, die Enkelin, die gegenüber deren Bruder daher im Nachteil war, gesorgt hatte. Die Frau Majorin verachtete den neuen Schwiegersohn und sah in ihrem Enkel den eigentlichen Nachfolger ihres Mannes, des deutlich älteren Majors, der seine junge Gattin schon allzu bald als Witwe mit entsprechender Pension und damaligen Freiheiten der Witwe zurückließ. Frau Majorin war neun Jahre älter als meine Großmutter. Sie gehörte noch einer Generation an, die sich zwar von manchem Charmeur, jedoch nie von Frauenärzten hat berühren lassen, mit der Folge, dass sie sich ihrer Schwangerschaft erst am Ende bewusst wurde, als der allerdings sehr kleine Sprössling einen Blasensprung auslöste, den sie mit bisher nicht gekannter Inkontinenz verwechselte. Sie war alles andere als eine Tante Adelheid aus Fontanes Stechlin. Im Gegensatz zu ihrer Schwester war sie mondän veranlagt, während diese eigentlich Zeit ihres Lebens ein Kind der Provinz geblieben war. Sie war eher französisch und liebenswürdig.

Durch die Aufnahme ihrer Schwester glich meine Großmutter den Wegfall des Großvaters aus, die ältere Schwester gab ihr einen Teil der Sicherheit, die der Tod des Großvaters mitgenommen hatte. Mein Großvater wurde durch ihre Schwester ersetzt, allerdings mit einigen Modifikationen. Es entfielen alle Rücksichtsnahmen auf meinen Großvater. Gegenüber der Schwester gab es keine. Sie war zwar älter, durfte umsonst wohnen und wurde verpflegt. Sie hatte also dankbar zu sein und sich zu fügen, was sie im allgemeinen auch tat.

Ansonsten behielt meine Großmutter ihre meisten bisherigen Gepflogenheiten bei. So telefonierte sie täglich mit ihrer Tochter, mit der sie Familien-Ratschereien austauschte und manche Intrige initiierte. Später wurde auch meine erste Frau Sophia, auch noch nach unserer Scheidung, bevorzugte Gesprächspartnerin, wohl auch deshalb, weil sie die Gabe hatte, überwiegend dem Gesprächspartner zuzustimmen und meiner Großmutter damit die Bestätigung für diese oder jede Ansicht über diese oder jede Person, der sie bedurfte, verschaffte.

Für mich hatte sie ein Zimmer in dem großen Haus reserviert. Meine Freundin, es war Sophia, durfte ich ohne Murren als gern gesehenen Gast mitbringen. Du weißt ja, dass wir gemeinsam einen Freundeskreis in Seeberg hatten und teilweise noch haben. So waren wir öfters am Wochenende Gäste bei meiner Großmutter. Wir konnten die Badehütte und das Motorboot nutzen und wurden mit gutem Essen verwöhnt. Die einzige Pflicht war der sonntägliche Chauffersdienst in die Kirche. Dies erledigte ich meistens allein, da Tatte ebenso wie Sophia, problemlos geduldet von meiner Großmutter, der sonntäglichen Seelsorge sich versagen zu können glaubten.

Meine Großmutter verreiste nicht mehr. Eine einzige Reise hatte sie nach dem Tod ihres Gatten unternommen, die im Fiasko endete. Ihr jüngerer Sohn hatte ihr eingeredet, zusammen mit seiner Familie über Weihnachten nach Ceylon zu fahren. Meine Großmutter war mit zehn Koffern angereist und verließ keinen Tag das Hotel. Sie hatte gedacht, das Reisen wäre noch wie zu den Zeiten, als sie mit meinem Großvater unterwegs war. Nun weigerte sie sich, mit den ‚Neckermännern' gemeinsam am Strand, Pool oder Frühstückraum zu sitzen. Beim Rückflug musste sie in Zürich umsteigen. Es gab wegen der Koffer Probleme und so entschloss sie sich, mit zwei Taxen von Zürich nach Seeberg zu fahren. Die vielen Koffer wurden an der Grenze geöffnet, da die Zöllner Ungehöriges vermuteten. Sie verreiste seitdem nie mehr.

Es gab im Laufe der Zeit einige Veränderungen des ansonsten gleichmäßigen Lebens. Noch zu Lebzeiten meines Großvaters stellte sich bei der langjährigen Köchin und Vertrauten meiner Großmutter Anni, die in den Haushalt aufgenommen war, zunehmend Demenz ein. Da diese sich auf die Arbeitsleistung beeinträchtigend auswirkte und meine Großmutter fürchtete, Anni, ohnehin schon in den Siebzigern, könnte auch körperlich allmählich zum Pflegefall werden, animierte sie deren Tochter Emma, ihre Mutter doch zu sich zu nehmen. Emma kam dem auch selbstverständlich nach. Zuvor hatte sich meine Großmutter aber die Dienste einer schwarzhaarigen, etwas korpulenten, ledigen und kinderlosen Ungarin mit Namen Marian im Alter von gut vierzig Jahren gesichert. Sie sollte die alten Rezepte von Anni lernen, was sie auch tat, damit meine Großmutter und deren Gäste ihre Essensgewohnheiten nicht umstellen mussten. Marian lebte sich gut ein, nannte meine Großmutter ‚Gnädige' und verhielt sich entsprechend, jedenfalls ziemlich lange.

Eine grundlegende Änderung ergab sich als die Frau Majorin, deutlich älter als meine Großmutter, genau dem Altersabstand entsprechend neun Jahre vor dem Tod meiner Großmutter sich anschickte, zu sterben. Meine Großmutter erkannte instinktiv, dass es mit ihrer Schwester zu Ende ging. Um sich dem zu entziehen, schaffte sie die Schwester, die ihr doch eigentlich so am Herzen lag, drei Monate vor deren Tod, noch in ein Altersheim. Sie konnte den allzu sichtbar werdenden Sterbensprozess nicht mitansehen und besuchte sie kein einziges Mal. Aus der Welt, aus dem Sinn.

Der Tod der Schwester war dennoch ein einschneidendes Ereignis. Es ging von da an schleichend bergab. Sie lebte den Rhythmus weiter, aber das Haus verfiel, es wurde nur mehr das Notdürftigste gerichtet, der Garten verkam langsam, die Blumen wurden zwar gepflegt, aber nicht erneuert, die Bäume unzureichend beschnitten. Kuglmüller, der Chauffeur, war schon längst pensioniert. Er fuhr noch gelegentlich gegen Barzahlung. Er wurde immer älter und unsicherer. Schließlich waren die Fahrten mit ihm meiner Großmutter zu gefährlich. Da sie sich an keinen anderen Chauffeur mehr gewöhnen wollte, nahm sie nun regelmäßig ein Taxi.

Auch die alte Sekretärin war inzwischen in Pension, die München-Fahrten ließ sie so entfallen. Damit tauschte sie auch den Münchener Frisör mit einem aus Seeberg, den sie aber zu dessen Freude weiterhin wöchentlich aufsuchte. Auch der Kleiderkauf wurde von München nach Starnberg und auf dreimonatige Intervalle verlegt.

Nach dem Tod der Schwester lud sich meine Großmutter für einige Wochen nähere oder entferntere weibliche Verwandte zur Unterhaltung ein. Als eine dieser Verwandten jedoch vor dem Fernseher sitzend unversehens entschlief, nachdem meine Großmutter, hinter ihr sitzend sich gerade noch Gedanken über deren hässlichen, lichten Hinterkopf gemacht hatte – Frau Runde, die im ehemaligen Gärtnerhaus mit ihrer Familie lebte, musste, obwohl schon zehn Uhr abends schnellstens den Notarzt holen, der wiederum sofort den Sargträger organisierte, so dass zwei Stunden nach Todeseintritt die Leiche entsorgt war –, wollte meine Großmutter sich nicht mehr der Gefahr aussetzen, von derartigen Unannehmlichkeiten belästigt zu werden, die angesichts des Alters der Verwandten nicht auszuschließen waren, und unterließ es, sich Witwen oder ledige Verwandtschaft auf mehrere Tage oder Wochen einzuladen.

Da bei der jüngeren Generation derartige Malheurs unwahrscheinlicher waren, lud sie mich mit meiner Familie verstärkt nach Seeberg ein und nahm sogar die kleinen Kinder in Kauf, die ihr ansonsten eher lästig waren. Auch meine Schwester wurde häufig für längere Zeit eingeladen. Sie wollte aber nur vertraute Gesichter sehen und die jüngere Generation war ihr doch weit weniger zugänglich als ältere Damen oder auch Herren. Deshalb hatte sie manch dubiose Gäste, die ihrer Einsamkeit geschuldet waren. Deren Charakteristikum war, dass sie meiner Großmutter nach dem Mund redeten und entweder selbst ihre Einsamkeit linderten oder sich, meist vergeblich, materielle Vorteile erhofften. Diese Bekanntschaften waren allerdings oft nur flüchtig und bald wieder beendet.

59

Die Ausnahme bildete Herr Würmlein. Herr Würmlein war Schweizer Kunstgelehrter und angestellt bei einem Kunsthändler in Basel, der ein Privatmuseum in der Planung hatte. Mit diesem Kunsthändler hatte mein Großvater schon Verbindung. Er wusste von der Sammlung von Zeichnungen von Parmigianino. Diese Zeichnungen waren nach wie vor in der Villa in Seeberg gelagert. Herr Würmlein hatte von meiner Großmutter die Erlaubnis erhalten, die Zeichnungen zu sichten und zu katalogisieren. Er durfte zu diesem Zweck zwar nicht in der Villa, aber in einem Nebenraum des Gärtnerhauses, zum Verdruss von Frau Runde, wohnen. Herr Würmlein, der im Abstand von einigen Wochen mehrere Tage in Seeberg verbrachte, erlangte trotz seines schwarzen, kurzen Bartes langsam das Vertrauen meiner Großmutter, die eigentlich sehr misstrauisch war.

Herrn Würmleins Arbeitgeber, der ihn für die Arbeit bei meiner Großmutter teilweise freistellte, aber gewiss auch mitbezahlte, spekulierte darauf, möglicherweise für sein geplantes Museum Großvaters Sammlung komplett zu erhalten, zumindest als Leihgabe. Es wurden gezielt Testversuche mit meiner Großmutter gemacht, um herauszufinden, wie viel ihr an der Sammlung tatsächlich gelegen wäre. Ihr war gar nichts daran gelegen, sie hatte überhaupt keinen Sinn dafür. Ebenso wenig wie ihre Kinder. Die einzelnen Bilder von Parmigianino, immerhin waren es an die hundert, wurden weiterhin so aufbewahrt, wie beim Tod des Großvaters. Für meine Großmutter war es Teil der Konservierung ihres ehemaligen Lebens, für ihre Kinder ein möglicher künftiger geldwerter Vorteil. Man wollte nicht daran rühren, um ‚die Pferde nicht scheu zu machen‘. Aber man hatte nicht mit Herrn Würmlein gerechnet. Er bot meiner Großmutter im Auftrag seines Arbeitgebers eine aus der Sicht meiner Großmutter horrende Summe für die 280 x 202 Millimeter große Rötelzeichnung aus der frühen Parmaer Periode um 1521: ‚Die heilige Ursula und die elftausend Jungfrauen‘. Seine Erläuterung, dass diese Zeichnung auf Raffaels ‚Heilige Cäcilie‘ in Bologna verweist, zwar klassisch komponiert sei, aber schon mit den manieristischen Maßen des Verhältnisses Kopf zu Körper, war meiner Großmutter völlig egal, das gebotene Geld, dazu in bar, ließ ihre Antwort nur aus taktischen Gründen etwas zögerlich erscheinen. Sie nahm an und Herrn Würmlein war klar, dass die Schlacht gewonnen war. So einfach war es jedoch nicht. Es entwickelte sich nämlich ein Machtkampf zwischen meiner Großmutter und ihren Kindern, namentlich meinem Vater, der eine längere Vorgeschichte hatte, beginnend noch zu Lebzeiten meines Großvaters.

Als sich der nahende Tod meines Großvaters auch in der Firma herumgesprochen hatte, machte sich die Sekretärin der Möbelfabrik, Frau Seifert, Gedanken über ihre Zukunft. Ihr war klar, dass mein Vater ihr künftiger Chef werden würde. Um künftiger Loyalität willen und auch vielleicht um einer aus ihrer Sicht möglichen Entlassung ein Hemmnis entgegenzusetzen, verriet sie meinem Vater den Ort des Testamentes meines Großvaters. Sie hatte mitbekommen, dass die Familienangehörigen sich sorgten, was dieses denn enthalten würde. Mein Großvater, ohnehin nicht sehr kommunikativ, hatte jede Diskussion darüber im Keim erstickt mit dem Hinweis, soweit sei es ja noch nicht. Dagegen ließe sich auch schwer etwas einwenden. Die Regelungen des Testamentes setzten die nähere Familie, also meine Großmutter und ihre drei Kinder in Alarm. Denn dort war der uneheliche Sohn meines Großvaters, Berni Glauer zum Erben des Antiquitätengeschäftes und der Parmigianino-Sammlung eingesetzt. Meine Großmutter war empört und ihre Kinder ließen bald juristisch eruieren, dass Berni Glauer nicht einmal einen Pflichtteilsanspruch hatte, da vor 1951 geboren. Sie sahen nicht ein, warum ihr Erbe um diesen Anteil geschmälert werden sollte. Allein mit so einem Bastard in einer Erbengemeinschaft zu sein, sei doch eine ungeheure Zumutung.

Da mein Großvater die Existenz eines Testaments bisher verschwiegen hatte, wurde eine Intrige entwickelt. Man fand einen willigen Notar und meine Großmutter veranlasste meinen Großvater, der schon sterbend das Bett hütete, mit diesem Notar ein Testament aufzusetzen. Es wurde ein sogenanntes

Berliner Testament mit meiner Großmutter als Vorerbe und ihren gemeinsamen Kindern als Nacherbe. Meine Großmutter war hinsichtlich der Grundstücke in ihrer Verfügungsfreiheit gebunden. Die Firmenanteile konnte sie dank des Gesellschaftsvertrages ohnehin nicht Fremden übertragen. Mein Vater war Testamentsvollstrecker. Berni Glauer war somit außen vor. Mein Großvater hatte nicht gewagt, ihn auch nur zu erwähnen. Unklar geregelt war jedoch die Verfügungsgewalt über die Parmigianino-Sammlung.

Durch die Regelung der Vor- und Nacherbschaft war meine Großmutter einerseits gebunden, andererseits erbten deren Kinder zunächst nichts, was zumindest deren Ehegatten doch erheblich verärgerte. Alle Kinder waren Gesellschafter diverser Firmen, meine Großmutter jedoch stets Mehrheitsgesellschafterin. Man war sich schnell einig, den defizitären Kunsthandel zu liquidieren und das Haus in der Brienner Straße zu verkaufen. Das nach Abzahlung der Schulden übrige Geld wurde auf Privatkonten der Fabrikationsfirma gutgeschrieben.

Lange Jahre war hinsichtlich der Firma kein Streit. Zwar erwirtschaftete die Firma so gut wie keinen Gewinn. Doch alle Beteiligten waren dennoch zufrieden Die beiden Söhne meiner Großeltern bezogen ihr üppiges Geschäftsführergehalt, die Tante durfte einen BMW auf Firmenkosten fahren und wurde darüber getröstet, dass ihre Anteile keinerlei Gewinn abwarfen und meine Großmutter als Hauptgesellschafterin bekam ihre Pension.

Mein Großvater war schon weit über zehn Jahre tot. Die Schwiegerkinder fanden es schon empörend, dass von Erbschaft weiterhin keine Rede sein konnte. Alle Ausgaben meiner Großmutter wurden kritisch hinterfragt. Andererseits war bei meiner Großmutter, wie bei manchen älteren Menschen, der Wunsch vorhanden, durch eigenmächtige Aktionen zu demonstrieren, dass man noch nicht zum alten Eisen gehörte. So ließ sie sich von einem Finanzberater dazu überreden, einen Teil des in der Firma auf ihrem Privatkonto liegenden Geld in ein Finanzprodukt anzulegen. Sie forderte über den Finanzberater die Firma auf, ihr das Geld zu überweisen. Die

Geschäftsführung, bestehend aus meinem Vater und meinem Onkel, verweigerte ihr das. Der Finanzberater riet zur Klage, meine Großmutter konnte sich aber dazu nicht durchringen. Sie sann jedoch auf Rache.

Mein Vater organisierte in einer Münchener Galerie eine Ausstellung der Parmigianino Bilder, die meine Großmutter nur etwas widerwillig bereitgestellt hatte. Zur Eröffnung wurde meine Großmutter nicht eingeladen, was, auf Nachfragen von Besuchern, von ihrer Schwiegertochter damit begründet wurde, sie könne nicht mehr so gut gehen.

All dies geschah zu der Zeit als Herr Würmlein begonnen hatte, sich das Vertrauen meiner Großmutter zu erwerben. Herr Würmlein war auch auf der Ausstellungseröffnung. Er hatte meiner Großmutter alles hinterbracht und war von ihr beauftragt, zu kontrollieren, dass keine Bilder abhandenkämen.

Herr Würmlein nutzte die Situation. Er überredete meine Großmutter, die Sammlung nach der Ausstellung in München doch gleich in Basel ausstellen zu lassen. Er organisierte alles zum Erstaunen meines Vaters, der darüber nicht unterrichtet war. Gleichzeitig veröffentlichte die Basler Zeitung einen Artikel über die Sammlung. Meine Großmutter wurde mit großem, sehr schmeichelhaftem Bild herausgestellt als wesentliche Mitinitiatorin, was sie nie war, sie konnte den Namen Parmigianino kaum aussprechen.

Mein Vater als Testamentsvollstrecker fühlte sich übergangen. Er vertrat die Meinung, nur er könne über die Sammlung verfügen, also sie etwa nach Basel verleihen. Darüber entstand ein erbitterter Rechtsstreit, den nach Jahren schließlich meine Großmutter gewann. Die Gerichte befanden, sie sei hinsichtlich der Sammlung befreite Vorerbin. Meine Großmutter hatte unter dem Einfluss von Herrn Würmlein die Sammlung mittlerweile der Kunstsammlung des Arbeitgebers von Herrn Würmlein zunächst auf Dauer geliehen, schließlich geschenkt. Sie konnte ja zu Recht darüber verfügen. Allerdings hatte mein Vater sein Pulver noch nicht verschossen. Er veranlasste den Bayerischen Staat die Sammlung zum Kulturgut zu erklären, so konnte sie nicht ohne weiteres ausgeführt werden. Schließlich erstattete er noch Anzeige bei der Staatsanwaltschaft mit der Behauptung, meine Großmutter entnehme aus einem Kulturgut Gegenstände, um sie anderweitig zu verkaufen.

Ich selbst war zufällig anwesend als die Staatsanwaltschaft tatsächlich mit Durchsuchungsbefehl ins Haus meiner Großmutter, die damals weit in den Achtzigern war, kam, um eventuelle Beweise sicherzustellen.

Ich kann mich noch gut erinnern. Meine erste Frau hatte mir eröffnet, dass sie einen Geliebten hätte. Ich wollte dennoch einen Neuanfang, den sie jedoch verweigerte. Um Abstand zu gewinnen und in Ruhe nachdenken zu können, nahm ich eine Woche Urlaub und quartierte mich bei meiner Großmutter, die hoch erfreut war, ein. Kannst du dich erinnern, ich sprach damals auch mit dir?"

„Klar. Es war für uns ein Schock. Wir hätten uns das nie von Sophia gedacht. Ich weiß auch noch, dass du mich gebeten hattest, gemeinsam Bergmans ‚Szenen einer Ehe', was damals im ‚Isabella' lief, anzuschauen und anschließend über deine Ehe zu diskutieren."

„Wir hatten diesen Film in der typischen Bergman Ästhetik – überwiegend werden die Gesichter gezeigt, die Bilder sind die Gesichter der Protagonisten, dazu die Sprache und der Tonfall – schon beim Erscheinen als Studenten gemeinsam gesehen und meinten damals, das sei die bürgerliche Ehe auf den Begriff gebracht. Nie hätte ich damals gedacht, dass mir meine eigene Frau dasselbe wie im Film die Mandantin von Marianne, die sich nach zwanzig Ehejahren scheiden lässt, sagt, dass sie die Einsamkeit der Ehe ohne Liebe vorzöge, nachdem ich ihr auseinandergesetzt hatte, dass ihr Liebhaber gewiss nicht für eine dauerhafte Beziehung geeignet sei, und sie es doch noch einmal mit mir versuchen solle. Ich wurde mir bei diesem Film klar, dass es in der Ehe Glück nur in kurzen Momenten gibt, der Rest ist Disziplin und Routine. Wird die Disziplin nicht aufgebracht, kommt es zur Katastrophe. So war es leider bei mir."

Ich tröstete: „Allerdings hast du, dank Anja, eine Alternative gefunden, während bei Bergman die Alternativen zur gescheiterten Ehe nicht besser sind, im Gegenteil. Die Welt ist in

Unordnung. Das Paar kann nicht zusammen und sie können auch nicht voneinander lassen."

„Gewiss, das dargestellte Paar, Johann und Marianne, haben nicht die Disziplin, ihre Ehe aufrechtzuerhalten, die Alternative der Trennung zeigt sich als nicht besser. Aber beim erneuten Treffen im Bootshaus produziert die ursprüngliche Anziehung und die gemeinsame Vergangenheit trotz aller, auch physischen Verletzungen immer noch Glücksmomente, die neue, abgeklärte Beziehungen nicht bieten können. Ganz anders die Ehe meiner Großeltern: Nur der vorzeitige Verzicht auf die Euphorie und die Utopie des Glückes lassen diese Beziehungen zumindest äußerlich gelingen. Man wagt sich nicht auf diese Höhen, ist vollends zufrieden, niedrigere zu meistern."

Paul schwieg und dachte wohl über seine Ehe nach.

Ich forderte ihn auf, doch in der Erzählung über den Besuch der Staatsanwaltschaft bei seiner Großmutter fortzufahren, was er tat.

„Es war Anfang Oktober. Auf dem Balkon hörte man Motorengeräusch eines fernen Rasenmähers, einzelnes Hundegebell, das Rauschen des Windes, der gleich des vorbeifahrenden Zuges, nur viel sanfter und geschmeidiger sein Geräusch im Raum verteilt, langsam durch die Buchen kommend, wie der Zug von Ferne, um dann den ganzen Raum zu erfassen, so dass sich nicht mehr sagen lässt, woher er kam oder wohin er entschwindet, um wieder zu vergehen, Abschied nehmend aus der entgegengesetzten Richtung, aus der er sich angekündigt hatte, bevor er die nach Sonnenstrahlen sich sehnende Haut wie die Zeitung erzittern lässt und trotz der klaren Herbstluft den das Freie suchenden Leser in das warme Innere vertreibt. Der Wind forderte die Behaglichkeit des Hauses, der Zug kündete von der Ferne, dem Außen, der Wind trieb nach Innen, der Zug ließ die Weite ersehnen. Vereinzelte Krähen, die krächzten, die Kastanien fielen von den Bäumen, deren Blätter schon verwelkt waren, braun-rötliche Blätter der Eichen, gelb-grün schimmerten die heimischen Sträucher, Buchen und Ahorne, deren eher japanische Spezialzüchtung vor dem Teich, drei Meter nicht überschreitend, gleich den Rotbuchen dunkelrot kontrastiert; ein Hoch, das den Nebel düster über dem dunkelgrauen See, dessen einziger Kontrast das verschwommene Weiß eines einsamen Segelbootes bildete vor der amorphen Masse des jenseitigen Ufers, hängen ließ, nur vereinzelt von schwächlichen Sonnenstrahlen durchbrochen, vom rauen Herbstwind begleitet, einem Wind, dem die grazilen Cosmeen standhaft trotzten, die den verblühenden Dahlien ihre Kraft bewiesen wie die Rosen, deren zweite Blüte so ergiebig war wie das Grün der Forsythien, beharrlich dem Herbstwind trotzend.

Meine Großmutter hatte mich gerufen.

Die zwei sehr höflichen Staatsanwälte, begleitet von zwei Polizeibeamten, die die ausführenden Dienste hätten erledigen müssen, mit denen aber ohnehin nicht gerechnet wurde, hatten ein offenkundiges Interesse an dem Park und dem Haus, also daran, im Kollegenkreis erzählen zu können, wie so die alteingesessene Bourgeoisie der Starnberger Republik lebte. Der Grund ihres Kommens war ihnen eher peinlich, da ein Hausdurchsuchungsbefehl allzu offensichtlich unverhältnismäßig erschien. Sie erklärten, es läge eine Anzeige vor, wonach aus der zum Kulturgut erklärte Sammlung Parmigianino, die im Hause der Großmutter untergebracht sei, rechtswidrig Teile an Ausländer veräußert und damit außer Landes gebracht worden seien. Dies sei ein Straftatbestand und gegen meine Großmutter sei ein Ermittlungsverfahren eingeleitet worden. Um diesbezügliche Beweise sicherzustellen, hätte man einen Hausdurchsuchungsbefehl. Der Verdacht beziehe sich insbesondere auf eine Federzeichnung in braun laviert, weiß gehöht und mit schwarzer Kreide, 232 x 117 Millimeter: ‚Frau mit Amphore'; gekennzeichnet durch die wippende Schreitbewegung einer Frau, die in der linken Hand einen Krug hält, aus der römischen Zeit Parmigianinos, wohl um 1526 entstanden. Wenn wir ihnen diese Zeichnung zeigen könnten, wäre die Hausdurchsuchung hiermit erledigt. Ich erklärte mich bereit, die entsprechende Zeichnung zu suchen, während meine Großmutter eine Haus- und Gartenführung veranstaltete. Damit kam sie den offensichtlichen Interessen der Staatsanwälte sehr entgegen.

Ich selbst begab mich in den Raum, in welchem die Parmi-
gianino-Bilder aufbewahrt waren. Mir kam nun zugute, dass
ich seinerzeit, um etwas Geld in meiner Studentenzeit zu verdienen, diese teilweise katalogisiert hatte. Die einzelnen Bilder waren auch sorgfältig nummeriert und beschriftet. Ich
fand das gewünschte Bild und überreichte es den Staatsanwälten. Sie prüften es und meinten, das könne es sein. Gut-
gelaunt dank der ausgiebigen Hausführung und erfolgter Be-
wirtung, protokollierten sie das Ganze und erzählten meiner
Großmutter noch, dass die Anzeige von ihrem Sohn stamme.
Dieser hatte wohl Untersuchungen angestellt, war aber offensichtlich nicht ganz richtig informiert gewesen.

Den Staatsanwälten wurde offenbar klar, dass es sich um
eine Familienintrige handelte, als deren Handlanger sie benutzt wurden. Sie entschuldigten sich fast bei meiner Großmutter und verabschiedeten sich.

Meine Großmutter war ob dieses Vorfalles hellauf empört,
machte jedoch nicht allzu viel Aufhebens um das Ganze. Einerseits war es ihr peinlich, dass die Staatsanwaltschaft bei ihr im
Hause war, peinlich war ihr auch, dass sie vom eigenen Sohn
angezeigt worden war, andererseits wurde ihr jetzt klar, dass
der Verkauf einzelner Bilder, den sie ja tatsächlich vorgenommen hatte, nicht ganz so unproblematisch war.

Das Fass war für meine Großmutter übergelaufen. Nicht
nur bekam sie nicht ihr Geld, auch wurde ihr noch die Staatsanwaltschaft ins Haus geschickt. Herr Würmlein bot sich als
Vollstrecker ihrer Rache an. Die Sammlung Parmigianino wurde nach Basel verschenkt. Herr Würmlein organisierte alle No-
tartermine. Meiner Großmutter entstanden keine Kosten. Alle
Prozesse wurden von der Basler Sammlung des Arbeitgebers
von Herrn Würmlein durchgestritten und schließlich gewonnen. Die Sammlung landete schließlich in Basel.

Diesen Triumph erlebte meine Großmutter noch kurz vor
ihrem Tod. Allerdings hatte der Kampf mit ihren Kindern sie
viel Kraft gekostet.

Es ging mit ihrer Gesundheit laufend bergab. Das bemerkte
auch die Köchin, die die Befehle nicht mehr so widerspruchslos

ausführte, wie die ‚Gnädige' es wünschte, was ihre Entlassung zur Folge hatte. Diverse Nachfolgerinnen erwiesen sich alle als ungeeignet, sei es, dass ihre Arbeitsmoral allzu dürftig war, sei es, dass sie des Diebstahls überführt, oder sei es, dass sie betrunken in der Küche gefunden wurden. Es blieb nichts anderes übrig, als dass Frau Runde auch den Küchendienst übernahm. Die Folge war, dass Einladungen zu Hause nicht mehr möglich waren. Die gewohnten sonntäglichen Einladungen waren im Zuge des Konfliktes um die Parmigianino Bilder ohnehin deutlich zurückgegangen und hatten überwiegend Enkelkinder als Gäste oder die Familie der Tochter, die sich herausgehalten hatte.

Das Leben meiner Großmutter reduzierte sich immer mehr auf einige wenige Zimmer. Sie saß ab sechs Uhr nachmittags immer mit einem Elektroofen und einer Decke in einem Schaukelstuhl vor dem Fernseher und trank süßen Henkel-Sekt. Allerdings war sie nie gänzlich betrunken. Ihre Ansprechpartner waren neben Frau Runde, die sich um diese Zeit verabschiedete, ihre beiden kleinen Hunde.

Der Hauptkommunikationspartner am Vormittag war der Arzt, Dr. Feuerle, der täglich kam und meiner Großmutter eine Aufbauspritze injizierte. Einmal wöchentlich nahm er diskret ein Kuvert mit regelmäßig tausend Mark Inhalt an sich. Koinzidenz der Interessen, der Arzt verdient an der Lebensverlängerung des Patienten unmittelbar.

Aber auch diese Maßnahme konnte nicht verhindern, dass meine Großmutter immer schwächer wurde, sich immer mehr nur mehr in ihr Schlafzimmer zurückzog, in das sie den Fernseher transportieren ließ. Der Kontakt zu ihren Kindern reduzierte sich. Den ältesten Sohn hatte sie schon lange verdächtigt, dass er sie eigentlich ermorden wolle, so dass sie, etwa bei Weihnachtseinladungen konsequent nur dann das Dargereichte aß oder trank, sobald er selbst von derselben Speise oder Getränk genommen hatte. Den jüngsten Sohn, den sie als Kind immer mitgeschleppt und auch verzärtelt hatte, bezeichnete sie nun ganz offen als Schlappschwanz und ‚Weichei'. Er hatte ihr niemals irgendeinen Widerstand geboten, sondern nur seine Wünsche, wie einen Mercedes 190 SL oder ähnliches mit dem Argument erbettelt, der größere Bruder hätte Vergleichbares erhalten oder schon längst im Besitz. Im Konflikt um die Bilder oder das Geld versteckte sich der jüngere Bruder hinter dem Älteren, wie er dies ohnehin in allen familiären oder geschäftlichen Angelegenheiten tat.

Der familiäre Hauptbezugspunkt meiner Großmutter waren ihre Enkel, vorzüglich ich selbst. Uns behelligte sie nur am Rand mit dem familiären Konflikt. Die Folge war, dass der Stoff der Unterhaltung sich sehr reduzierte. Meine Großmutter hatte kaum allgemeine Interessen, außer dem Klatsch der ,Bunten‘, über den ich wiederum unzureichend informiert war. Ihre Vorliebe für Mozart war nicht verbalisierbar und so erschöpfte sich die gemeinsame Kommunikation, allerdings gar nicht zum Unwillen meiner Großmutter, auf gemeinsames Fernsehen.

Meine Großmutter starb bald. Sie starb völlig unspektakulär, indem sie sich immer mehr zurückzog und eines Tages nicht mehr erwachte.

Aber lassen wir es für heute, da es doch allzu spät geworden ist, gut sein. Ich danke dir. Wir haben heute einiges über Glück gesprochen, aber auch dieses Gespräch, diese Mischung aus Erinnerung, Reflexion und wahrhaft herrschaftsfreier Kommunikation beglückt mich.“

Wir verabschiedeten uns.

60

Es war Donnerstagabend. Sarah und ich planten, das Wochenende in Seeberg zu verbringen. Ich nahm mir eine Akte mit, die ich durcharbeiten wollte und bestieg meinen Wagen.

Während in „Bayern 4“ ein kluger Autor die beiden Mozartopern „La Clemenza di Tito“ und „Idemoneo“ verglich, dachte ich an die letzten Worte von Paul. Warum bedurfte es dieser außergewöhnlichen Situation, seiner Todesprophezeiung, dass man sich zu derartigen Gesprächen zusammensetzt? Warum findet solch existentielles Nachdenken in zugeneigter Form, und nicht, wie etwa in vielen Philosophieseminaren von Eitelkeiten, Konkurrenzdenken und anderen Äußerlichkeiten geprägtem Gesprächsklima, nur dann statt?

Während ich aus dem Radio erfuhr, dass die Figuren der ‚Clemenza' darauf angelegt seien, die Opera seria ad absurdum zu führen, die späte Oper Mozarts aber bei weitem an den früheren ‚Idomeneo' als wahres Meisterwerk der Gattung nicht heranreichen konnte, fragte ich mich: Warum hat unsere Kultur das griechisch-sokratische Gespräch, das eigentlich nur aus Nachfragen ohne sichere Antworten besteht, so sehr verlernt oder besser eigentlich nie adaptiert? Warum erschöpft man sich in der letztlich doch reichlich bemessenen Freizeit in gesellschaftlichen Vergnügungen, die dem Austausch von Klatsch und Banalitäten dienen, passivem Konsumieren durchaus gelegentlich anspruchsvoller Kulturveranstaltungen oder Entgegennahme von Eindrücken und Wissen bei Reisen oder Vorträgen, die für sich interessant sind, aber doch ins Unendliche sich ausdehnen lassen? Warum jagt man von einem „Eevent" zum nächsten? Selbst wenn diese als in Folge sportlicher Aktivitäten wie Skifahren oder Golfspielen als Naturgenuss oder im Besuch von Ausstellungen, Theater, Konzert und Opernaufführungen als Kulturgenuss, gleichberechtigt mit rein sinnlichen Genüssen wie dem Besuch exzellenter Speiselokale als solche ihre Berechtigung hätten, so werden sie doch in der Reihe der abzuhakenden Ereignisse in der Quantität der ohnehin reizüberfluteten Subjekte moderner Zivilisation zu Beliebigkeiten – eines wie das andere. Kommunikation ist dann wahrlich Massenkommunikation, während die Individualkommunikation zur Regelung des täglichen Einerlei verkommt.

Begleitet von der Musik Mozarts und derartigen Überlegungen kam ich nach Seeberg und fuhr an dem ehemaligen Areal Konsul Poths vorbei, das unsere Nachbarschaft war.

Es war inzwischen, Folge der Erbteilung, verkauft und verbaut. Geschmacklose Doppelhäuser, architektonisch getrieben von der optimalen Ausnutzung des von den Aufsichtsbehörden genehmigten Raumes, aufgeteilt in von Geldgier motivierter Ausnutzung der vorhandenen Grundstücksfläche. Der Park war zerstört, einzelne Bäume aber erhalten. Die Villa selbst war mittlerweile Staatseigentum und diente einer staatlichen

Behörde. Sie war durch einen Anbau – staatliche Budgetzwänge siegten über den vehementen Einspruch des Landesdenkmalamtes – entstellt. Lauf der – demokratischen? – Zeit. Ich fragte mich, ob derartige elitäre Betrachtungen angemessen seien. War nicht das banale Glück spießiger Mittelklassebürger in angemessener Umgebung dem ästhetischen Genuss einer menschenverachtenden Elite, die Hitler geduldet und auch sonst außer geistigem Snobismus wenig zum sogenannten Fortschritt der Menschheit, den sie ohnehin als nicht gegeben ansah, beigetragen hat, vorzuziehen? Bedarf nicht geistige Potenz und ausgebildeter Geschmackssinn des Korrektivs der Gemeinverträglichkeit? Anders ausgedrückt: Muss nicht intellektuelles und künstlerisches Handeln sich auch danach fragen lassen, was es bewirkt oder zu wessen Nutzen es agiert? Oder hindert vielmehr diese Frage gerade die entscheidenden intellektuellen oder künstlerischen Leistungen, indem sie diese geist- oder kunstfremden Zwecken unterordnet?

61

Mir kam spontan die Erinnerung an mein wohl letztes Treffen mit Herrn Konsul Poth.

Es war auch eines der wenigen Zusammentreffen, bei welchem wir eine inhaltliche Diskussion führten: Ein Februartag, einer derjenigen, die es heute öfter gibt, aber seinerzeit die große Ausnahme waren. Die Schneeglöckchen mit ihren grazilen, grünen Stängeln und der bescheidenen, weißen Blüte und dem schönen botanischen Namen „Galanthus", was, aus dem griechischen abgeleitet, soviel wie „Milchblüte" bedeutet, standen in Gruppen. Einzelne wilde Krokusse in Weiß, Gelb und Lila zeigten sich schon. Singvögel, die den Winter in Bayern ausgeharrt hatten, meldeten deutlich Gebietsansprüche an und kündeten von einem angeblichen Frühling, der angesichts der Jahreszeit doch trügerisch war. Wenige Schneereste konnten der doch zu starken Sonne noch trotzen, so dass die abgemähte Wiese eher braun als grün und eher darbend als erblühend traurig dalag. Die Bäume und Büsche ruhten noch in sich, es regte sich noch kein neues Leben. Die Natur machte Pause.

Die Sonne war schon so stark, dass wir unter einer Markise saßen, aber doch nicht stark genug, den Weiher gänzlich vom Eis zu befreien, das vor allem in den kalten Nächten gestärkt wurde. Das kräftige Hoch ließ die fernen Berge mehr erahnen und fast in sanften Wolkenstreifen verschwinden, die Spiegelungen der angrenzenden Hügellandschaft des an sich glatten Sees waren unscharf.

Wir, mein Freund Paul Poth, Herr Konsul Poth, seine Frau, Pater Dr. Müller und ich saßen zum Nachmittagskaffee auf der Terrasse des Pothschen Anwesens. Konsul Poth war schon, wie mir heute bewusst ist, während ich damals davon noch nichts ahnte, von der zerfressenden Kraft seiner Krebskrankheit gezeichnet. Frau Poth erkundigte sich nach meinen Eltern und Dr. Müller danach, womit ich mich gerade im Studium beschäftigen würde. Ich berichtete davon, dass wir Steuerrecht lernten und ich über die methodisch ziemlich einmalige Möglichkeit der Vermeidung der Strafbarkeit bei Steuerhinterziehung durch Selbstanzeige gelesen hatte. Daraufhin entspann sich eine Debatte über Steuerhinterziehung und dem Recht des Staates, diese zu bestrafen.

Konsul Poth meinte, dass Steuerhinterziehung moralisch nicht zu verurteilen sei, da die Steuergesetzgebung unübersichtlich, völlig ungerecht und willkürlich sei. Außerdem würde der Staat ohnehin die ihm überlassenen Geldmittel sinnlos verschleudern. Natürlich sähen das die Politiker anders, die nun mal von den Steuergeldern der anderen bezahlt werden. Er zahle so viel Steuern und sei auch noch wohltätig, er gebe offen zu, dass er, sofern es möglich sei, keinerlei Skrupel habe, Steuern zu hinterziehen.

Dr. Müller, der Jesuitenpater, widersprach: Gesetze müssen für alle gelten, es könne nicht sein, dass der Einzelne entscheide, wie es ihm gutdünke. Wenn nun mal die Steuergesetze gelten, so hätte man sich auch daran zu halten. Wer die Gesetze des Staates nicht achte, handle per se unmoralisch.

Jetzt waren wir an der Reihe. Paul meinte: Angesichts der Erfahrungen des Nationalsozialismus könne das ja wohl nicht gelten. Die Tatsache, dass ein Gesetz ein bestimmtes Verhalten vorschreibe, könne nicht genügen. Dr. Müller beeilte sich, ganz Jesuit, zuzustimmen. So habe er es nicht gemeint, selbstverständlich, müsse man auch das Gewissen fragen. Ein offensichtlich unmoralisches Gesetz müsse man nicht befolgen.

Nun schaltete ich mich ein: „Wer entscheidet, was moralisch und unmoralisch ist? Ich glaube, so kommen wir nicht weiter", man müsse fragen, ob der Gesetzgeber grundsätzlich ein legitimer Gesetzgeber ist oder nicht. Wann ist ein Gesetzgeber legitim? Dann, wenn er nach einem rechtsstaatlichen und demokratischen Verfahren Gesetze erlässt und wenn diese Gesetze auch gerichtlicher, insbesondere verfassungsgerichtlicher Überprüfung standhalten.

Dr. Poth meldete sich wieder zu Wort. Er meinte, er habe schon viele Systeme erlebt und jedes System findet für seine Existenz irgendeine Legitimation. Die Demokratie kann für sich keine Legitimation sein, sie besage nur, dass das Volk letzte Instanz ist. Wer aber sage, dass das Volk korrekt handelt? Sokrates wurde vom Volk evidentermaßen unrechtmäßig zum Tode verurteilt. Das Verfahren war gemäß damaliger Gepflogenheiten rechtsstaatlich, jedenfalls sehr demokratisch. Nein, das könne sein Maßstab nicht sein. Er stimme Dr. Müller zu, dass letztlich das eigene Gewissen die Entscheidungsinstanz sein muss, wie schon bei der „Antigone" des Sophokles. Er halte es für legitim, einem gewiss rechtsstaatlich und demokratisch verfassten Staat, der unter dem Beifall der Mehrheit ihm sein wohlverdientes Geld auf allen Ebenen abverlangt, einen kleinen Teil vorzuenthalten.

Er hatte offenbar Schwarzgeld in Liechtenstein oder einer anderen Steueroase. Die daraus resultierenden Zinsen verschwieg er in seiner Steuererklärung und hinterzog somit Steuern. Wenn er seinen Wohnsitz in die Schweiz verlegen würde, so hätte der deutsche Fiskus viel weniger von ihm, er würde hier sein Geld nicht ausgeben, also würde ihm die darauf entfallende Mehrwertsteuer entgehen, des weiteren alle Zins- und sonstigen Einnahmen, die er angebe.

Dr. Müller widersprach erneut. Er könne das nicht gutheißen, der Staat benötige nun einmal Geld, um seine Aufgaben erfüllen zu können. Er könne sich das Geld aber nicht anders als über Abgaben und Steuern beschaffen. Er müsse dafür Regeln aufstellen und darauf achten, dass diese Regeln gleichmäßig erfüllt werden. Es könne nicht dem Einzelnen überlassen bleiben, was er jeweils als gerechten Anteil der Steuer empfinde. Das wäre die höchste Ungerechtigkeit.

Konsul Poth meinte, das sehe er schon ein, dennoch sei es angesichts der Höhe der Steuern, die ihn belasteten, gleichsam ein übergesetzliches Notwehrrecht, ein wenig davon zu verheimlichen. Er sei Realist und Pragmatiker genug, zu erkennen, dass ein Staat dies verfolge. Daher sei es notwendig, intelligente Vermeidungsstrategien zu entwickeln. Er frage sich überhaupt, wo moralisch der Unterschied sei, zwischen denjenigen, die mit Hilfe von Abschreibungsmodellen und ähnlichem Steuern vermieden oder gar keine zahlten und denen, die regelmäßig ihre normalen Steuern bezahlten und nur einige Zinserträge, die ohnehin von bereits versteuertem Geld anfielen, nicht angäben. Derjenige, der das verdiente Geld versteuere und ausgebe, sei besser gestellt, als derjenige, der es spare, weil er seine Zinsen erneut versteuern müsse. Sei das gerecht? Derjenige, der anständig lebe und nicht prasse und protze, werde doppelt und dreifach (das dritte Mal mit der Erbschafts- und Schenkungssteuer) bestraft gegenüber dem Parvenü und Großkotz, der alles Geld sofort in Konsum umsetze. Außerdem frage er sich, welche Maßstäbe eine Gesellschaft habe, die ernsthaft darüber diskutiere, Abtreibungen straffrei zu lassen, andererseits die Früchte versteuerten Geldes immer wieder beschneiden wolle und dem, der sich dessen entziehe, mit Kriminalisierung drohe. Eine solche Gesellschaft sei nicht moralisch und habe ihm keine moralischen Vorhaltungen zu machen. Er war ziemlich aufgebracht und hatte sich, was völlig ungewöhnlich war, in Rage geredet.

Paul versuchte zu beschwichtigen: Es gehe nicht um moralische Fragen, sondern um das Funktionieren moderner Gesellschaften. Solche könnten ohne Steuern nicht leben, sicher sei das System ständig zu verbessern. Aber, wie alles Recht, müsse es für alle gleich gelten und müsse allgemeine Regeln enthalten.

Dr. Müller warf schmunzelnd ein: „Ich weiß, *jus fit et pereat mundus.*"

Paul ignorierte dieses Totschlagargument und führte weiter aus. Wenn dem so sei und er sähe keine realistische Alternative, dann müsste der Rechtsstaat auch Übertretungen seiner Normen sanktionieren und damit Steuerhinterziehungen bestrafen. Er ergänzte nicht, dass damit sein Großvater ein Krimineller wäre und er das auch für richtig halte, sondern fuhr fort: Selbstverständlich müsse der Staat vernünftigerweise die Steuergesetzgebung überschaubar und gerecht gestalten.

Die Diskussion war also in den siebziger Jahren auch nicht anders als heute. Sie wird wohl immer so bleiben, solange der Staat keine anderen Mittel findet, sich zu finanzieren als über direkte Steuern.

62

Ich war längst zu Hause, als meine Frau eintraf. Sie war mit Freunden nach einem gemeinsamen Ausstellungsbesuch – eine Fotoausstellung von Helmut Newton – im schicken Austernkeller nahe der Maximilianstraße beim Essen gewesen. Seit einiger Zeit hat es sich bei wohlsituierten Mitfünfzigern, zu denen unsere Freunde zählten, eingebürgert, Führungen in aktuellen Ausstellungen im ausgesuchten Freundeskreis zu organisieren und anschließend gemeinsam Essen zu gehen. Die Generation, die sich in der Schule langweilte und auch gelegentlich rebellierte und dann die berufliche Sicherheit und den Wohlstand sich erkämpfte, entdeckt die Bildung als unendliches Nichtwissen möglicher Gegenstände, die nun auf Reisen, aber eben auch über gemeinsamen Ausstellungsbesuch in gesellschaftlich angenehmer Atmosphäre ein wenig nachgeholt werden sollte. Man versicherte sich gegenseitig interessiert zu sein, den Wunsch nach vermehrten kulturellen Kenntnissen mit anderen teilen zu können, und konnte gelegentlich auch mit Wissen bei schulmäßigem Fragen der Führerin glänzen. Das anschließende gemeinsame Essen diente wieder der üblichen Selbstdarstellung mit dem Erzählen von Geschichten, die dem Erzähler dadurch Bedeutung geben, dass er mit Prominenteren als denjenigen der Freundesrunde verkehrte und wichtige Entscheidungen mitbeeinflussen könne, sei es, dass er als Sicherheitsbeamter beim Papstbesuch dessen persönliche Handynummer erhalten habe, sei es, dass er oder sie als Journalist einen Skandal inszeniert hat, der einen wichtigen Politiker als das entlarvt hat, was schon immer jeder vermutet hatte, nämlich als korrupt, geldgierig oder sexbesessen.

Ich war auch eingeladen, hatte aber meinem Gespräch mit Paul den Vorzug gegeben.

Ich erzählte meiner Frau davon und fragte nach ihrem Abend.

Sie zeigte mir den erworbenen Katalog: „Mir gefällt Helmut Newton nicht. Die Frauen sind ihm Objekte, die arrangiert werden wie Gebrauchsgegenstände, als die sie letztlich seinen männlichen Trieben dienen. Er ist sexistisch. Ästhetik ohne Inhalt ist menschenverachtend.

Mag sein, dass er der bestbezahlte Fotograf seiner Zeit war, mag sein, dass er die Modefotografie revolutionierte, mag sein, dass er die Tabugrenzen der Fotografie erweiterte, mag sein, dass er sich selbst eher als Feminist ansah, alles habe ich bei unserer Führung gelernt, für mich sind die von ihm dargestellten nackten Frauen kalte Kunstobjekte, die von einem sexistischen Mann zur Selbstdarstellung in ausgesuchtem Interieur benutzt werden.“

Dieser Angriff reizte mich zur Erwiderung: „Ich finde, man sollte subjektive Gefühle nicht vermischen mit einer nüchternen Analyse. Helmut Newton hat sicher der Fotografie neue Ausdrucksformen gegeben. Wenn Fotografie Kunst ist oder Kunst sein kann und dieser Meinung bin ich, da ich Kunst als nicht zweckbezogene Ausdrucksform des menschlichen Geistes sehe, der damit in Form und Inhalt der Wirklichkeit und damit der Wahrheit näher kommen will. Wenn nun eine neue Kunstform wie die Fotografie oder der Film sich entwickeln, so sind die wichtigen Künstler diejenigen, die diesen Medien neue Ausdrucksmöglichkeiten geben oder über diese Medien die Wahrheit im emphatischen Sinne transportieren. Helmut Newton erschafft Bilder, die genuin sind, die es so vorher noch nicht gab. Damit ist er per se Teil der Fotografie-Geschichte. Inhaltlich zeigen seine Bilder eine Lebensform, die unserer Zeit entspricht, die Ästhetisierung menschlicher Beziehungen und eine Sexualisierung, die damit einhergeht und doch keine wirkliche Befreiung ist, sondern nur ein Kunstprodukt. Insofern drückt Helmut Newton, der deutscher Jude ist und wieder einmal deutlich macht, wie sehr die Deutschen mit den wahnsinnigen Nazis verloren und hier die Australier, im Regelfall waren es die Amerikaner, gewonnen haben, ein Lebensgefühl aus, das etwa Konsul Poth tatsächlich gelebt hat.

Ich höre von Konsul Poth, der sein Leben, so weit wie möglich, ästhetisierte und du bildest dich über Helmut Newton, der eben ein solches Lebensprinzip in Fotografien festhielt."

Meine Frau war müde, sie wollte jetzt nicht mehr diskutieren. Sie meinte: „Schau dir den Katalog an und suche das dir am besten gefallende Bild aus. Über dieses Bild diskutieren wir morgen beim Frühstück."

Sie ging ins Bett und ich sah mir die Bilder von Helmut Newton an. Ich traf eine Vorauswahl:

Eine Fotografie von 1973 ohne Titel, die ein festlich angezogenes Paar, beide mit Sonnenbrillen, im Fonds eines Autos dabei zeigt, wie er mit Zigarre im Mund ihre rechte Brust entblößt und sie dabei eher gekünstelt als lustvoll lacht, die High Society, bei der Lust Pose ist.

Ein mit „Roselyn" überschriebenes Bild aus dem Jahr 1975: Eine halbbekleidete, festlich angezogene Frau von schräg oben fotografiert, an einem Kaminsims gelehnt in einem edel altmodischen Interieur mit Holzdielen und Perserteppich, die alte, gediegene Spießbürgerlichkeit, die allzu gerne lasziv ausbrechen würde.

„Jenny Kapitän in der Pension Florian" aus dem Jahre 1977, eine Postkarte, an allen Seiten von Newton handbeschrieben, mit einer nackten, stehenden Frau, die offenbar einen Unfall überstanden hat, worauf das eingegipste, rechte Bein, die Halskrause und der Krückstock hinweisen, die vor einem Bett und einem schwülstigen Bild steht, das eigene Erleben, das abgebildet doch notwendigerweise zur Kunstform wird.

Zwei Bilder von 1981, überschrieben mit „Sie kommen": Vier Models in jeweils denselben Posen, einmal nackt und einmal aktuell modisch gekleidet, ein besseres Modefoto kann es nicht geben, Kleider machen Leute, allgemeiner ausgedrückt, der Mensch wird erst zum Menschen, wenn er zivilisiert ist, wie er es macht ist seine Kultur, aber ist er Mensch? Oder doch nur gekünsteltes Produkt?

Ich wählte für die Diskussion mit meiner Frau das Bild von 1981 „Selbstporträt mit Frau und Model", das den Fotograf bei der Arbeit zeigt vor einem Spiegel, wie weiland bei Parmigianino, in der linken Bildhälfte groß die nackte Frau von hinten, daneben zunächst scheinbar unmotiviert in das Bild ragende Beine einer ansonsten verdeckten weiteren, offenbar auch nackten Frau, in der Bildmitte die von hinten gezeigte Dame im Spiegel von vorne sichtbar, hinter ihr wiederum der Fotograf bei der Arbeit, und rechts vor einem Fenster mit Aussicht auf eine Straße sitzend die Betrachterin, eine einfach angezogene Frau mit banalem Topfhaarschnitt, Brille und Ehering.

Beim Frühstück präsentierte ich meiner Frau das Bild und meine Interpretation.

„Dies Bild sagt alles über die Fotografie aus. Die Fotografie ist zunächst in der Tradition der Malerei: Das Selbstporträt des arbeitenden Künstlers, der Blick in die Landschaft wie auf gotischen Bildern, hier die heutige Landschaft bestehend aus Blech, den Autos und trüben Häuserfassaden. Der Fotograf definiert selbst seine Objekte. Bei Newton sind das trotz der üppigen, ansprechenden Formen eher androgyne Frauen, groß und kalt, einem gewissen Modellideal entsprechend, die Lust nur dem verheißen, der diese mit Erniedrigung verbindet. Das ist unsere Zeit, die Menschen werden zu Objekten, Objekten ihrer selbst. Ein Ausweg gibt es nicht. Wenn die Abgebildete es nicht macht, so steht schon die nächste bereit, ihre nackten Beine sind schon im Bild. Die Wirklich-

keit außerhalb ist nur trübe, billige Autos und miefige Miets-
häuser. Die Intellektuelle begutachtet das Ganze emotions-
los, aber auch hoffnungslos. Sie ist wenig attraktiv und eher
introvertiert. Die Frau zwischen zum Objekt degradierter
Körperlichkeit und körperloser Geistigkeit. Das Leben, das
nicht lebt, ist nur als Kunstwerk erträglich oder als künstli-
ches. So mag auch Konsul Poth gedacht haben und so hat er
eigentlich gelebt."

Meine Frau widersprach: „Ich sehe das völlig anders. Du
interpretierst in Kunstwerke das hinein, was du heraushaben
willst. Ich schaue mir die Bilder an und empfinde dabei eine
sexistische Herabwürdigung von Frauen, mit denen ich mich
identifiziere. Deshalb gefallen mir die Bilder nicht. Sie sprechen
mich einfach nicht an. Das muss genügen. Ich habe eine andere
Vorstellung von Kunst. Kunst kommt von Können und muss
gefallen. Ich erwarte also von einem Künstler, dass er sein Me-
tier versteht, was bei Helmut Newton sicher der Fall ist. Aber
er muss mir auch gefallen, das tut er eben nicht. Ich sehe auch
nicht ein, in einzelne Kunstwerke erst so viel hineininterpre-
tieren zu müssen, damit ich dann in Erwägung ziehen kann,
ob sie mir aufgrund ihrer vermittelten Erkenntnisse gefallen.
Für Erkenntnisse brauche ich keine Kunstwerke, die kann ich
mir in anderer Form vergegenwärtigen."

„Dagegen ließe sich sagen, dass wie in Schnitzlers ‚Traum-
novelle' bei Newton sich alles in unserem Kopf abspielt. Newton hat Schnitzler visualisiert. Insofern sind die Betrachter
Sexisten, nicht der Fotograf."

„Der die Phantasie anregt, ist aber gleich zu sehen mit dem
Phantasten. Da kann man die Hand nicht umdrehen."

Ich wollte das nicht weiter diskutieren, da inhaltliche Auseinandersetzungen in einer ehelichen Beziehung allzu schnell
ins Emotionale abgleiten und die Argumente dann eingeleitet
werden mit „Das ist typisch für dich, dass dir so etwas gefällt.
Du hast ein verqueres Frauenbild und leider belastet dies auch
immer wieder unsere Beziehung …"

So schloss ich versöhnlich: „Für mich als studierter Philosoph muss Kunst Wahrheit ausdrücken, während für dich als

Psychologin andere Kriterien gelten. Lass es gut sein, ich habe jedenfalls von Helmut Newton jetzt ohne Führung genauso viel mitbekommen wie du."

Ich nahm mir vor, Paul nach seiner Meinung zu fragen, ob auch er Helmut Newton als einen seinem Großvater adäquaten Fotografen ansehen hätte können.

VI

63

Wir trafen uns am Dienstag der nächsten Woche.

Paul teilte mir als erstes mit, er hätte ein Treffen mit seinem Hausarzt gehabt und dieser hätte ihm einen Hirnspezialisten in Hannover genannt, der bekannt dafür sei, auch angeblich inoperable Tumore erfolgreich zu operieren. Er könne ihm einen Termin verschaffen. Was ich davon halte.

Selbstverständlich riet ich ihm, es zu versuchen. Es schade gewiss nicht, eine weitere Meinung anzuhören. Paul meinte, er werde das auch sicher tun, jedoch frage er sich, ob es richtig sei. Es sei klar, dass dieser Operateur einfach ein höheres Risiko eingehe, dass also Folgeschäden, wie Sprachlosigkeit, Bewegungsstörungen oder gar gänzliche geistige Abwesenheit von ihm eher als von anderen Operateuren in Kauf genommen würden. Die Frage ist doch, ob er seinen jetzigen Zustand, der sich mit den Bestrahlungen, die er zumindest bisher gut vertrage, einige Zeit konservieren ließe, der aber auch mit an Sicherheit grenzender Wahrscheinlichkeit zum Tode führe, eintausche gegen die Option, den Tumor möglicherweise, mit einer statistischen Wahrscheinlichkeit von fünf Prozent, gänzlich zu beseitigen, aber auch dem Risiko, sein bewusstes Leben zu beenden oder wesentlich zu beeinträchtigen.

„Aber lass doch den Chirurgen erst mal seine Meinung kundtun", entgegnete ich.

„Die ist doch klar, wie ich es dargetan habe. Es geht schon um die Frage, wie will ich leben. Lebe ich in der Gewissheit des Todes weiter, aber gewiss ist mir nur, dass ich weiß, woran ich sterbe, denn dass ich sterbe, ist ohnehin gewiss. Ich kenne also nur die Ursache und den voraussichtlichen Verlauf des Sterbens. Wenn ich mich zu einer Operation entschließe, heißt das für mich, ich stelle mich gegen diese Kausalität. Ich greife sozusagen in mein Schicksal ein, nehme aber das Risiko auf mich, es entscheidend zu meinen Ungunsten zu verändern. Und warum? Damit ich die jetzt gewisse Ursache meines Sterbens möglicherweise beseitige und andere Ursachen, denn sterben werde ich dennoch, sich ergeben. Aber eben nur möglicherweise."

„Ich kann dazu nicht raten."

„Ich verstehe das. Ich bin mir auch sicher, wie ich mich entscheide, ich werde zu dem Operateur gehen und die letzte Chance auch auf noch so größtes Risiko wahrnehmen. Das ist mein Überlebenstrieb, so irrational er auch sein mag. Würde ich es nicht tun, so würde ich mir bei Fortschreiten der Krankheit immer sagen, hätte ich es doch versucht, vielleicht hätte es genutzt. Übrigens meint Anja dasselbe."

„Ich würde wohl auch so entscheiden. Sollen wir jetzt unsere Gespräche unterbrechen?"

„Ich würde gerne noch das Kapitel mit meinen Großeltern abschließen."

64

„Ich hatte schon angesprochen, dass mein Großvater einen unehelichen Sohn hatte. Von unehelichen Kindern wurde in der Familie gemunkelt, ohne dass je etwas Genaueres bekannt wurde. Erst nach dem Tod meiner Großmutter wurde der Familie ein Sohn physisch vorgestellt. Meine Tante hatte ein Treffen mit ihren Geschwistern arrangiert, um den Halbbruder, der drei Monate älter als meine Tante war, zu treffen. Die beiden Brüder, also mein Vater und mein Onkel, hätten sich das Treffen lieber erspart und vor allem die hämischen Kommentare meiner Mutter, die den neuen Bruder zum Verwechseln ähnlich mit ihrem Schwiegervater fand, was nur für den ersten Eindruck und gewisse Gesichtszüge wie die Gesamthaltung zutrifft. Aber sie mussten sich in das Unvermeidliche fügen und sie akzeptierten den neuen Bruder, wie man nun einmal Geschwister, und seien diese auch aus anderen Beziehungen des Vaters, zu akzeptieren hat. Der neue Bruder war sehr gebildet, emeritierter Professor für Kunstgeschichte, er hatte seinerseits drei Kinder und war mit einer Frau aus dem bayerischen Hochadel verheiratet."

„Seit wann kennst du deinen neuen Onkel?"

„Es ist nun schon gut zehn Jahre her, dass er der restlichen Familie vorgestellt wurde. Ich habe mich mit ihm eingehend über meinen Großvater unterhalten. Er hat die Beziehung meines Großvaters zu seiner Mutter, deren einziger Sohn er war und die nie geheiratet hatte, so geschildert, wie sie ihm wohl seine Mutter vermittelt hatte. Danach waren seine Mutter und mein Großvater ein wahres Liebespaar, allerdings verweigerten die Eltern seiner Mutter die Heirat, da der Großvater jünger war. Er heiratete dann seine geschwängerte Faschingsbekanntschaft, meine Großmutter, angeblich mehr oder weniger gezwungen von deren Vater, der froh war, die allmählich für damalige Verhältnisse zu altwerdende Tochter untergebracht zu haben, und seiner älteren, unverheirateten, die früh gestorbenen Eltern ersetzt habende, bigott katholischen Schwester, die vehement der Ansicht war, dass Faschingssünden mit lebenslanger Ehe abzugelten seien.

Seine Mutter und mein Großvater konnten nicht voneinander lassen, was den neuen Onkel zur Folge hatte, obwohl ihn abzutreiben sein unehelicher Vater vorgeschlagen hatte. Ein Ansinnen, dem sich die Schwangere, die ihre Liebe materialisiert sehen wollte, erfolgreich widersetzen konnte. Mein Großvater war durchaus als Vater gegenüber seinem unehelichen Kinde präsent. Er kombinierte väterliche mit außerehelichen ‚Pflichten‘, die dem heranwachsenden Knaben gänzlich zu verbergen den gesetzlos Liebenden misslungen war. Mein Großvater unterstützte Berni auch beim Studium. Er ließ ihn sogar als Praktikant in der Kunsthandlung arbeiten und hatte wohl daran gedacht, diese möglicherweise ihm zu überlassen. Allerdings erschienen die körperlichen Ähnlichkeiten zwischen Vater und Sohn dann doch zu auffällig, so dass er das Praktikum verkürzte und seinem Sohn die akademische Laufbahn anempfahl. Sein Versuch, Berni Glauer etwas zu vererben, scheiterte, wie ich dir schon erzählt habe. Die emotionale Liebe zu Bernis Mutter kühlte mit der Zeit ab, die einst auch erotische Erfüllung war weitgehend der käuflichen gewichen.

Als Großvater war er für die Kinder von Berni nicht präsent. Er gastierte zwar bei dessen Hochzeit, ohne offiziell als Bräutigamvater aufzutreten. Da Berni sehr spät heiratete, er war schon fast vierzig Jahre alt, erlebte mein Großvater auch die Enkelkinder dieser Seite kaum mehr.

Als ich all dies erfuhr, wurde mir wieder einmal klar, wie wenig doch die erlebte Wirklichkeit, die Wirklichkeit, die ich als Kind und Jugendlicher in Seeberg bei meinen Großeltern erlebt hatte und über die ich mir Zeit meines Lebens ein gewisses Bild von meinen Großeltern machte, mit der tatsächlichen Wirklichkeit gemein hatte. Die Existenz eines Berni Glauer, ein Verhältnis meines Großvaters mit einer anderen Frau als meiner Großmutter, wäre für mich undenkbar gewesen. Waren solche Familienverhältnisse nur verlogen und sind heutige Patchwork-Familien mit Eltern, die nur teilweise die wahren Eltern sind und Geschwistern, die miteinander gar nicht verwandt sind und die schon ein gänzlich anderes Milieu und Zuhause als Geschichte hinter sich hatten, besser? Jedenfalls sind sie ehrlicher, aber rauben sie uns nicht zumindest die Träume, die Illusionen unserer Kindheit, werden wir nicht allzu früh mit einer Realität konfrontiert, deren Mechanismen wir gerne noch aufgeschoben hätten? Ist nicht andererseits die offene Konfrontation mit den Tatsachen die Voraussetzung, Besserungen einzuführen? Was helfen Illusionen, die Desillusionierung folgt ohnehin und die in Illusionen Aufgewachsenen sind dann der Realität nicht gewachsen. Oder benötigen vielmehr die mit zu viel Realität konfrontierten Kinder zunächst Psychologen, um sich die Illusionen, die Träume, die Hoffnungen, die jedes Zusammenleben letztlich motiviert, überhaupt noch vorstellen zu können? Verbleiben diese Kinder sonst, vom Schrecken familiären Stresses ein für alle Mal gezeichnet, im Singledasein der Großstädte, gelegentlich mit kurzfristigen, übers Internet vermittelten Bekanntschaften getröstet, allenfalls noch mit einem allein zu erziehenden Kinde sich herumschlagend?"

„Ich weiß es auch nicht. Meinungen sind müßig, da sich die Realität ohnehin nicht verändern lässt. Interessant wäre allenfalls zu sehen, ob die deutlich strengeren Sitten in, vor allem islamischen Zuwandererfamilien auf Dauer, die libertären Gepflogenheiten westlicher Dekadenz, die im Begriff ist, homosexuelle Elternschaft zu legitimieren, dadurch übertreffen, dass die Produkte dieser Normen, also die Kinder, die wirtschaftliche und politische Herrschaft übernehmen. Aber dazu ist es offensichtlich noch ein weiter Weg. Fraglich ist, ob herrschende Gesellschaftsformen an der Dekadenz ihrer Führungsschichten, ihrer Eliten zugrunde gegangen sind oder nicht an gänzlich anderen Ursachen und die Konstatierung angeblich dekadenter – was ist das, wer bestimmt, was dekadent ist? – Verhaltensmuster nicht eher Nebengeräusche entwickelter, im partiellen Überfluss lebender Gesellschaften sind. Unsere Elite in Form von Politikern, Wirtschaftsführern und deren beratender Anhang wie Anwälte, Wirtschaftsprüfer, Berater und – ich möchte mal sagen – ‚Sinnvermittler‘, also Professoren, Journalisten und Schriftsteller, leidet weniger an Dekadenz als an der Rastlosigkeit, des ständigen Weiterstrickens an Beziehungsnetzwerken, die den Aufstieg sichern wie den meist unvermeidlichen Abstieg abfedern. Unter dieser Rastlosigkeit, deren Ziel die Erreichung kurzfristig festgelegter Ziele ohne Perspektive ist, leidet der Stil, die Kultur, der Umgangston, die Wahrnehmung von Details, die Ausdrucksform, die Differenzierung, die Lebensart. Es ist die Welt geistloser Intelligenz, die sich um sich selbst dreht, die, wie in den ständigen Finanzkrisen, hektisch selbst wieder reparieren muss, was sie doch zuallererst zerbrochen hat und für die Kultur zum Sponsoring verkommt, Theaterintendanten zu Kulturmanagern, deren Erfolgskriterium die Auslastungsquote statt der innovativen Aufführung ist. Innovation und Kreativität sind zwar gefragt, aber organisiert als Teil eines Prozesses einer Gesellschaft, die gelernt hat, auch ihre größten Feinde zu vereinnahmen, selbst revolutionäre Ausdrucksformen mittels deren Adaptionen in neue Modekollektionen zu integrieren.“

Paul wollte mir aber die Geschichte von Berni Glauer noch weitererzählen: „Die erlebte Wirklichkeit stimmt mit der realen Wirklichkeit selten überein. Wer hätte damals gedacht, dass mein Großvater auf der Hochzeit Berni Glauers war, von dessen konkreter Existenz keiner wusste?

Ich traf erst neulich bei der Taufe des Enkels von Berni Glauer, anlässlich derer er auch zur Dokumentation dessen, dass seine Familie nun integraler Bestandteil der großen Poth-Familie sei, ein großes Familienfest gab, einen distinguierten älteren Herren, der sich als amerikanischer, emeritierter Musikprofessor und alter Freund von Berni Glauer vorstellte. Er erzählte mir, dass er auf der Hochzeit von Berni Glauer gegenüber von dessen Vater, also meinem Großvater saß. Er konnte sich noch gut erinnern, dass er mit ihm über Mozart sprach, sogar über den Inhalt, nämlich die Frage, inwieweit der Mythos des Orpheus durchgängiger Subtext in der ‚Zauberflöte‘ sei, Orpheus als Mythos der Musik, deren verwandelnder Kraft. Auch verglichen sie Orpheus, der Euridyke sprechen, aber nicht anschauen darf, mit Tamino, der seine Pamina sehen, aber nicht sprechen darf. Ihm war noch bewusst, dass meine Großmutter eine glühende Mozartverehrerin war.

Was er mir nicht erzählte und was ich erst neulich von einer Tochter von Berni Glauer erfuhr, ist, dass dieser alte Freund nicht nur Freund, sondern auch Liebhaber von Berni Glauer war. Berni Glauer als ein Charlus. Das war eine Überraschung."

„Wie hätte wohl dein Großvater darüber gedacht."

Paul antwortete nicht sogleich. Er dachte über das Gesagte nach und vergegenwärtigte sich offenbar das Bild seines Großvaters. Konsul Poth wurde „vergegenwärtigt". Das heißt, er war seinem Enkel mehr als dreißig Jahre nach seinem Tod vor Augen, lebendig. Er lebte also insofern fort. Wäre dies das einzige Fortleben, so stürbe man endgültig erst mit dem Ableben des letzten Zeitgenossen, der zumindest die Möglichkeit hätte, sich den Gestorbenen durch die Erinnerung präsent und somit wieder lebend zu machen. Paul Poth lebt jedoch nicht nur in der Erinnerung seines Enkels fort, sondern etwa auch durch die vorliegende Erzählung. Er lebt auch fort in vollbrachten Werken, vor allem künstlerischen Werken, hätte er solche vollbracht. Aber lebt er fort, ist es tatsächlich Konsul Poth, den Paul und damit wir schildern oder ist die Erinnerung und erst recht jede Schilderung nur ein Bild, das wir uns von ihm machen, vielfach vermittelt und verzerrt? Oder hat das, was von Konsul Poth übrig ist, also seine Seele, nicht eine völlig andere Existenzform, jenseits von Raum, Zeit, menschlicher Vorstellung und damit auch Erinnerung oder Schilderung angenommen? Ist er damit wahrlich „jenseits" von uns und sind unsere Erinnerungen oder Schilderungen eben nur Ausdruck unserer raum-zeitlichen Existenz, deren Konsul Poth völlig enthoben ist?

„Mein Großvater wäre nicht erfreut gewesen. Mein Großvater war in Fragen sexueller Neigungen gewiss tolerant, doch den eigenen, wenn auch nur unehelichen Sohn, den er intellektuell den ehelichen Söhnen weit überlegen hielt, als homosexuell zu erleben, hätte ihn geschmerzt. Ahnungen diesbezüglich hatte er verdrängt. Er hatte Berni des Öfteren zu einer Heirat gedrängt und war froh, eine solche noch zu erleben. Eine Ehe mit drei Kindern unter gleichzeitiger Aufrechterhaltung gleichgeschlechtlicher Beziehungen hätte ihn sicher zu sarkastischen Bemerkungen gereizt, bei dem eigenen Sohn jedoch die Sprache verschlagen. Er musste es nicht mehr erleben.

Mein Großvater hatte zweifellos Lebensart und diese wurde mir auch weitergegeben. Wenn meine Großmutter sich über das anstandslose Zahlen einer offenbar überhöhten Essensrechnung beschwerte, meinte er nur:‚Der feine Mann schweigt, zahlt und weint zu Hause.' Den rastlosen Managern hätte er mit Seneca entgegengehalten:‚Nusquam est, qui ubique est.' Er liebte es überhaupt, vor allem bei Anwesenheit seines alten Ettaler Schulkameraden Dr. Müller, Wortmeldungen anderer auf gesellschaftlichen Veranstaltungen vorzüglich mit Sprüchen von Seneca lateinisch zu kommentieren, meist so, dass es lediglich Dr. Müller verstand – die anderen hätten aber auch das Nichtverständnis mangels nie bestehender oder unzureichend erlernter Lateinkenntnissen ohnehin nicht zugegeben. So kommentierte er die Klagen eines Wirtschaftsführers, dass man in seiner Position nicht geliebt werden könne mit ‚Si vis amari,

ama', die Beschwerde einer Hausfrau, dass sie zu nichts komme, mit ‚Dum deffertur, vita transcurrit' oder den Spott der
anderen über die Seitensprünge der Gattin eines reichen, gehörnten Ehemannes: ‚Non faciunt meliorem equum aurei freni.'

Dr. Müller, der Jesuit, der sich an Tischgesprächen über belanglose Dinge kaum beteiligte, hob nur leicht die Augenbraue.
Er missbilligte eigentlich die Arroganz und den gewissen Snobismus, den das Verhalten seines Freundes an den Tag legte,
andererseits gefiel ihm die zum Ausdruck kommende Bildung.
Seine Einstellung war, dass man belanglose Gespräche auf eben-
solchen Veranstaltungen als das nehmen solle, was sie waren.
Wenn es einem nicht gefiele, müsste man nicht daran teilnehmen. Mein Großvater konnte aber ein Minimum an Einladungen nicht vermeiden, das war er seiner Frau schuldig."

65

Paul machte eine Pause, trank einen Schluck Mineralwasser
und sinnierte vor sich hin.

Ich ergriff die Gelegenheit: „Deine Großeltern richteten eigentlich wenig Einladungen aus."

„Das ist richtig und auch wieder nicht. Wegen der völlig unterschiedlichen Art ihrer Interessen, ihrer intellektuellen Fähigkeiten, ihrer Lebensart, hatten sie kaum gemeinsame Freunde.

Ich selbst habe so gut wie nie eine Gesellschaft von Freunden oder ein gemeinsames Abendessen erlebt. Allenfalls war
eine Freundin oder Bekannte meiner Großmutter zugegen
oder ein befreundetes Ehepaar allein. Meine Großeltern waren ungesellig.

Die Ausnahme war ein kleiner Kreis bestehend aus sechs Personen, meiner Großmutter, ihrer Schwester, der Majorin, einer
früh verwitweten Freundin, die auch in Seeberg in der ansehn-
lichen Villa, den ihr ihr deutlich älterer und auch noch früh ver-
storbener Gatte neben einem bedeutenden Bekleidungsgeschäft
in München, das ihr einziger Sohn führte und dessen Hauptgesellschafterin sie war, vermacht hatte, Frau Charlotte Küst-

mann. Hinzu kamen männlicherseits mein Großvater, der Jesuit Dr. Müller und der alte Schulfreund meines Großvaters, Fritz Liebknecht, seinerzeit beamteter Kunstgeschichtler in der bayerischen Museumsverwaltung und kommunaler Politiker der FDP, deren nationalem Flügel zugewandt. Beim Zusammentreffen dieser Gesellschaft und es war die Einzige, die sich regelmäßig im Hause meiner Großeltern traf, regelmäßig will heißen, zweimal im Jahr, jeweils im Frühsommer und Spätherbst.

Meine Großmutter war völlig unsportlich und spielte auch sonst nicht. Die einzige Ausnahme war das Krocketspiel, das stets diese Gesellschaft spielen musste. Dabei war es ungeschriebenes Gesetz, dass meine Großmutter immer zur Siegermannschaft gehörte. Das war nicht schwierig, da die gegnerische Mannschaft regelmäßig aus meinem Großvater, Dr. Müller – beide fanden das Spiel kindisch und lächerlich und entwickelten keinerlei Ehrgeiz – und der Majorin bestand. Für meine Großmutter war neben dem Gewinn jedes Mal der Höhepunkt, wenn es ihr vergönnt war, eine gegnerische Kugel zu touchieren und sie anschließend möglichst weit mithilfe der eigenen danebenzu legenden Kugel, auf die der Schlag angebracht wurde, wegzuschlagen.

Du kennst Krocket? Ein Spiel mit einer Holzkugel und Schlägern, die diese bewegen. Man spielt es im Garten, muss durch kleine Eisentore hindurch zum Ziel und kann die Kugel von Mitspielern der gegnerischen Mannschaft wegschießen. Es ist heute ziemlich unbekannt."

„Ich kenne es. Wir Kinder haben es doch einige Male bei deinen Großeltern im Garten gespielt. Ich habe mich erst neulich daran erinnert, als ich Ingmar Bergmans ‚Lächeln einer Sommernacht' erneut gesehen habe, ein früher Bergman-Film. Der Graf schlägt beim Krocket den Anwalt aus dem Feld. Die Versöhnung, das gute Ende der Komödie, erinnert mich irgendwie an ‚Cosi fan tutte'. Alles ist scheinbar in Ordnung gebracht, man hat aber das untrügerische Gefühl, dass dem doch nicht so ist. Aber entschuldige, ich habe dich unterbrochen."

„Das macht gar nichts. Wie kommst du zu den alten Filmen? Ach ja, ich weiß, du gehst jeden Mittwoch mit Sarah ins

Kino, um wirklich gute Filme zu sehen, möglichst von deinen Lieblingsregisseuren wie Bergman, Visconti, Melville, Godard, Kubrick, Antonioni und Fellini."

Paul hatte recht. In der Tat hatten wir es uns zur Gewohnheit gemacht, so gut wie jeden Mittwoch ins Kino zu gehen. München eröffnete durchaus die Möglichkeit, gute Filme zu sehen.

Paul fuhr nun aber mit der Geschichte seiner Großeltern fort: „Mein Großvater verachtete gesellschaftliche Veranstaltungen. Meine Großmutter, doch ein wenig unsicher, zog Mittagessen im kleinen Familienkreise vor. Dazu wurde das Esszimmer Sonntag zu Mittag benutzt. In der Mitte des Speisezimmer stand ein ovaler Mahagonitisch ausgelegt für sechs Personen, aber mit einer raffinierten Konstruktion so ausziehbar, dass er bis zu achtzehn Gästen Platz bot. Er konnte also je nach Gästeanzahl variiert werden.

Sonntags wurden regelmäßig die Kinder meiner Großeltern mit deren Kinder abwechselnd eingeladen.

Meine Großeltern saßen sich an dem festlich mit Meissener Porzellan und echtem, alten Silberbesteck mit einer auf meine Großmutter verweisenden Gravur – ein Hochzeitsgeschenk – gedeckten Tisch gegenüber. Die Tischordnung war nach den Bedürfnissen der Großmutter ausgelegt. Neben ihr saßen meine Eltern – meine Großmutter wollte sich mit dem neuesten Klatsch der Jüngeren versorgen und gleichzeitig demonstrieren, dass sie auch auf dem Laufenden war. Neben meinem Großvater saß zur Linken Dr. Müller und zur Rechten seine Schwägerin, die Majorin. Die Mittelplätze waren reserviert für zwei andere, wechselnde Gäste, meist unverheiratete Großtanten, entfernte Verwandte oder einen Freund meines Großvaters, für uns Onkel Fritz, auch ein alter Ettaler Schulkamerad. Wir Kinder saßen im selben Raum an einem in einer Ecke abgestellten kleinen Tisch und waren angehalten, uns möglichst ruhig zu verhalten. Umso mehr konnten wir die Gespräche der Erwachsenen verfolgen.

Die ganze Unterhaltung war eine einzige Selbstdarstellung meiner Großmutter, die festlich gekleidet, mit immer anderen Schmuckstücken dekoriert, das Gespräch bestimmte und zu allem und jedem, vor allem zu allen und jeden ihre oft sehr bissige Meinung kundtat, die immer wohlwollend von den anderen Tischgenossen, die jeweils nur Stichwortgeber waren, geteilt und begrüßt wurde. Mein Großvater aß schweigend. Nur gelegentlich kommentierte er, dann meist zu Dr. Müller gewandt, etwa die regelmäßigen Ausführungen der Großmutter, dass sie mindestens hundert Jahre alt werden wolle, ohne dass diese die Großmutter aber hören konnte oder wollte –, sie legte gerade dar, wie sie verhindere, zu altern, nämlich indem sie, obwohl schon weit über sechzig, sich einrede und dies auch jedem Fremden so kundtue, sie feiere an ihrem Geburtstag immer erneut ihren sechzigsten – mit Worten wie: ‚Langes Leben, kurzes Leben – der Tod macht beide völlig gleich; denn Dinge, die nicht mehr sind, haben weder Länge noch Kürze.' Oder:

‚Das Leben an sich ist weder ein Gut noch ein Übel, sondern nur der Ort, wo Gut oder Übel so viel Platz einnehmen, wie ihr ihnen zugesteht. Und wenn ihr einen Tag gelebt habt, habt ihr alles gesehen. Ein Tag ist gleich allen Tagen.' Dr. Müller, der ansonsten nur schwieg, meldete sich dann zu Wort und meinte: ‚Das habe ich doch schon einmal gehört, gewiss von deinen Lieblingsdenkern Seneca oder Montaigne.' Mein Großvater lächelte nur und verstummte erneut.

Lieblingsthema meiner Großmutter war die persische Kaiserin Soraya, deren Mutter gebürtige Berlinerin war, und die die ersten Jahre in Deutschland verbracht hatte. Ihr märchenhafter Aufstieg wurde, anlässlich ihres Deutschlandbesuches 1955, bewundert, ihre Verstoßung durch den Schah wegen nicht erfolgter Nachwuchserbringung regte jedoch nicht weibliche Solidarität, sondern Schadenfreude und Verachtung an. Wer hoch steigt, fällt eben auch entsprechend.

Die Hochzeit von Grace Kelly mit dem Monacofürsten Rainer III. 1956, in vielen Zeitungen als Märchenhochzeit dargestellt, wurde von meiner Großmutter eher als Schaumschlägerei großprotziger Adeliger angesehen. Die Grimaldis galten ihr nicht als Adelsfamilie erster Klasse.

Ihre Kenntnisse bezog meine Großmutter aus verschiedenen Illustrierten, wie der ‚Revue' mit den Fortsetzungsromanen von Hans Habe, den Kriminalreportagen von Will Tremper, eingerahmt von Anzeigen für das Waschmittel Rei, der ‚Quick' und der ‚Bunten' aus dem Hause Burda. Die Illustrierten, ein vorzügliches Objekt – neben dem Fernseher – unserer kindlichen Bedürfnisse, rundete der ‚Stern' von Henry Nannen ab, den mein Großvater auch wegen der politischen Kolumnen von Sebastian Haffner bevorzugte.

Meine Großmutter war nur einmal ins Kino gegangen, das ihr als unfein galt. Der gesehene Film, es war ‚Sissy', gespielt von Romy Schneider, hatte sie tief beeindruckt und sie bekundete in ihrer sonntäglichen Tischrunde „vollstes Verständnis" und vollständige Übereinstimmung mit Volkes Meinung, die Romy Schneider nach ihrer Verlobung mit Alain Delon und dem Wegzug nach Paris auf der Beliebtheitsskala von 1 auf 20 abrutschen ließ.

Anders als die veröffentlichte Meinung, die Marlenes Auftritte auf ihrem seit fast dreißig Jahren ersten Deutschlandbesuch im Jahre 1960 umjubelte, kritisierte meine Großmutter Marlene Dietrich. Sie sei immer gegen die Nazis gewesen, jedoch ginge es zu weit, die Soldaten, die auf die eigenen Männer und Söhne schießen würden, moralisch zu unterstützen. Das hätte es wirklich nicht gebraucht. Frau Dietrich hätte sich ja heraushalten können, das hätte ihrer Reputation keinen Abbruch getan. Bei dieser Gelegenheit mischte sich Fritz Liebknecht, der alte Freund des Großvaters und einer der Getreuen am Mittagstisch, ein und gab meiner Großmutter, nicht nur aus Opportunismus oder Gleichgültigkeit, sondern aus voller Überzeugung recht. Es sei lächerlich, wie Künstlern, Politikern und Dichtern, die in der schwersten Zeit unseres Volkes außerhalb standen und gar noch gegen es propagandistisch kämpften heutzutage, gerade dies als besondere Auszeichnung angerechnet werde. Er meine Leute wie Wehner, Brandt, aber auch Dichter wie Thomas Mann, während die Hiergebliebenen oft eher verachtet oder vergessen werden.

Eine solche Einlassung provozierte eine Replik des Jesuiten Dr. Müller. Er sei dafür, hier Gerechtigkeit allen widerfahren zu lassen. Es könne doch keine Frage sein, dass Andersdenkende oder sich gegen die Nazis Engagierende keine andere Wahl gehabt hätten, zu emigrieren oder ihr Leben aufs Spiel zu setzen. Was wolle man ihnen denn vorwerfen. Hätten sie außerhalb des Landes schweigen sollen? Es ist doch nur ehrenhaft für die deutsche Kultur oder Politik, dass es die Deutschen gab, die das Naziunrecht beim Namen nannten. Das heiße aber nicht, dass die Hiergebliebenen deshalb moralisch zweiter Klasse seien. Es käme eben auf den Einzelfall an. Allerdings empfinde er es doch als nicht förderlich, alles allzu schnell zu vergessen und führende Leute des Naziregimes ohne weiteres an führenden Positionen in unserer Gesellschaft weiteragieren zu lassen.

Die Diskussion wurde dann schnell von meiner Großmutter abgebrochen, die meinte, man solle nicht politisieren, und lieber zu aktuellen Kriminalfällen wie den Prozess gegen Vera Brühne überleitete. Auch in diesem Falle gab es keine weibliche Solidarität, sondern die Diskutanten, vor allem meine Großmutter und ihre Schwester, die Frau Majorin, zeigten sich überzeugt, dass Frau Brühne aus verschmähter Liebe und Habgier ihren wohlhabenden Freund Dr. Praun und dessen Haushälterin in der Villa des Arztes mit Hilfe des Bekannten Johann Ferbach erschossen hatte. Empört waren beide allerdings darüber, dass die eigene Tochter die Mutter belastet hatte.

Weniger intensiv wurde der Mord an der Edelhure Rosemarie Nitribitt mit rotem Mercedes 190 SL und Pudel Joe behandelt, sei es, dass das Milieu des Geschehens meiner Großmutter zu schlüpfrig war, sei es, dass die Gefahr bestand, sie könne durch Andeutungen bezüglich ähnlichen Umgangs, den ihr Mann pflegte und den sie erahnte, aber nicht wissen wollte, kompromittiert werden.

Meine Großmutter war nicht prüde. So stimmte sie der Zulassung der Antibabypille ausdrücklich zu, anders als Dr. Müller. Seinem Einwand, man solle nicht in die Schöpfung eingreifen, wenn sich der Mensch selbst als Maß aller Dinge nehme, so bringe dies Unglück, konterte sie ganz einfach: ‚Aber Sie sind doch völlig lebensfremd. Warum soll man, wenn man kein Kind haben will, nicht die Pille nehmen? Es gibt doch ohnehin viel zu viele Menschen.‘ Dr. Müller, der Jesuit, widersprach aus Höflichkeit nicht. Er war keiner der Prediger, die alle und jeden missionieren wollten. Vielleicht dachte er sich aber, dass die gnädige Frau, die so forsch für die Pille eintrat, hätte es diese schon dreißig bis vierzig Jahre früher gegeben, heute wahrscheinlich nicht seine Gastgeberin gewesen wäre. Ob durch den Eingriff in das Schicksal dies einen besseren oder wünschenswerteren Verlauf nimmt, wisse eben keiner.

Diese Tischunterhaltungen waren auch an Weihnachten nicht anders. Am ersten Weihnachtsfeiertag war regelmäßig die gesamte Familie, also meine Großeltern, deren drei Kinder mit Gatten und Enkelkinder, sofern vorhanden, sowie Dr. Müller, Fritz Liebknecht und die Frau Majorin bei den Großeltern zum Festessen. Die Geschenke der Großeltern für ihre Enkel waren immer Geldgeschenke, begründet mit größerer Freiheit für die Kinder, in Wirklichkeit aber der Bequemlichkeit und dem mangelnden Wissen um tatsächliche Wünsche und Bedürfnisse der Enkel geschuldet, aber den Kindern durchaus willkommen. Der Weihnachtsbaum war von den Angestellten geschmückt mit Lametta, roten Wachskerzen und einigen wenigen bunten Kugeln.

Der Großvater war an Weihnachten eher desinteressiert. Wenn mein Vater über Geschäfte sprechen wollte, fertigte er ihn kurz ab, alles zu seiner Zeit und wandte sich wieder Dr. Müller oder Onkel Fritz zu, um sich über Politik, Fragen der Kunst oder darüber zu unterhalten, wie wenig Stil und Geschmack doch die meisten der Menschen hätten, mit denen man, sei es aus geschäftlichen oder familiären Gründen gezwungen war, zu verkehren.

Eine beliebte Diskussion war unter den drei Freunden auch die Frage der Aufgabe des Staates. Während mein Großvater dafür plädierte, dass der Staat sich soweit wie möglich aus allen Angelegenheiten heraushalten sollte, war Onkel Fritz eher ein Vertreter eines autoritären Staates, der zwar die Wirtschaft grundsätzlich den Bürgern zu überlassen, im nationalen Interesse jedoch, zur Not mit Zwangsmitteln dafür Sorge zu tragen hätte, dass wichtige Industriezweige, wie Banken, die Versorgungsindustrie und die Waffenindustrie in deutschem Besitz bliebe, auch habe der Staat polizeilich seine Bürger ausreichend

zu schützen, die Sicherheit ginge im Zweifel der Freiheit vor.
Dr. Müller hingegen vertrat in Kenntnis der katholischen Sozi-
allehre die soziale Marktwirtschaft. Er nannte sich einen ‚Or-
doliberalen‘, was im Gegensatz zum ‚Laissez-faire-Prinzip‘ stehe. Wettbewerb sei eine öffentlich-rechtliche Veranstaltung,
die vom Staat zum Zwecke der Ordnung der Märkte eingesetzt
werde. Sozial stehe für den Staat als handelndes Subjekt der
Gesellschaft, der insbesondere den Wettbewerb zu schützen
habe. Politisch sei in der vermassten und proletarisierten Gesellschaft eine auf Privatinitiative und Wettbewerb beruhende Wirtschaftsverfassung nicht zu halten, daher sei Aufgabe
des Staates, Eigentumskonzentration zu verhindern und de-
zentralisiertes Eigentum zu fördern.

Bald nach dem Essen zog sich mein Großvater zum Mittag-
schlaf zurück.“

66

Paul unterbrach und nahm einen Schluck Wasser.

Ich meinte eine verallgemeinernde Bemerkung machen zu
sollen: „Die Entwicklung von der Salonkultur des 19. und frühen 20. Jahrhunderts hin zu Einladungen und gesellschaftlichen Veranstaltungen im kleinsten Familienkreis, wie von
dir geschildert, kehrt sich zurzeit, so mein Eindruck, wieder
um. Dies mag an der sterbenden Institution Großfamilie und
daran liegen, dass die Frauen, berufstätig und ohne Personal,
für aufwendige größere Einladungen weder Zeit haben noch
Priorität sehen. So findet die gesellschaftliche Kommunikation, verbunden mit Nahrungsaufnahme je nach Schicht, bei
Veranstaltungen offiziöser Art wie Empfängen zum Neujahr
von politischen Parteien, Vereinen oder verschiedener Jubilä-
en von politischen, evangelischen, katholischen Akademien,
Galaabenden gesellschaftlicher Institutionen und wirtschaftli-
cher Einheiten zu Preisverleihungen diversester Art statt. Dort
bilden die immergleichen Leute und manche Außenseiter, die
sich besonders geehrt fühlen, die Kulisse für mehr oder we-

niger geistvolle und intelligente Vorträge aus den Versatzstücken des Immergleichen der Redeschreiber allzu oft referierender Politiker oder aus diverse Vorlesungen komprimierenden Fachvorträgen eingeladener Professoren oder sonstiger Sachverständiger, deren Inhalt dem Publikum meist weitgehend verschlossen bleibt, aber deshalb umso mehr als hochinteressant und geistvoll bewertet wird.

Nach artig gespendetem Applaus wird das üppig vorhandene aus geschmäcklerischer Einheitskost bestehende Buffet dem schnell zulangenden Zugriff der hungrigen Gäste ausgesetzt. Sie treffen dort die immergleichen Personen, mit denen sie sich eigentlich gar nichts zu sagen haben und sind glücklich, ihre gesellschaftliche Bedeutung unter Beweis gestellt zu haben, wenn sie einem der doch immer wieder vorhandenen Außenseiter, den sie aus anderem Zusammenhang, etwa aus der Nachbarschaft oder wegen gemeinsamer Schulkinder, kennen, den Herrn X oder die Frau Y, die durch häufigere Fernsehpräsenz eine gewisse Popularität errungen haben, vorstellen können. In den fünfziger Jahren gab es diese Veranstaltungen aber sicher auch, wenn nur nicht so häufig."

Paul antwortete: „Gewiss. Mein Großvater legte aber nicht sehr viel Wert darauf. Einzig einmal jährlich besuchte er eine derartige Veranstaltung. Es blieb ihm aber auch nichts anderes übrig. Denn er war Vorsitzender eines Vereins der deutschen Kunsthändler, die sich einmal jährlich trafen. Bei dieser Gelegenheit gab es jeweils einen von ihm kurz vorgetragenen Jahresbericht über die wirtschaftliche Situation und anschließend einen Fachvortrag meist eines Professors über Spezialthemen der Kunstgeschichte, die mein Großvater mit großer Liebe gemeinsam mit dem jeweiligen Referenten selbst auswählte. Zu diesen Vorträgen wurden auch die Gattinnen der Händler geladen.

Ich selbst habe eine derartige Veranstaltung an der Seite meiner Großmutter miterlebt. Großmutter ging nie zu diesem ‚Verein', wie sie es nannte. Anscheinend ließ es sich aber einmal nicht vermeiden. Und, wohl um ihre Unsicherheit zu kaschieren und quasi einen Schutz mitzunehmen, bestand sie darauf, dass ich sie begleitete, obwohl ich erst elf oder zwölf Jahre alt war. Großvater meinte, es könne nichts schaden, wenn der junge Mann einen gescheiten Vortrag über einen Kunstgegenstand hörte, wenn er es auch nicht verstünde, aber das täten die wenigsten der Zuhörer, er nutze seine Stellung als Vorsitzender dazu aus, nach seiner Wahl, kunstgeschichtlich erstklassige Anregungen zu erhalten anlässlich einer Veranstaltung, die eine lästige Pflicht sei. So müsse man aus jeder Lebenssituation das Beste machen.

Ich weiß noch, wie mir die ganze Situation peinlich war. Ich war das einzige halbwüchsige Kind. Wir saßen in der ersten Reihe gleich neben dem Referenten und sonstigen Ehrengästen und ich wurde von allen begrüßt, meist mit einer Bemerkung wie ‚Früh übt sich …‘ oder ‚Der junge Mann will wohl in die Fußstapfen seines Großvaters treten‘, oder – von den wenigen anwesenden Frauen bemerkt, ‚wie hübsch doch der Kleine ist, er ähnelt wirklich seinem Großvater‘.

Ich weiß noch heute, dass das Thema des Vortrags, Lieblingsthema meines Großvaters, der Manierismus war. Was wirklich vorgetragen wurde, ist mir nicht mehr bewusst. Da mein Großvater aber noch in Zeiten, als ich derartige Themen schon bewusst aufnehmen konnte, immer wieder Ausführungen dazu machte, und ich somit eine gewisse Vertrautheit mit dem Gegenstande erlangt habe, kann ich mir vorstellen, Gedanken wie die folgenden hätte vernehmen zu können.

Was ist Manierismus, ist die Postmoderne ein moderner Name des Manierismus? Hat der Manierismus überzeitlichen Charakter oder ist er in seiner Widersprüchlichkeit nur dem 16. Jahrhundert zuzuordnen?

Das Stilmittel der Figura serpentinata, exemplarisch in Parmigianinos ‚Madonna mit dem langen Hals‘, ist Ausdruck einer Weltanschauung, die Form als Ausdrucksmittel dessen, was der Künstler zu sagen hat. Das Bezugssystem der Kunst wird der Intellekt. Das Kunstwerk als Funktion der Wahrnehmung, der Betrachter wird einbezogen. Damit wird Kunst Erkenntnis und Gegenstand der Philosophie. Dann kann auch die Störung der Form die Intensivierung des Ausdrucks bedeuten. Auf das Naturvorbild als Kunstideal wird verzichtet, was nicht heißt, dass das Naturwerk nicht selbst Eingang in die künstlerische Gestaltung finden kann. Ist der Manierismus, auf den Begriff gebracht in Pamigianinos Selbstbildnis im Spiegel, als versinnlichte Reflexion schon Erkenntnis oder nur der Hinweis auf die Notwendigkeit von Reflexion und Erkenntnis? Aber solch ein Hinweis ist schon Erkenntnis und damit ist das überlängte Figurenideal mehr als nur die Repräsentanz von Grazie und Schönheit. Wenn der Manierismus als Negation auf die Klassik der Renaissance, die in ihm gleichwohl aufgehoben ist, verstanden wird, was ist dann die Negation der Negation? Ist diese ein neuer Kunststil oder nicht der Sprung aus der Kunstform in das Denken, in die tatsächliche Reflexion. Die Kunst als solche ist nicht mehr verständlich, sie bedarf der Interpretation, aber damit der Sprache, der Reflexion, des Denkens. Das sagt sie aber von sich aus? Sie stellt das Sich selbst über sich Hinausweisende dar.

Ich hätte dies so hören können? Aber habe ich es so gehört. Ich weiß es nicht mehr. Das heißt doch, dass ich nur das wirklich höre, was ich auch aufnehme, was ich auch verstehen und zumindest potentiell behalten kann. Jedoch ist auch dies vermittelt durch Vorverständnis und Wahrnehmungs- und Aufnahmefähigkeit, so dass von allen Zuhörern eines derartigen Vortrages, obwohl sie scheinbar den gleichen Gedankengängen lauschen, jeder etwas anderes hört.

Ich hätte derartige Gedanken oder Theorien über den Manierismus hören können. Tatsächlich in Erinnerung ist mir gänzlich anderes.

Nun, ich bin abgeschweift. Wir waren beim Mittagessen. Übrigens wurde stets vor dem Essen wie nach dem Essen gebetet. Jeweils im Stehen, wobei mein Großvater immer schon vor dem Ende des Gebetes saß und begann, sich die weiße leinene Serviette, die am Rande mit einem weit schwingenden großen P verziert war, sich umzubinden und seine Hände in den goldenen Wasserschüsseln wusch, die immer aufgedeckt waren, obwohl nur für Speisen gedacht, die eine Berührung mit den Fingern als nicht gegen die Etikette verstoßend zuließen, wie Hummer oder manch sonstiges Meeresgetier."

„Und kennst du die Gebete noch, was ist von so einem Brauch zu halten?", fragte ich.

„Vor dem Essen wurde gebetet:,Oh Gott, von dem wir alles haben, wir preisen dich für deine Gaben. Du speisest uns, weil du uns liebst, oh segne auch, was du uns gibst.' Nach dem Essen hieß es: ,Dir sei, oh Gott, für Speis und Trank, für alles Gute Lob und Dank. Du gabst und wirst auch künftig geben, wir preisen dich das ganze Leben.'

Ich finde, dass ein Tischgebet mehrere positive Aspekte enthält, obwohl wir zu Hause nicht mehr gebetet haben und eine derartige Sitte von mir nicht in unser Familienleben eingeführt wurde. Das hätte einfach unserer säkularen Welt widersprochen, deren Kinder wir doch alle sind. Ein Gebet lässt innehalten, das Essen, Elementarbedürfnis, auch des Menschen, wird kultiviert, es wird nicht, wie beim Tier und dem heutigen, schon richtig benanntem ,fast food' gefressen, es ist nicht notwendige Nahrungsaufnahme, sonst nichts. Es wird auch darauf hingewiesen, dass das scheinbar Selbstverständliche doch ein Gut ist, das zu würdigen ist. Das Essen, die Natur als Voraussetzung dafür, Mensch zu sein. Wer dem enthoben ist, wer nicht um das tägliche Brot kämpfen muss, der hätte doch eigentlich alle Möglichkeiten, sein Menschsein zu leben. Wenn das der Mensch nicht tut, sondern Vergnügungen, Geld, Macht oder Prestige dem opfert, so hat er sich frei für die Unfreiheit entschieden.

Was pure Konvention war, geschuldet einem eher geistlos übernommenen Brauch der Vorväter, von meiner Großmutter als strikte Gewohnheit gefordert und vom Großvater gelassen geduldet, wäre heute Widerstand gegen eine allzu schnelllebige Zeit, die nicht innehalten will und den Einzelnen in ihren Anforderungen verschlingt, so dass er gar nicht mehr zum Nachdenken und damit auch zu sich selbst findet. Indem ich an dieser Konvention teilnahm, als Kind ohne Infragestellung, wurde mir eine Welt vermittelt, die sich vordergründig als antiquiert, als Teil eines Lebens, das war und nicht mehr so kommen wird, darstellt, die aber heute dem herrschenden Treiben, der sinnlosen Reproduktion geforderter und verinnerlichter angeblicher Lebensgenüsse ein Contra entgegensetzt. Ein Contra, das Einhalten, Verweilen, wenn auch nur kurz und ritualisiert, bedeutet.

Kaffee und Kuchen wurden bei warmem Wetter vor dem Haus auf der Terrasse serviert.

Wir Kinder durften nach dem Essen in das Fernsehzimmer. Wir sahen den ganzen Nachmittag das Programm des Ersten Deutschen Fernsehens, das damals allein verfügbar war. Da wir zuhause keinen Fernseher hatten, war diese Unterbringung der Höhepunkt des Seeberg Ausfluges und beste Motivation. Nach dem Länderspiegel gab es meist Spielfilme wie ‚Lassie' oder ähnlichen Kitsch. Das Medium als solches war jedoch so faszinierend, dass der Inhalt belanglos war. Wir saßen nachmittags passiv vor der ‚Glotze', dank dieser Verführung unfähig, gemeinsam zu spielen. Wie anders als ich allein bei meinen Großeltern weilte, tagsüber war Fernsehen nicht möglich, da es noch kein Programm gab. Ich spielte im Garten und ließ meiner Phantasie freien Lauf oder wir spielten zusammen, wie du ja weißt."

Paul erinnerte sich der Kindheit und mir war Gelegenheit gegeben, darüber zu resümieren:

„Kindheit ist Liebe ohne Besitznahme, Freundschaft ohne Berechnung, Spiel ohne materiellen Gewinn, Phantasie ohne Verletzungen, Scheitern ohne Konsequenzen, Lernen ohne Zensur, Ehrgeiz ohne Verkrampfung, Müßiggang ohne schlechtes Gewissen. Das ist das Glück der Kindheit, dessen man sich doch immer erst im Nachhinein bewusst ist, wie beim Studieren das Glück, sich nur mit dem Erwerb von Wissen zu beschäftigen. Wenn man Kinder die Freiheit, das zu erleben nicht lässt, betrügt man sie um ihre Kindheit, leider heute zu häufig, wenn Kinder in frühen Kindergruppen schon ständig kontrolliertem Lernen, laufender sozialer Kommunikation mit Gruppenzwang, dem ständigen sich und anderen etwas Beweisen und Erweisen, ausgesetzt sind."

„Genau dieses von dir so beschriebene Glück, des sich Verlieren Könnens in Phantasiewelten, des Anerkannt Seins um seiner selbst willen, der ‚Nichtforderung', sei es auch aus man-

gelndem Interesse, das war es, was das Seeberg bei meinen Großeltern für mich bedeutete: Die körperliche Zärtlichkeit meiner
Großmutter, durchaus erotisch, aber nicht sexuell motiviert,
begleitet von Mozartarien – dem Versprechen eines Glückes,
einer Lebensform, die mit der Natur ohne Naivität versöhnt,
Witz und Humor, nicht Sarkasmus und Zynismus, Begehren
ohne Begierde, Harmonie ohne kitschigen Schmalz –, die Lie-
besphantasien Uscha gegenüber, die kindliche Freundschaft
mit dir, die ganz ohne Rivalität oder ‚Sich beweisen müssen‘
war, das interesselose Verwöhnt werden durch die Köchin und
die Hausmädchen, die dem kleinen Prinzen nur Gutes wollten
und das gelegentliche Zuhören weiser Gespräche zwischen meinem Großvater und Dr. Müller, deren Zeuge ich war und die
mich nie examinierten.“

67

Ich unterbrach: „Rekonstruiere mir doch noch solch ein Gespräch, möglichst ein politisches. Für welche Partei sympathi-
sierten denn die beiden?“

„Beide wählten wohl CDU. Dr. Müller aus christlicher Strin-
genz und mein Großvater aus ökonomischem Interesse. Allerdings hätte er auch FDP wählen können, die ihm damals
aber zu sehr mit alten Nationalisten durchsetzt war. Ein politisches Gespräch habe ich noch gut in Erinnerung. Es waren
ihre Kommentare zum Bau der Berliner Mauer am 13. August
1961. Während mein Großvater meinte, der Bau schade nichts,
er verfestige die Westbindung der Bundesrepublik und mache
den unmenschlichen Charakter der DDR anschaulich, verurteilte Dr. Müller diese Ansicht als zynisch und politischen
Opportunismus. Durch den Bau der Mauer schotte sich Ost-
deutschland ab. Die Folge sei ungehinderte Indoktrinierung der
Bevölkerung, die auf Sicht ein anderes Wertesystem verinner-
lichen werde. Das könne nicht unser Interesse sein. Außerdem
sei die Wiedervereinigung, ein legitimes nationales Anliegen,
auf unabsehbare Zeit hinausgeschoben. Mein Großvater hielt

die Wiedervereinigung für einen abstrakten Wunsch, der doch keine konkreten Vorteile und nur die Gefahr größerer Bedeutung Deutschlands brächte. Die Deutschen seien bisher meist besser gefahren, wenn sie nicht zu bedeutend waren. Wir lebten doch recht gut im Windschatten des großen Bruders Amerika und geschützt von der Nato. Letztlich zähle das Wohlergehen des Einzelnen und der hätte kaum etwas von sogenannten nationalen Interessen. Dr. Müller wiederum erinnerte an das Einzelschicksal der Bewohner der DDR. Das könne einem doch nicht gleichgültig sein. Er sprach von nationaler und sittlicher Verantwortung für das Allgemeinwohl und nannte die Haltung des Großvaters diejenige eines intellektuellen Biedermannes, der nur auf seinen unmittelbaren Vorteil sehe. Wohin eine solche Haltung des deutschen Bürgertums geführt habe, hätte man in der jüngsten Vergangenheit gesehen. Die Tragödie Deutschlands sei eine Tragödie seines unpolitischen Bürgertums, das, um seine kurzfristigen geschäftlichen Interessen und sein privates Wohlbefinden nicht zu gefährden, nie in der Lage gewesen sei, eine anständige Revolution durchzuführen. So zeigte sich Dr. Müller, der Jesuit, als Weltmann und mein Großvater, der gebildete, weitläufig gereiste Ästhet als ängstlicher Kleinbürger."

Paul brach ab und entschuldigte sich, da er die Toilette aufsuchen müsse.

68

Ich lehnte mich zurück und dachte an unsere Kindheit. Wir sahen uns nur, wenn Paul, was allerdings häufig der Fall war, die Ferien bei seinen Großeltern verbrachte. Wir luden uns auch gegenseitig zu unseren Kindergeburtstagen ein. Ich legte die Termine immer freitags, so dass Paul bei seinen Großeltern übernachten und das Wochenende verbringen konnte. Er wurde nach der Schule von seinem Großvater mitgenommen, was ohnehin des Öfteren der Fall war. Umgekehrt waren die Geburtstagseinladungen von Paul für mich anfangs die einzigen Stadtausflüge. Meine Mutter brachte mich in das Haus von Pauls Eltern in Schwabing. Sie selbst ging, solange der Kindergeburtstag andauerte, in die Stadt einkaufen.

Paul war bei meinen Einladungen das einzige Stadtkind und ich bei seinen das einzige Landkind. Dennoch verstand er sich recht gut mit meinen Freunden, wie ich mich mit seinen. So waren die Geburtstageinladungen bei Paul für mich stets ein freudiges Ereignis. Die Einladungen waren genau durchgeplant und es gab bei den verschiedenen Spielen immer für alle schöne Gewinne.

Paul kam zurück und ich sagte: „Ich denke gerade an unsere Geburtstagseinladungen und die Spiele dort. Am liebsten war mir immer das Spiel mit den Süßigkeiten, die der jeweilige Spieler so lange nehmen durfte, bis er auf das Teil stieß, das vorher von den anderen bestimmt war."

Paul erwiderte: „Ich mochte das Schokoladeessen gerne, du weißt, man darf mit Serviette, Messer und Gabel so lange die Schokolade essen, bis der Nächste, durch das Würfelspiel bestimmt, an die Reihe kam. Am liebsten war mir aber bei deinen Festen, an denen auch deine Schwester Uscha teilnahm, das Augenblinzeln, wenn ich mit Uscha dadurch in Berührung kam, dass ich sie mir erblinzelte und dann immer schnell festhielt, um sie anderen Blinzlern nicht überlassen zu müssen."

69

„Aber lassen wir das, ich wollte dir heute noch mitteilen, dass ich mich entschieden habe, mich in Hannover bei einem wohl sehr anerkannten, in Fachkreisen gar berühmten Arzt indischer Abstammung, operieren zu lassen. Er hat mir übermorgen einen Termin gegeben, so dass unser heutiges Treffen vorerst das Letzte war. Ich habe mich, auch nach aller Risikoabwägung doch zu der Operation entschieden. Es ist mir nicht möglich, wenn ich auch noch keine sichtbaren Symptome habe, einfach abzuwarten und den Krebs mich vernichten zu lassen, ohne Abwehrmaßnahmen wenigsten versucht zu haben. Gewiss ist es nicht auszuschließen, es ist sogar eher wahrscheinlich, dass ich nach dem Eingriff eventuell nicht mehr oder nur eingeschränkt gehen kann, dass ich andere Glieder nicht mehr bewegen kann, dass ich meine Sprache verliere, vielleicht gar meinen Verstand, auch möglich, dass ich nicht mehr höre oder sehe.

Aber es könnte auch sein, dass der Tumor gänzlich entfernt ist und nicht mehr kommt, ich somit geheilt wäre – das andere Extrem. Vielleicht wache ich wieder auf, der Tumor ist beseitigt, ich habe Verstand, Sprach-, Seh-, Hör- und Bewegungsfähigkeit und nach drei Monaten, vielleicht auch nach zwei Jahren, meldet sich der Tumor erneut. Man weiß es nicht und es weiß auch keiner, es ist Schicksal. Die Hoffnung stirbt zuletzt, wie es in einem der Volkssprüche, die doch oft recht weise sind, da langjährige Menschheitserfahrungen ausdrückend, heißt. Deshalb lasse ich mich operieren. Was ist deine Meinung?"

„Dazu kann ich nichts sagen, das ist mir eine zu große Verantwortung. Als Optimist würde ich dir zuraten, allerdings wirklich bedauernd, dass unsere Gespräche vorläufig enden. Sie waren für mich wunderbar. Eine Zeit, die schon lange vergangen war und doch so nah sich anfühlt, wurde wiederbelebt. Wie geht es weiter? Das Leben ist offen. Deine Entscheidung ist deine Freiheit, dadurch gestaltest du dein Leben, aber nicht nur deines. Fährt Anja mit dir mit?"

„Ja, sie bringt mich nach Hannover und wird auch dort bleiben. Sie hat ihre Termine kurzfristig verschoben und sich Urlaub erbeten, was schon mal möglich ist. Du weißt ja, dass sie gekündigt hat, um mich zu betreuen. Allerdings muss sie noch ihre Nachfolgerin einarbeiten. Sie wird also nicht sofort gänzlich nur mir zur Verfügung stehen. Wir werden sehen, wie das Ergebnis des Eingriffes ist.

Ich möchte dir aber noch etwas anvertrauen. Es sind Briefe, die ich mir vor unserer Hochzeit mit Sophia geschrieben habe. Ich habe sie Anja nicht gezeigt. Ich möchte auch nicht, dass sie sie, wenn mir etwas passiert, finden würde. Du kannst sie gerne lesen. Ich möchte es sogar. Bitte behalte sie auch, wenn ich die Operation unbeschadet überstehe. Wir können dann gerne einmal darüber sprechen."

Wir verabschiedeten uns. Wir sahen uns beide tief in die Augen und umarmten uns. Wahrscheinlich dachten und fühlten wir Ähnliches. Würden wir uns wieder so treffen wie jetzt, in dieser Vertrautheit? Wäre Paul noch derselbe, wenn ich ihn wiedersähe oder könnte er nicht mehr sprechen, nicht mehr denken, hätte Erinnerung und somit die Identität verloren? Vielleicht hätte er sich aber nur durch das, dank der Narkose gewiss unbewusste, Erlebnis der Operation mental so verändert, dass er nicht mehr der Gleiche wäre oder zumindest zwischen uns, die wir uns durch jahrelange Freundschaft fast intim zugetan waren, ein Bruch entstünde.

Zuhause diskutierte ich noch lange mit Sarah über die Zufälle des Schicksals und dessen Unwägbarkeiten. Die Operation an Paul beinhaltete alle Potentialitäten, die man sich denken konnte. Paul konnte geheilt sein bisheriges Leben, genauer das Leben vor der Feststellung des Gehirntumors, fortsetzen. Er konnte sterben und möglicherweise damit ein neues, andersartiges Leben beginnen. Die Operation konnte insoweit fehlschlagen, als sich der Krebs als inoperabel herausstellt und Paul wäre wieder in der Situation wie vor der Operation. Er konnte weiterleben, aber ohne Verstand oder ohne Sprachmöglichkeit, vielleicht mit körperlichen Behinderungen oder dauernden Beschwerden. Vielleicht lebte er nur so, dass er alle Anstrengungen, alle Kraft darauf konzentrieren musste, überhaupt am Leben zu bleiben, das somit Selbstzweck wurde – alles dreht sich nur noch um die Krankheit, deren aktuelle Verlaufsform und der Verhinderung übermäßiger Leiden –, wie man das häufig bei alten Menschen erlebt. Allerdings wird ihm immer das Ereignis der Operation als solcher bleiben und bleiben wird auch bei vollständiger Heilung die Tatsache unserer Gespräche, die Vergegenwärtigung einer in der Erinnerung verbliebenen Vergangenheit, die sich allerdings weitgehend auf die Kindheit reduziert hat und insofern bruchstückhaft geblieben ist.

70

Die Operation war für Montag angesetzt. Montagabend berichtete uns Anja per Telefon, dass, soweit man das bisher sagen könne, alles gut verlaufen sei.

Dienstags konnte Anja bestätigen, dass Gehirn, Sprach- und weitgehend die Bewegungsfähigkeit wiederhergestellt sei. Der Tumor sei vollständig entfernt. Ob dauerhaft könne niemand sagen.

Paul war wieder gesund, jedenfalls vorläufig und solange der Tumor nicht nachwachsen wird. Aber wer von uns, der sich als gesund betrachtet, kann ausschließen, dass in irgendeiner Zelle seines Körpers ein Tumor im Entstehen ist und er somit eigentlich schon krank ist. Gesund sind wir dann, wenn wir nicht leiden und uns keiner Krankheit bewusst sind.

Uns bleibt, was Horaz vor zweitausend Jahren in seiner Ode ‚An Leuconoe‘ empfohlen hat: Es macht keinen Sinn, über das Schicksal zu grübeln, das wir nicht ergründen können und werden. Besser ist es, sich in Geduld zu üben und den heutigen Tag bewusst zu leben.

> „Tu ne quaesieris, scire nefas, quem mihi, quem tibi
> Finem di dederint, Leuconoe, nec Babylonios
> Temptaris numeros. Ut melius, quidquid erit, pati,
> Seu pluris hiemes seu tribuit Iuppiter ultimam,
>
> Quae nunc oppositis debilitat pumicibus mare
> Tyrrhenum: Sapias, vina liques et spatio brevi
> Spem longam reseces. Dum loquimur, fugerit invida
> Aetas: «Carpe diem», quam minimum credula postero.“

Ende

Der Autor

Der Autor studierte Philosophie, Germanistik,
Kunstgeschichte und Jura in Frankfurt/Main und
München. Er war tätig als Jurist in Anwaltskanz-
leien, arbeitete als Manager und selbständiger
Unternehmer. Satirev lebt in Südbayern. In diesem
Roman vollzieht der Autor einen stilistischen Rück-
griff auf die von ihm sehr geschätzten klassischen
Vertreter des Poetischen Realismus. Folgerichtig
verwendet er Techniken, wie jene der Causerie,
zur Vermittlung von Denk- und Lebensweisen der
Charaktere durch Dialoge. Daher durchzieht das
Hölderlin-Zitat als roter Faden nicht nur Satirevs
Werk, sondern ist gleichsam ein persönliches Be-
kenntnis: „Lerne im Leben die Kunst, im Kunstwerk
lerne das Leben."

Der Verlag

*Wer aufhört
besser zu werden,
hat aufgehört
gut zu sein!*

Basierend auf diesem Motto ist es dem novum Verlag
ein Anliegen, neue Manuskripte aufzuspüren, zu ver-
öffentlichen und deren Autoren langfristig zu fördern.
Mittlerweile gilt der 1997 gegründete und mehrfach
prämierte Verlag als Spezialist für Neuautoren in
Deutschland, Österreich und der Schweiz.

**Für jedes neue Manuskript wird innerhalb we-
niger Wochen eine kostenfreie, unverbindliche
Lektorats-Prüfung erstellt.**

Weitere Informationen zum Verlag und
seinen Büchern finden Sie im Internet unter:

w w w . n o v u m v e r l a g . c o m